LES FEUX SAUVAGES
DE LA MÉMOIRE

Kitty Sewell

LES FEUX SAUVAGES DE LA MÉMOIRE

Traduit de l'anglais par Pascale Haas

ÉDITIONS FRANCE LOISIRS

Titre original : *HECTOR'S TALENT FOR MIRACLES*
publié par Honno, pays de Galles.

L'auteur souligne que ce livre est une œuvre
de fiction, et qu'aucune ressemblance avec des
individus ou des institutions réels n'est inten-
tionnelle ou implicite.

Vous pouvez consulter le site de l'auteur à l'adresse suivante :
www.kittysewell.com

Édition du Club France Loisirs,
avec l'autorisation des Éditions Belfond

Éditions France Loisirs
123, boulevard de Grenelle, Paris
www.franceloisirs.com

1

Hector traînait autour de l'église en attendant les pèlerins. De toutes sortes et de tous âges, espagnols ou étrangers, ils arrivaient en voiture ou en autocar. Les pauvres et les croyants, portant des chapeaux informes et des sacs à dos, venaient souvent à pied, un bâton à la main. Les plus dévots accomplissaient *la promesa* et gravissaient à genoux les quatre-vingt-dix-neuf marches en pierre.

Leur destination : la ville où Hector était né, modeste mais célèbre, installée tout en haut d'une colline, qui surgissait tel un poing du fond de la vallée. Sa Vierge légendaire, Notre-Dame de la Miséricorde, attirait véhicules et marcheurs au sommet de la colline pentue par la seule force de son magnétisme, et Hector, tel un coucou dans le nid de la Vierge, les attendait pour tirer profit de leur foi.

Et, bien qu'il ne se fût jamais vraiment habitué à l'idée d'exploiter des gens crédules, ce jour-là elle ne le dérangeait pas particulièrement. Le soleil d'août brillait, bienveillant, et un vent frais balayait la moindre trace de nuage dans le ciel. Depuis une demi-heure, il surveillait du coin de l'œil une colonne d'autocars peinant sur la route en lacet qui montait jusqu'à la ville, et se penchait de temps à autre par-dessus le parapet afin de suivre la progression d'un vieil homme qui gravissait les quatre-vingt-dix-neuf marches. Son sang rougissait les dalles de pierre. Alors que la plupart des pèlerins portaient un pantalon épais pour affronter ce supplice, les jambes décharnées du vieillard dépassaient d'un immense short kaki.

N'ayant rien de mieux à faire pour l'instant, Hector avait les yeux fixés sur les genoux lacérés du pauvre pénitent et s'efforçait de les aider à monter par un encouragement télépathique. Il ne lui restait plus qu'une trentaine de marches à gravir pour atteindre le crucifix planté sur l'étroite corniche au-dessous du parapet, mais après chaque effort il s'arrêtait plus longtemps. Hector l'observait avec inquiétude lorsque, après une dernière pause, le pèlerin s'écroula sur les marches telle une poupée de chiffon.

Jetant alentour des regards affolés, Hector n'aperçut pas âme qui vive, et lui-même n'avait jamais jugé nécessaire de posséder un téléphone portable. Il cria au vieil homme des paroles de réconfort, l'exhortant à la patience le temps qu'il coure chercher de l'aide. L'homme remua un peu, lui fit un signe dédaigneux de la main, se redressa et se mit à fouiller dans son sac. Un instant plus tard, il alluma un énorme cigare. Hector sourit ; une fois, il avait entendu dire que rien ne valait un bon cigare.

— Hé, toi, espèce de saleté ! l'interpella une voix bourrue.

Hector détacha son regard de la série de ronds de fumée parfaits qui s'élevaient en flottant au gré du vent. Rodriguez, le placeur et sacristain de l'église, l'appelait depuis la porte de la sacristie.

— Je veux que tu aies déguerpi avant que les autocars arrivent ! *¿ Comprendes ?*

Rodriguez n'avait aucune légitimité pour interdire quoi que ce soit à Hector, qui était un bon citoyen, et d'autant moins que le parvis de l'église était un espace public.

— Bonne journée à toi aussi ! répondit joyeusement Hector.

S'il détestait cet homme, il restait sourd à ses moqueries et à ses insultes.

Rodriguez fonça vers lui. Petit, d'allure simiesque, ce salopard était réellement laid, et il le savait.

— Tu sais quoi, espèce de merde inutile ? Quoi que tu ramasses aujourd'hui, tu m'en fileras la moitié pour compenser les putains d'ennuis que tu me causes !

Rodriguez avait toujours revendiqué une part des gains d'Hector. Il savait que ce dernier n'était pas spécialement fier de son activité, mais de là à ce que leurs rapports exécrables s'étendent à une quelconque collaboration commerciale, il n'en était pas question.

— Va te faire foutre, Rodriguez ! dit-il en riant d'un air aimable.

— Alors, barre-toi ! Fiche le camp ! s'écria Rodriguez en faisant de grands gestes avec ses longs bras comme une ménagère qui ferait déguerpir un chien à coups de pied.

Le premier autocar se garait sur le parking. D'un mouvement brusque, le sacristain fit volte-face et s'en alla vaquer à ses affaires.

Pendant que Rodriguez adressait des signes frénétiques à l'autocar – il tenait à ce qu'ils se garent en rangs impeccables –, Hector sauta par-dessus le garde-fou et se prépara à se mettre au travail. Le dos courbé, il avança en traînant les pieds dans la poussière vers le premier autocar et s'installa près de la porte. Dès que les passagers en descendirent à la queue leu leu, il ouvrit son sac en toile d'où il sortit trois madones à l'Enfant Jésus. Il se procurait ces statuettes en Roumanie auprès d'une compagnie de vente par correspondance au prix de deux euros la douzaine, frais d'expédition en sus. D'une laideur à pleurer, elles étaient moulées dans un plastique bon marché des plus affreux et peinturlurées de façon grossière ; cependant, ainsi qu'il se le disait, comment des croyants pouvaient-ils entamer la quête de leur salut s'ils restaient indifférents à un débile misérable qui s'escrimait à gagner dignement sa vie ? Donne, et tu recevras. Quiconque ignorait les pitoyables madones à l'Enfant Jésus n'était qu'un imposteur. Il n'était pas là pour rendre grâce à la Vierge mais pour faire du tourisme. Après tout, la ville, très ancienne, offrait quelques excellents sites à photographier, notamment les Marches du Maure, la fontaine grivoise datant du Moyen Âge, la place principale avec son vieil if et ses pittoresques bars à tapas. Pour les plus morbides, il y avait la Plaza de Las Cruces, l'endroit – non reconnu comme tel jusqu'à une date encore récente – où s'étaient fait massacrer les rouges en 1938. Sans parler de la vue sur la rivière au fond de la vallée, les sommets couronnés de neige des Picos scintillant dans le lointain.

Brusquement, la honte enveloppa Hector telle une couverture crasseuse. Les années qu'il avait passées à vendre de la camelote aux pèlerins n'avaient rien fait pour diminuer son malaise. Pis, il s'ingéniait à accentuer sa bizarrerie naturelle, et parfois (quand les affaires marchaient mal), il faisait semblant d'être… *retardé*. Il occupait par ailleurs un emploi, subalterne mais honnête, seulement, ici, il empochait du liquide, et cela en quelques minutes. Ainsi repoussait-il ses propres objections, comme un drogué justifie la prise de sa prochaine dose. Ces justifications pathétiques formaient un mantra décousu qu'il débitait à ses victimes en marmonnant :

« Je suis un bon à rien paresseux de cochon de parasite qui n'a ni honte ni respect pour lui-même et qui vous exploite vous les pauvres pèlerins bien intentionnés qui venez ici en toute bonne foi acheter un peu de salut mais qui découvrirez sans doute que la Vierge ne peut rien pour vous parce que la vie est ainsi faite comme on fait son lit on se couche et aucune quantité d'eau bénite ne saurait effacer nos péchés quoique donner aux pauvres soit en général un moyen très raisonnable et parfois même efficace de soulager sa conscience alors achetez-moi une jolie madone qui tient le doux Enfant Jésus dans ses bras, vous voulez bien ? Merci ! »

Personne ne comprenait un traître mot de ce qu'il baragouinait, et ce n'était d'ailleurs pas le but.

Hector s'efforçait de ne pas penser à sa mère qu'il adorait. Une femme qui avait bon cœur et de l'humour, mais qui détestait le voir pratiquer ce genre d'activité. Quant à sa grand-mère, c'était encore autre chose. Malgré son grand âge, Pilar lui aurait tordu le cou comme à un vulgaire poulet si elle avait eu le moindre soupçon qu'il se livrait à ce commerce irrévérencieux. Heureusement que la vieille dame, qui n'avait jamais eu d'amis et ne parlait à personne si elle pouvait l'éviter, refusait de prêter l'oreille aux commérages et sortait rarement de chez elle. N'empêche qu'Hector surveillait les alentours du coin de l'œil. Si jamais quelqu'un susceptible de le dénoncer à la matriarche passait par là, chose peu probable à cette heure, où la plupart des habitants de la ville s'adonnaient au rite de la sieste derrière les volets clos sur des pièces bien fraîches, il lui serait facile de cacher ses statuettes sous sa veste et de se mettre à lancer d'innocents bonjours aux étrangers pour engager la conversation. Sa grand-mère le prenait pour un fou, or n'était-ce pas ainsi que se comportaient les fous ? Ils parlaient à n'importe qui sur un coup de tête.

Tandis qu'il attendait là sur le parvis, des chiffres défilaient dans sa tête – comme toujours. Dans des moments comme celui-ci, c'était une bénédiction, un bon moyen de se couper de la réalité. Même si, malheureusement, ses calculs se concluaient ces jours-ci presque instantanément, sans rien avoir de comparable avec ces sauts périlleux qui se produisaient dans son esprit, ce cliquetis et ce vrombissement suivis d'un *ding* final, comme une vieille caisse enregistreuse, lorsque les résultats des additions lui venaient. Désormais, il lui suffisait d'un regard vers les autocars, puis de noter le jour, le mois et l'année, ainsi que le temps qu'il faisait et l'état de l'activité miraculeuse de la Vierge, pour savoir immédiatement combien il aurait récolté d'argent à la fin de l'après-midi. Cela dit, le célèbre miracle de 2001 avait chamboulé tous ses calculs. Un ex-footballeur allemand à la colonne vertébrale brisée s'était levé de son fauteuil roulant, en présence de témoins dignes de confiance, et avait effectué quelques pas. Depuis, les hordes de bons catholiques affluaient avec une ferveur renouvelée à Torre de Burros. On n'avait jamais vu cela. (L'Allemand en question n'avait plus jamais remarché, détail qui, pour des raisons bien compréhensibles, n'avait jamais été très largement divulgué.)

Trois jeunes femmes s'arrêtèrent à quelques pas d'Hector, le temps d'ajuster leurs sacs à l'épaule et de mettre leurs lunettes de soleil. Tout en discutant et en pouffant de rire, elles se tournèrent vers lui pour le dévisager. L'une d'elles capta son attention et lui sourit d'un air aguicheur. Pour son boulot, Hector s'appliquait à avoir l'air négligé, même s'il avait du mal à cacher ce qu'il était, surtout lorsqu'on prenait la peine de vraiment le regarder. Bien que ses vêtements soient fripés et qu'il ne soit pas rasé, certaines femmes, plus particulièrement les étrangères, le trouvaient intéressant. Il avait un visage agréable, d'une beauté un peu exotique, tout en longueur, étroit et anguleux. Ses cheveux, au grand dam de sa grand-mère, lui descendaient jusqu'à la taille. Il avait de bonnes dents, bien qu'un peu jaunies à force de trop fumer. Souvent, les femmes regardaient ses mains, qu'il avait très belles, chose que ne faisait jamais aucun homme.

Hector sourit aux jeunes femmes, en dépit de sa peur terrible des filles et de son incapacité à flirter. Il ressentait moins d'angoisse face aux femmes mûres pour l'unique raison qu'il avait perdu sa virginité à quinze ans avec l'une d'elles – une femme descendue d'un autocar venue présenter ses hommages à la Vierge.

Tout en rondeurs, la dame était hollandaise ou peut-être bien danoise. À l'époque, elle lui avait paru assez vieille, alors qu'elle devait avoir à peine la trentaine. Toujours est-il qu'elle s'était entichée de lui, d'une façon apparemment toute maternelle (comme il s'était trompé !), et semblait impatiente de tester son espagnol sur quelqu'un de conciliant. Elle lui avait donné un pourboire de cent pesetas pour qu'il lui montre la ville. À ce moment-là, cette somme représentait beaucoup d'argent, mais Hector était trop naïf pour la soupçonner d'avoir une idée derrière la tête. Tout fier, il l'avait emmenée faire un tour sans prêter attention aux ricanements et aux murmures.

Guide de voyage en main, la femme avait voulu voir le vieux fort. Hector avait tenté de lui expliquer qu'il fallait pour cela descendre le long d'un sentier très raide et difficile, mais elle s'était contentée de sourire en disant : « *Vamos, vamos* », comme si c'était elle qui essayait de lui enseigner l'espagnol. Ils l'avaient descendu, se rattrapant par moments par la main, puis par les épaules, puis par la taille, afin de ne pas perdre l'équilibre. Une fois dans l'enceinte du fort tapissée d'herbe, elle s'était jetée sur lui, le projetant littéralement à même le sol. La dame l'avait fébrilement malmené en s'efforçant de lui fourrer sa langue humide et chaude dans la bouche. La chose avait paru assez embarrassante au jeune

Hector, qui cherchait désespérément à reprendre sa respiration. À son grand étonnement, sa virilité s'était agitée elle aussi, durcissant contre sa volonté et cherchant à jaillir de sa réclusion.

Il avait entendu dire que la chose impliquait que l'organe masculin s'insinue dans une sorte d'ouverture, cachée quelque part dans la région située entre les jambes de la femme ; opération qui, grâce à l'appétit naturel de l'adolescence à présent exacerbé, auquel vinrent s'ajouter la témérité et la détermination de la dame, avait été menée à bien.

Les derniers pèlerins attendaient de sortir de l'autocar. Deux matrones en survêtement et baskets bon marché venaient de s'immobiliser devant Hector en provoquant un embouteillage. Elles étaient en train de grattouiller furtivement au fond de leur sac, comme s'il risquait de leur piquer leurs portefeuilles et de prendre la fuite, tout en déroulant son baratin, avec l'argent de leurs vacances. Prudemment, elles prirent leurs madones à l'Enfant Jésus et lui glissèrent quelques pièces dans la main.

« *Parce que vous êtes garés sur les vestiges exhumés de notre meilleur terrain de jeux sur lequel j'ai malheureusement perdu mon enfance ratée vous pouvez vous racheter en me donnant votre argent et avoir l'assurance qu'aucune répercussion céleste ne s'ensuivra si vous balancez la madone et sa limace de nouveau-né dans la première poubelle municipale venue parce que même la Vierge doit les trouver hideuses et merci beaucoup vous êtes excessivement et merveilleusement gentils.* »

Du coin de l'œil, il aperçut Rodriguez faire de grands gestes impatients, guidant le quatrième et dernier autocar afin qu'il se range correctement. Hector était un peu en retard. Toutefois, la mendicité (car c'était bien à cela que se résumait cette activité frauduleuse, il se l'était avoué depuis longtemps) ne saurait se faire dans la précipitation, elle exige son propre rythme, tantôt cadencé et commercial, tantôt hésitant et alambiqué.

Hector repensa à marcher courbé lorsqu'il passa en boitillant d'un autocar à l'autre pour alpaguer les traînards. Une fois que tout fut terminé et emballé, et que les pèlerins se furent éloignés pour aller chercher rédemption et secours, acheter des glaces et des hot-dogs à la camionnette du marchand ambulant, une voiture de couleur voyante arriva sur la place. Hector remarqua tout de suite la Coccinelle Volkswagen jaune d'œuf, un vieux modèle, avec des plaques d'immatriculation anglaises. Rodriguez la repéra lui aussi, sa curiosité malveillante immédiatement en éveil, sauf que le conducteur eut la bonne idée de se garer pile au bon endroit.

Hector aperçut le crâne d'une femme de petite taille qui regardait par-dessus le volant tandis qu'elle manœuvrait la voiture sur l'emplacement alloué. Elle sortit d'un bond de la voiture, balança un sac violet sur son épaule, verrouilla la portière et se dirigea vers le garde-fou. Bien qu'elle fût minuscule, il y avait quelque chose en elle de vigoureux, comme si elle était branchée sur quelque invisible source d'énergie. Hector eut soudain l'intuition que le bienêtre qu'il avait ressenti en début de journée n'était pas sans rapport avec cette nouvelle arrivée, de sorte qu'au lieu de filer avec son butin il laissa sa curiosité l'emporter. Il se pencha par-dessus le parapet en faisant semblant de regarder les montagnes. La jeune femme vint se placer à côté de lui, l'air médusé par la vue.

— *Hola*, dit-il au bout de quelques minutes.

— *Hola*, répondit-elle sans le regarder.

Elle braqua son appareil photo et en tripota les boutons pour finalement ne prendre aucune photo. Hector s'efforçait de ne pas la dévisager. La jeune femme était vraiment toute menue, jolie comme une poupée, la peau blanche et les cheveux blonds coiffés en une courte brosse. Elle portait un tee-shirt blanc qui laissait voir une petite bande de peau alléchante au-dessus de son jean délavé que retenait une ceinture en cuir repoussé. Ses pieds étaient glissés dans des chaussures de marche de taille enfant plus qu'usées. Rien à voir avec la tenue du pèlerin moyen.

— Tu veux que je te prenne en photo ? proposat-il en faisant le geste au cas où elle n'aurait pas compris l'espagnol.

— Non, merci, répondit la jeune femme, amusée, avec une légère pointe d'accent.

Elle le regarda de ses yeux bleu clair. Difficile de deviner son âge. Elle avait la silhouette d'un garçonnet, mais Hector vit sur son visage de la sagacité et de l'expérience.

— Tu viens visiter notre église historique ?

— Non, répondit-elle.

— Tu ne vas pas aller voir Notre-Dame de la Miséricorde ? fit-il en articulant bien chaque mot afin qu'elle le comprenne. La Vierge ?

— Qui ça ?

— Toi... Vierge ? fit-il en montrant son œil.

17

— Vierge ? répéta la jeune femme, qui fronça les sourcils d'un air courroucé et lui lança un regard glacial. Va-t'en, *por favor*.

— Non... pas toi ! bredouilla Hector, horrifié par ce malentendu. La Vierge est la sainte dans l'église !

La fille le dévisagea un moment, puis se retourna brusquement, mais il vit à ses épaules qu'elle se retenait de rire. Il se détendit un peu. Elle n'était donc pas venue en pèlerinage. Alléluia !

— Tu veux que je te parle de la Vierge ? demanda poliment Hector, désireux de rectifier sa gaffe. Elle est très célèbre.

La jeune femme ne répondit pas.

— C'est une histoire très intéressante, ajouta-t-il bêtement.

La fille se tourna vers lui et le regarda droit dans les yeux.

— Très bien, vas-y, je t'en prie. C'est manifestement une personne importante.

— En fait, je ne crois pas qu'elle ait jamais été une vraie personne, commença Hector. Elle est apparue pour la première fois en 1792. Deux petits garçons gardaient leurs chèvres dans la vallée, en dessous de Torre de Burros. La nuit tombait, et les garçons s'apprêtaient à se reposer, mais quand ils ont levé les yeux vers la ville, ils ont vu une belle jeune femme parée de vêtements somptueux qui se tenait sur une saillie sur le flanc de la falaise. Là-bas...

Il montra du doigt la croix en dessous, là où le vieil homme aux genoux ensanglantés était toujours assis (il avait déballé son pique-nique et dévorait un énorme sandwich).

— ... Elle irradiait d'une étrange lumière. Sa tête était entourée d'un halo scintillant, et elle tendait les bras vers eux.

Hector n'était pas sûr de ce que comprenait la fille, mais il voyait bien qu'il avait capté son attention. Elle le fixait avec un petit sourire singulier.

— Et alors ?

— Les garçons, terrifiés, sont partis en courant vers le plus proche *cortijo*. Ils ont décrit la vision qu'ils venaient d'avoir à leurs parents, qui ont envoyé leur fils aîné à dos d'âne rapporter le phénomène aux autorités.

— Et ils ont pris ça au sérieux ?

— Certaines personnes parmi les plus raisonnables de la ville ont suggéré que la vision des garçons était due à la faim – l'inanition était connue pour provoquer des hallucinations –, mais, très vite, la nouvelle s'est répandue. Les gens arrivaient de partout, et beaucoup prétendaient voir la Vierge. Encore maintenant, il y en a qui la voient.

— Oh, vraiment ? Là, en bas ?

Elle se pencha par-dessus le parapet et se tordit le cou pour regarder le vieil homme.

— Oui, là, répondit Hector en riant. Ici, là, partout... Mais on peut la voir à l'intérieur de l'église. Il y a une statue magnifique qui la représente. Je te la montre, si tu veux.

— Un autre jour, peut-être.

Il était désormais évident qu'elle comprenait l'espagnol à la perfection et le parlait couramment.

— Au départ, la statue était boulonnée à ce rebord, expliqua Hector. Mais, pendant la guerre civile, les rouges ont essayé de la balancer au fond du

19

précipice, sauf qu'ils ne sont pas parvenus à la faire bouger d'un pouce. Ils ont alors voulu la décapiter, mais, comme elle a été coulée dans un bronze très épais, ils n'ont pas réussi. Finalement, vaincus, les vandales lui ont collé un... un truc sur le nez qui ressemblait beaucoup à un... un organe masculin. Le lendemain matin, les autorités l'ont récupérée et l'ont transportée à l'intérieur de l'église.

— Ah oui ? fit la jeune femme en le regardant avec un nouvel intérêt. À l'époque de la guerre civile, tu dis ?

— Oui, dans les années trente. Alors... tu es là pour faire du tourisme ? demanda-t-il, histoire de ramener la conversation sur elle.

— Non.

Hector insista, conscient d'être un peu lourd.

— Tu as peut-être des amis ici ?

La fille le fixa pendant ce qui lui sembla un long moment.

— Je suis à la recherche d'informations. Peut-être connais-tu quelqu'un...

Hector se sentit rougir, et il remercia la Vierge qu'elle ne soit pas arrivée plus tôt pour le voir avec ses madones à l'Enfant Jésus. Peut-être même n'avait-elle rien remarqué chez lui de spécial. Pourquoi l'aurait-elle fait, d'ailleurs ? Il ne souriait pas bêtement, ni ne grognait ni ne marmonnait, bien qu'il ne fût pas rasé et que ses vêtements fussent affreux. Il n'avait pas l'habitude de parler à de jolies femmes ; toutefois, le fait qu'elle ne connaisse rien de lui le libérait.

— Je pourrais te servir d'informateur, proposa-t-il sur une impulsion. Je suis né et j'ai grandi dans cette ville.

La jeune femme eut un petit rire et détourna le regard. Peut-être que ce n'était pas la chose à dire, que c'était trop culotté... Son excès de confiance l'avait fait gaffer. Il redoutait à présent qu'elle ne le prenne pour une sorte d'aspirant gigolo. Bon sang, pourquoi était-ce si difficile de tomber juste ? Il aurait pu s'en aller, c'eût été l'option la plus sûre et la plus simple, mais cette étrangère l'intriguait. Elle lui avait tourné le dos et regardait la flèche de l'église. La fraîcheur du vent lui fit se frotter les bras, et elle se débattit avec un cardigan rouge qui semblait avoir rétréci au lavage. Devant la porte de la sacristie, Rodriguez la fixait et la jaugeait. Hector jeta un œil noir à ce vieux pervers répugnant, se sentant lui-même emprunté et mal à l'aise.

Cependant, là encore, son insistance fut récompensée. Au bout d'un moment, la jeune femme se tourna vers lui.

— À vrai dire, ce dont j'aurais besoin, c'est de rencontrer de vieilles personnes. Pour donner des renseignements sur...

— Ah bon ? s'étonna Hector. Que pourraient vouloir savoir de vieilles personnes... Quel genre de renseignements ?

— Non, pour moi, rectifia la jeune femme en se tapotant la poitrine. Je cherche des informations.

— D'accord. Eh bien, je peux te raconter tout ce qu'il y a à savoir sur la ville.

— Non, non, pas toi ! s'esclaffa-t-elle, l'éblouissant de ses dents resplendissantes. De vieilles personnes.

— Pourquoi vieilles ? Pourquoi pas jeunes et informées ?

Elle secoua la tête, soupira et sembla hésiter. Puis elle lui décocha un sourire adorable et dit :

— C'est compliqué... mais merci beaucoup. *Muchas gracias.*

Elle s'éloigna vers sa voiture. Cela faisait longtemps qu'il ne s'était pas senti aussi nul, et même plus que cette brève rencontre ne le justifiait. Mais il n'avait pas envie de la laisser s'envoler comme cela. Brûlant de savoir ce que voulait la belle étrangère, quelle mystérieuse mission l'avait amenée de ce pays septentrional, seule, en voiture, pour parler à de vieilles personnes, il cria :

— *Por favor*, attends !

Au risque de passer pour un affreux dragueur, il lui courut après.

— Je connais une très vieille personne. Peut-être qu'elle pourra te renseigner.

Elle s'immobilisa, et, quand il l'eut rejointe, il remarqua pour la première fois que l'aile délicate d'une de ses narines était percée d'un minuscule clou en argent qui scintillait de façon fascinante au soleil. Elle pencha la tête et le regarda d'un air renfrogné, méfiant – c'était normal –, mais son intérêt pour les vieilles personnes sembla l'emporter sur ses craintes.

— Très vieille ? demanda-t-elle.

— Oui. Plus que très vieille.

— Vieille de combien d'années ?

Hector réfléchit. Quel âge exactement avait donc sa grand-mère ? Sûrement pas loin de quatre-vingt-dix.

— Elle a connu la guerre civile ? insista la jeune femme, luttant pour dissimuler une excitation puérile.

— Oui, oui, elle a connu la guerre civile.

— La vieille personne en question vivait ici, dans cette ville ? fit-elle en montrant le sol de son doigt.

— Absolument.

Son *abuela* était sans doute la seule survivante de la guerre de la ville qui ait gardé toutes ses facultés mentales.

— Si tu veux, je t'emmène chez elle tout de suite.

— C'est incroyable...

La jeune femme poussa un grand soupir, ferma les yeux une seconde et ajouta :

— On dirait que c'est mon jour de chance.

Hector sourit. Il préférait ne pas trop surestimer cette déclaration prometteuse, mais il était content de lui. Être aussi rapide ne lui ressemblait pas, les femmes le rendaient en général maladroit et lui ôtaient toute capacité de s'exprimer.

— Oui, pourquoi pas tout de suite ? reprit-elle avant de jeter un regard vers sa voiture. On y va à pied ? La voiture peut rester là ?

— Oui, elle ne risque rien.

Hector omit de préciser que, d'ici peu, un homme à l'allure de primate viendrait procéder à une inspection en règle du véhicule, dont il consignerait de façon tatillonne la marque, la couleur et le numéro de la plaque d'immatriculation (en apposant la mention « S » comme suspect) dans un de ses petits carnets. Et qu'ensuite, avec un appareil oublié par un visiteur japonais il y a des années, il en prendrait une photo.

— Je m'appelle Hector Martinez, se présenta-t-il en lui tendant la main.

Elle la prit. Sa main était petite, mais sa poigne aussi ferme que celle d'un homme.

— Et moi Mair... Mair Watkins.

De vieilles personnes ! Le jeune homme à l'accoutrement miteux devait penser qu'elle était étrange. Mair lui jeta un regard discret, mais Hector Martinez semblait avoir accepté l'idée que seules les vieilles personnes l'intéressaient. Il la guida avec assurance à travers un réseau de petites rues où le vent s'engouffrait, balayant ses longs cheveux dans tous les sens. Il semblait plutôt inoffensif, innocent même, et elle était contente d'avoir trouvé un compagnon ; sans qu'elle sût très bien pourquoi, la vieillesse l'effrayait ; peut-être parce qu'elle venait de passer deux ans à regarder son père se détruire dans l'alcool.

Et maintenant, six mois plus tard, elle était là. Elle s'était rendue chez lui trois jours avant qu'il ne sombre dans un coma irréversible, et c'était en partie à cause de cette visite qu'elle se retrouvait aujourd'hui dans cette ville, en train de suivre l'excentrique du village.

Leurs adieux avaient été brefs, mais elle ignorait alors que son père était si proche de sa fin.

24

— Il faut que je te parle de Geraint, lui avait-il déclaré sans autre préambule. C'est pour ça que je t'appelle.

— Geraint ? avait fait Mair, étonnée.

— Tu as vu ce truc à la télé ? Il serait question d'accorder le pardon aux jeunes gens qui ont déserté pendant la Première Guerre mondiale et qui se sont retrouvés devant un peloton d'exécution.

— J'ai lu un article là-dessus dans le journal, avait-elle dit calmement, soudain glacée. Geraint a été exécuté parce qu'il avait déserté ?

— Seigneur, non ! Mais ça m'a donné l'idée de... de faire en sorte de réhabiliter sa mémoire.

Mair avait souvent regretté de ne presque rien savoir au sujet de son grand-père. Pendant une brève période, lorsqu'elle avait préparé l'épreuve d'espagnol pour entrer à l'université, elle s'était intéressée aux exploits du renégat qu'avait été Geraint, mais ses questions s'étaient toujours heurtées au silence. Son père n'en parlait pas et sa mère refusait de laisser quiconque prononcer son prénom parce qu'il avait été communiste et si rempli de haine pour tout ce qui touchait au religieux qu'il était parti combattre Dieu en Espagne.

Son père s'était roulé une cigarette ; ses doigts pâles, épais et rugueux tremblaient tandis qu'il se bagarrait avec le papier. Elle avait bu une gorgée du thé qu'elle avait préparé et qu'il avait refusé. Ça sentait bizarre, comme une odeur de poussière. Il avait avalé une rasade à même la bouteille posée sur la table, puis regardé ce qu'elle contenait.

— Je regrette de n'avoir rien fait quand j'étais plus jeune, avait-il murmuré.

— Au sujet de la boisson ? Le médecin ne t'a pas dit que tu pouvais encore...

— Non. J'aurais dû aller le chercher en Espagne.

Son père avait allumé sa cigarette, puis s'était penché pour ramasser une enveloppe en papier kraft.

— Je sais que tu es très occupée par ton travail et tout, mais cela t'intéressera peut-être de jeter un coup d'œil sur ses lettres... et ces quelques photos. Tout ce que j'ai sur lui se trouve là. Il est probable que notre Richard ne rentrera jamais du Canada, et, de toute façon, je doute que cette histoire le passionne.

Très occupée ? Était-ce ainsi qu'il la voyait ? Et son fils unique ne reviendrait jamais. Une vague de remords l'avait submergée. En même temps, elle savait que son père avait choisi sa solitude.

— Qu'est-ce que tu veux que j'en fasse, papa ?

— Tu sais que je te lègue la maison, et que maman t'a laissé un petit héritage. Elle ne voulait pas que tu y touches avant ma mort. Elle te trouvait un peu trop farfelue.

— Farfelue, moi ? s'était indignée Mair en riant. J'ai fait des études pour être vétérinaire... et j'ai bossé comme une dingue pour me les payer !

N'empêche qu'elle était contente. Sa mère avait pris la peine de lui laisser quelque chose. Elle avait dû se douter que ç'aurait été une mauvaise idée de le confier à son père. Car c'était lui, le farfelu de la famille.

— Tu pourrais consacrer une partie de cet argent à aller le chercher.

— Richard ? avait fait Mair en le dévisageant.

— Mais non, bon sang, *Geraint* ! s'était écrié son père avec impatience. Je ne pense pas qu'il soit encore vivant, mais peut-être que tu trouveras une tombe ou quelque chose, des gens qui se souviendront de lui, des papiers… Une fois que tu auras lu les lettres, tu comprendras ce que je veux dire. Geraint n'est pas mort au combat. En tout cas, pas pendant la bataille de Jarama. Sa disparition a été… étou… étouffée.

Son père avait été pris d'une quinte de toux, ses poumons crépitant comme une boîte de conserve remplie de billes. Mair s'était levée d'un bond et lui avait tapé dans le dos plusieurs fois d'un geste maladroit. Instinctivement, elle avait eu envie de le serrer dans ses bras, mais il avait esquivé son étreinte en agitant l'enveloppe. Et, lorsqu'elle l'avait prise, il avait continué à agiter la main en lui faisant signe de s'en aller. Elle avait alors compris qu'il était en train de mourir. Une chose indigne à laquelle il n'avait pas envie qu'elle assiste.

— Hou hou, Mair ! Tu es avec moi ? demandait le guide qu'elle s'était choisi en agitant la main devant son nez. On est arrivés. C'est ici qu'habite la vieille personne.

Ils étaient dans une ruelle, à côté d'un magasin de fruits et légumes. Mair vit devant elle une porte, encastrée dans un haut mur terminé par une rangée de tuiles bleues. Sans vouloir être trop optimiste, ça ne se passait pas trop mal ; elle était à Torre de Burros depuis seulement une heure. Dommage, son père ne saurait jamais à quel point cette folle croisade en était venue à l'obséder. Il avait été malin de

27

lui confier ce projet. Espérons qu'il souriait dans sa tombe ou plutôt qu'il applaudissait.

— Geraint, murmura Mair au moment où Hector ouvrait la porte. Ta folle de petite-fille est dans la place.

2

De l'autre côté du mur aux tuiles bleues, Pilar était étendue sur une chaise longue recouverte de plastique. Elle entendait le vent rugir dans la ruelle, derrière les murs épais qui transformaient la cour en vraie forteresse. Le soleil de cette fin d'été était si aveuglant qu'elle devait fermer les yeux. Depuis son opération de la cataracte, elle avait les yeux hypersensibles. Son monde s'était comme illuminé, inondé d'une lumière quasi spirituelle.

Soudain, malgré sa somnolence (ou peut-être à cause d'elle), Pilar s'alarma de cette lumière surnaturelle qui transperçait ses paupières aussi fines que du papier. Était-ce le Seigneur qui la rappelait enfin à Lui ? Elle se souvint tout à coup qu'elle avait ses lunettes de soleil dans sa poche et les mit. Aussitôt, la cour redevint l'endroit banal où séchaient les draps. En outre, le gargouillement sinistre qu'elle ressentait dans le ventre n'était en aucun cas de nature céleste. Son heure n'était pas encore venue. Elle se demanda avec mélancolie si elle reverrait le printemps. Pilar n'était pas sentimentale ; elle se savait très vieille, et la perspective du repos éternel ne la dérangeait pas, mais elle se sentait encore d'une force agaçante.

Néanmoins, elle était fatiguée et ne refusait pas un petit moment de tranquillité. Elle s'installa aussi confortablement que possible sur ses coussins. À la recherche d'un rêve plaisant, elle fouilla dans le fin fond de sa mémoire demeurée intacte. Un souvenir se présenta : l'extase qu'avait été son mariage avec le Christ. Son seul et unique mariage avait beau remonter à soixante-dix-sept ans, ce moment s'était figé dans le temps dans son esprit.

Le mariage des jeunes novices avait été organisé à la hâte par mère Rosario, celle-ci ayant la conviction ridicule qu'il les protégerait de la colère des rouges. La guerre civile avait éclaté, et l'armée républicaine, composée de bric et de broc, s'activait à défendre la région contre les troupes de Franco. Et quelle défense ! La bande d'impies dévalisait les églises et les couvents, et la violence contre le clergé s'était généralisée. Aussi la cérémonie avait-elle eu lieu dans la précipitation, mais Pilar se sentait prête depuis longtemps, oh oui, plus que prête...

Pilar s'endormit avec ce souvenir, le plus merveilleux de tous.

Elle était prosternée devant la silhouette qui la dominait là-haut sur la croix, son futur mari, la joue engourdie par la froideur du sol en pierre...

Mais soudain, un sentiment plus fort que le ravissement de ce mariage sacré l'envahit : la terreur.

Quelqu'un lui touchait l'épaule, mais la cellule était sombre et elle ne voyait rien. Elle avait dormi à poings fermés et n'avait aucune idée de l'heure. Dans le couvent d'habitude silencieux, des pas résonnaient dehors dans le couloir, ainsi que des conversations à voix basse. Prise de frayeur, elle se redressa en voyant qu'un homme était assis près d'elle sur son lit étroit.

— *C'est moi, Carlos, dit-il tout bas.*

— *Carlos ! s'écria Pilar en tâtonnant dans l'obscurité.*

Elle n'avait pas revu son frère depuis plus d'un an, parce qu'il était communiste et par conséquent son ennemi. Électricien de métier, Carlos était un mineur dans l'âme, comme leur père. À peine sorti de l'adolescence, il avait combattu lors du soulèvement des mineurs de 1934, et les activités qu'il continuait à mener à leurs côtés ne lui laissaient que peu de temps à consacrer à sa formation d'électricien.

Une fois que ses yeux se furent accoutumés à la lumière, elle distingua une lueur dans son regard. Prenant alors conscience de l'anomalie que représentait sa présence, elle céda à la panique.

— *Mais comment as-tu trouvé ma cellule ? Tu es seul ?*

— *Écoute-moi, Pilar, chuchota-t-il d'une voix rauque. Au nom de la République, nous prélevons une partie des ressources dont vous disposez ici.*

— *Des ressources ? Et pourquoi ici ? Tu aurais pu choisir un autre couvent. Pourquoi m'humilier moi, ta sœur, de cette façon ?*

— *Ta mère supérieure a déjà fait des dons. Je voulais juste te voir avant qu'on s'en aille. Il faut qu'on parle. Je ne sais pas quand ni même si je te reverrai.*

— *Des dons ? répéta Pilar avec méfiance. Elle déteste tout ce que vous incarnez ! Est-ce qu'elle t'a reconnu ?*

— Non, ne t'inquiète pas. Je suis resté en dehors de ça. Mes camarades lui ont parlé, dit-il sans la moindre honte.

— Est-ce qu'ils lui ont fait du mal ? interrogea Pilar, les yeux écarquillés d'affolement.

Carlos lui fit signe de se taire, puis lui mit la main sur la bouche. La porte s'ouvrit à toute volée et deux silhouettes d'hommes se découpèrent dans la faible lumière du couloir. L'un d'eux s'avança pour jeter un regard sur Pilar et son frère. L'homme avait un sourire jusqu'aux oreilles.

— Désolé de t'interrompre, camarade. Miguel a tué un gars dans le parc. Il pense que c'est le concierge. Quelqu'un a pris la fuite à cheval à travers champs en direction de la ville. On ferait bien de filer.

— Dios mío, vous avez tué Esteban ! s'écria Pilar. Va-t'en, Carlos ! Emmène tes camarades et partez. Va-t'en ! Et ne reviens jamais.

L'homme qui s'était avancé dans la chambre la regarda de plus près.

— Qu'est-ce qui se passe, camarade ? Tu connais cette femme ?

— Je suis sa sœur, rugit Pilar d'un ton plein de défi. Partez, espèces d'assassins impies ! Que la Vierge de Miséricorde vous pardonne ! Et cela vaut aussi pour toi, Carlos, ajouta-t-elle en se tournant vers son jeune frère. Que le Seigneur ait pitié de toi pour avoir transgressé sa loi !

Carlos resta un instant silencieux. Il était clair que la révélation qu'elle venait de faire était loin de le ravir.

— Je veux protéger ma sœur, expliqua-t-il d'une voix posée aux deux hommes. Vous ne pouvez pas me reprocher cela.

Ni l'un ni l'autre ne répondirent, mais ils échangèrent un regard.

Dans la lumière qui filtrait par la porte ouverte, l'expression que Pilar vit sur le visage de son frère la choqua. Lui, toujours si courageux, si plein d'audace, regardait d'un œil suppliant les deux hommes, qui avaient l'air encore plus jeunes que lui. Glacée de terreur, elle remercia la Vierge Marie que sa plus jolie sœur, Concepción, âgée seulement de dix-neuf ans, ait reçu la permission de rentrer à la maison pour s'occuper de leur mère mourante.

L'homme qui était demeuré en retrait s'avança. Il était petit, ses vêtements sentaient le feu de camp et la crasse. Il se pencha sur Pilar et dégagea la couverture qui lui couvrait les jambes. Carlos se leva d'un bond et le repoussa violemment. L'homme resté sur le seuil ricana.

— Allons, hombre, ne sois pas ridicule, dit l'homme trapu. Ta sœur ?

— Qui d'autre ? rétorqua Carlos, furieux. Elle est novice.

— Je suis nonne, rectifia Pilar, en colère, bien qu'effrayée.

Il y eut un instant de flottement. Personne ne prononça un mot. Finalement, les deux camarades de Carlos repartirent dans le couloir, où les bruits s'étaient tus, à l'exception d'une voix de femme qui priait obstinément quelque part plus loin.

— Mais comment as-tu pu les laisser entrer ici, dans ce lieu sacré ?

— *Je n'ai pas pu les en empêcher. C'est comme ça partout, dit Carlos sur la défensive. Et encore, là, ce n'est rien. Si tu savais ce qu'ils ont fait dans un couvent à Madrid, ce qu'ils ont infligé aux nonnes... Tu ne l'imaginerais même pas dans le pire de tes cauchemars. Des hommes normaux comme moi, pourtant, des pères, des maris, des frères...*

— *C'est donc ça ? C'est de cette manière que vous défendez la République ?*

La voix de Pilar était glaciale.

— *C'est comme ça que vous menez campagne ? En assassinant des innocents ? En pillant des couvents et en molestant des femmes ?*

— *Je te le dis uniquement parce qu'il faut que tu le saches. Tu dois quitter le couvent. Tu m'entends ?*

Sans essayer de la toucher, ni de l'embrasser pour lui dire au revoir, il sortit à reculons de la cellule.

— *C'est la guerre, Pilar. L'Église est attaquée, à tous les niveaux. Ces dernières semaines, des évêques eux-mêmes se sont retrouvés devant le peloton d'exécution. Mets des vêtements civils et trouve-toi du travail quelque part. Emmène Concepción avec toi. On ne t'a pas donné une formation d'infirmière ? Tu pourrais en vivre. Ce serait sûrement plus utile que de rester à prier entre ces murs. Ici, tu n'es pas en sécurité. Il faut que tu partes. En tant que ton frère, je te l'ordonne.*

— *Jamais, dit fièrement Pilar. Je crois dans le Christ et dans la Vierge Marie. Je n'irai nulle part.*

Pilar se réveilla à demi et essaya de remuer son vieux corps engourdi sur la chaise longue. Elle avait la nuque raide et douloureuse, mais, malgré le souvenir insidieux rappelé par son rêve, son état de léthargie profond l'empêchait de se réveiller. Elle ne parvenait pas à modifier le cours de ses pensées, son moi endormi ne s'intéressait pas aux maigres triomphes de son existence. Il voulait s'accrocher à la douleur, à la rage… et à la culpabilité. Après tant d'années, elle restait hantée par le sort qu'avait connu le vieux concierge, Esteban ; par le fait qu'elle n'avait alerté personne, elle n'était même pas allée vérifier s'il avait vraiment été tué ou s'il gisait quelque part, blessé et souffrant. En dépit de tous les péchés qu'elle avait commis par la suite, celui-là la troublait par-dessus tout. Comme souvent lorsqu'elle était dans cet état de demi-sommeil, elle se reprochait son inhumanité et voyait bien que celle-ci, année après année, décennie après décennie, l'avait rendue plus dure, plus perverse et parfois d'une cruauté inexplicable. Malgré les efforts ténus de sa volonté engourdie pour l'en empêcher, elle replongea dans un sommeil qui la ramena à sa jeunesse et à cette nuit où avait été conçue sa fille.

À son grand étonnement, il ne se passa rien une fois les intrus partis. Après que Carlos se fut éclipsé dans la nuit, elle attendit quelques minutes. La cloche allait sonner d'un moment à l'autre pour rassembler tout le monde dans le bureau de mère Rosario. On allait appeler la Guardia civil, trouver le corps du concierge. La religieuse qui s'était enfuie à cheval dans la nuit avait dû donner l'alerte en ville. À moins que quelqu'un n'ait rattrapé la messagère et ne l'ait tuée. Ou que personne dans la ville n'ait prêté attention à son récit. Bien que Torre de Burros fût sur les terres de Notre-Dame de la Miséricorde, la majorité de la ville était de tendance républicaine et solidaire des communautés de mineurs des environs. Rares seraient ceux qui se proposeraient de protéger des hommes et des femmes d'Église. L'explication la plus probable était que les voyous s'étaient affolés et avaient fui avec leur butin avant de commettre d'autres méfaits scandaleux. Peut-être mère Rosario jugeait-elle plus sage de ne pas donner l'alarme ; la peur des représailles constituait une excellente raison.

Tout était calme. Une demi-heure s'écoula. Le silence lui paraissait bizarre, mais Pilar était trop effrayée pour sortir de sa cellule. Après avoir tourné en rond dans la petite pièce, et avoir collé son oreille contre la porte, elle retourna s'étendre sur son lit. L'aube était encore loin. Elle se cacha la tête sous sa couverture pour ne pas entendre la course précipitée des souris. Elle pensa à son jeune frère. Il avait toujours été un rebelle à la recherche d'une cause, un idéaliste, quoique très mal avisé. Que savait-il de la véritable pauvreté et de l'oppression, de la cause pour laquelle il se battait avec tant de véhémence ? Il n'était jamais descendu au fond de la mine comme leur père, pas plus qu'il n'avait travaillé dans les champs, non, il était allé à l'école tout comme elle. Et, bien que leurs parents aient été des gens humbles, sans grandes ressources, ils avaient eu un toit au-dessus de la tête et n'avaient jamais connu ni la faim ni le froid.

Pilar sombra dans un sommeil épuisant et agité. Brusquement, quelque chose la réveilla, et tout arriva en même temps. Une main se plaqua sur son visage tandis qu'on lui saisissait les poignets.

— Alors, comme ça, tu es la sœur de Carlos ?

Elle reconnut la voix, bien qu'elle ne fût qu'un murmure.

— Encore mieux…

Quelqu'un arracha sa couverture et retroussa sa chemise de nuit. Pilar voulut se débattre, mais un corps était allongé sur elle, la clouant sur son lit. Une main déchira sa culotte comme si elle était en papier, des genoux lui écartèrent les cuisses. Elle sentit un bout rigide de chair brûlante pousser et frotter la partie la plus intime de son corps. Sachant ce que c'était, elle essaya de crier malgré la main fermement plaquée sur sa bouche. L'homme, qui n'arrivait à rien, jura et s'en prit à elle avec les mains. Ses doigts pétrirent et fouillèrent sa chair chaste pour chercher un passage. Puis il la pénétra d'un seul coup. L'acte en soi ne dura que quelques minutes, et en lâchant un dernier juron, il roula à côté d'elle, mais un autre homme était là qui attendait son tour. Il ne fut pas aussi rapide, et il était plus gros et plus vigoureux. Il s'arrêtait et recommençait, retenant son plaisir. Écrasée sous son poids, Pilar sentait le sang couler de sa blessure à chacun de ses mouvements, comme si on la poignardait sans relâche avec un instrument pointu. Elle parvenait à peine à respirer et la douleur la fit défaillir. L'homme la labourait tranquillement, soufflant contre son cou son haleine rance et acide.

Enfin, ce fut terminé. Le temps de refermer leurs braguettes, ils retirèrent leurs mains de sa bouche et libérèrent ses poignets. Elle aurait pu crier, mais elle s'aperçut qu'elle était incapable d'émettre le moindre son. Elle rabattit sa chemise de nuit sur ses jambes et se recroquevilla en chien de fusil. Le premier homme hésita. Il déboutonna de nouveau sa braguette, s'agenouilla sur le lit *près de sa tête et frotta son sexe en érection contre sa joue. Empoignant ses cheveux courts, il essaya de lui faire tourner la tête, mais l'autre homme intervint.*

— *Ça suffit !* Vamos.

Et ils s'évaporèrent dans la nuit comme s'ils n'avaient jamais existé. Pilar tira la couverture sur sa tête. Le choc du viol l'avait laissée dans l'incapacité de bouger ou de pleurer.

— *Abuela*, cette demoiselle voudrait te parler.

C'était Hector, le fléau de sa vieillesse. Pourquoi venait-il l'embêter ? Finalement, Pilar leva les yeux. Son petit-fils se tenait devant elle dans ses habits élimés, et, derrière lui, elle aperçut une femme menue aux cheveux blonds très courts dressés en épis. Hector n'avait jamais amené aucune fille à la maison, et celle-ci n'avait même pas l'air d'être du coin. Une fille à l'allure modeste, mais au visage de lutin qui rayonnait avec une intensité agaçante.

— Qu'est-ce qu'elle me veut ? aboya Pilar, de mauvaise humeur d'avoir été réveillée brusquement.

— Elle s'appelle Mair Watkins, répondit Hector dans un effort manifeste pour respecter les bonnes manières. Elle voudrait te parler.

— Pourquoi ?

Pilar, maussade, observait la fille qui hochait la tête en souriant.

— D'où elle vient ?

— Elle est anglaise.

— Galloise, précisa la jeune femme. Du *País de Gales*.

— Où diable est-ce donc ?

— C'est un petit pays à l'intérieur du Royaume-Uni, expliqua la fille, l'air sérieux. Comme le Pays basque en Espagne.

— Bah... ce n'est pas un pays ! fit Pilar, qui se tourna vers Hector en grommelant entre ses dents. Qu'est-ce qu'elle me veut ?

— Je suis désolé, *abuela*, marmonna Hector. Je ne sais pas trop.

Soulevant ses lunettes pour mieux l'observer, Pilar dévisagea la jeune femme. Elle n'était ni très jolie ni très féminine, du moins, pas dans le sens habituel du terme. Elle avait plutôt l'air d'un garçon.

— Eh bien, parlez, petite ! Qu'est-ce que vous voulez ?

La jeune femme fut un peu refroidie par le ton bourru de Pilar. Toutefois, elle semblait désireuse de s'expliquer et s'exprima dans un espagnol hésitant mais relativement correct :

— C'est au sujet de mon grand-père... Je suis venue ici pour essayer de le retrouver. Il est resté à Torre de Burros pendant quelque temps à l'époque de la guerre civile. Sa famille n'a jamais su ce qu'il était devenu.

Mair se pencha avec un enthousiasme prudent et montra un papier à Pilar ; celle-ci souleva ses lunettes de soleil pour le lire, très fière de ne plus avoir besoin de lunettes. Le document était tapé à la machine en lettres noires : *Geraint Llewellyn Watkins, né en 1911. Présumé mort en défendant la République, date inconnue. Dernière lettre envoyée écrite de Torre de Burros, Asturies, le 8 août 1937.* En dessous était collée la photo grenée d'un jeune homme portant l'uniforme des Brigades internationales. L'image

39

avait été imprimée grossièrement sur le papier, mais on distinguait nettement le visage puissant de l'homme et sa tignasse de cheveux blonds.

Pilar fut désarçonnée par cette coïncidence désagréable. Ces derniers mois, les souvenirs de cette horrible époque surgissaient lorsqu'elle s'y attendait le moins, de jour comme de nuit. On disait que ce genre de chose arrivait quand on était vieux, qu'on revoyait toute sa vie, sauf que, dans son cas, ne lui revenaient que les horreurs et les humiliations. Et voilà que se tenait devant elle une fille qui voulait des nouvelles d'un étranger venu se battre ici, il y avait de cela plus d'un demi-siècle, à l'époque de ses pires chagrins !

— Jamais entendu parler.

— Je suis désolé, dit Hector à la jeune femme en haussant les épaules, comme s'il l'avait déjà prévenue que Pilar ne se montrerait guère coopérative. Peut-être que je peux t'aider à trouver quelqu'un d'autre. En tout cas, je connais un bon hôtel. La pension Pelayo. Un endroit très confortable.

— Il dit ça parce qu'il y travaille... enfin, façon de parler ! rétorqua Pilar, consciente d'être désagréable en vain, mais incapable de s'en empêcher.

L'intérêt servile d'Hector pour cette étrangère l'horripilait. Dieu sait pourquoi, il s'était manifestement épris de la fille. Pourtant, elle n'avait pas une seule courbe indiquant qu'elle était une femme.

Hector se pencha vers l'étrangère en murmurant :

— Ça n'a rien de personnel, elle est comme ça avec tout le monde. On y va ?

Il était impatient de l'emmener, visiblement gêné par le ton revêche et la mauvaise humeur de sa grand-mère. Pilar eut l'impression d'être congédiée comme une vieille bique acariâtre.

— Bon, très bien, donnez-moi ça, dit-elle en arrachant le papier de la main de la jeune femme. Je vais y réfléchir.

— Je vous en serais très reconnaissante, dit Mair, d'un air ravi.

Prenant Pilar au dépourvu, elle lui tendit la main, serrant et secouant la sienne avec autant de poigne qu'un homme.

— Je peux repasser vous voir dans quelques jours ?

L'espace d'un instant, Pilar se sentit pleine d'importance, mais n'en laissa rien paraître. Elle se rallongea et ferma les yeux, signe que l'audience était terminée.

Hector se dépêcha d'entraîner l'étrangère vers le portail, puis dans la ruelle. Les yeux mi-clos, Pilar vit son petit-fils lui jeter un regard par-dessus l'épaule avant de refermer la porte. Elle fut incapable de déchiffrer son expression. Plus Hector vieillissait, plus il devenait sournois. Il la regardait comme s'il voyait à travers elle, et jusqu'aux événements épouvantables qui avaient fait de lui ce qu'il était. Comme s'il avait découvert sa faute, le rôle qu'elle avait joué dans sa faiblesse de caractère. Et pour quelle raison ramenait-il une femme qui voulait fouiller dans son passé ? Pourquoi maintenant ? La rencontre fit remonter la peur en elle, comme de la bile dans la bouche. Elle se pencha sur le côté et cracha sur les dalles rouges brûlantes.

La main tendue en l'air, Pilar examina par-dessus ses lunettes le papier que lui avait laissé la fille. Geraint. Un drôle de prénom. Diable, comment était-elle censée se rappeler ? Tous ces hommes étrangers à l'œil bleu, et aussi innocents les uns que les autres... Ils se battaient pour la République par haine du fascisme et par sympathie pour les pauvres et les exploités. C'était cependant des hommes de la mine, ceux de chez elle, qu'elle avait eu le plus peur. Ils haïssaient l'Église. Les atrocités que les « républicains » avaient commises à l'encontre du clergé avaient suffi à conforter Pilar dans sa foi. Il n'était pas surprenant que l'Église se soit rangée dans le camp des prétendus oppresseurs. Ou bien était-ce le contraire ? Était-ce à cause de l'oppression qu'exerçait l'Église qu'on l'avait attaquée avec tant de malveillance ? Quel soulagement quand la guerre avait été finie ! Et pourtant, le jour où Franco avait enfin disparu, les gens s'étaient réjouis et avaient dansé dans les rues. Que savaient-ils ? Ils étaient trop jeunes pour se souvenir de quoi que ce soit. Oh, ça, les deux camps avaient été aussi mauvais l'un que l'autre ! Pilar détestait être en proie à ces pensées conflictuelles, et même après tant d'années, elles la faisaient frissonner de peur et de dégoût.

Elle récita une petite prière, en appelant au Seigneur pour qu'Il lui accorde quelques moments de tranquillité au vu de son grand âge et de son arthrite.

Puis elle plia la feuille de la Galloise en quatre, la fourra dans la manche de son gilet et ferma les yeux.

Son ventre lui pesait si fort qu'on aurait dit qu'il allait se retourner de l'intérieur vers l'extérieur. Elle continuait à saigner. Lorsque les hommes, les propres camarades de Carlos, furent partis, un silence total retomba, comme si le monde en dehors de son corps s'était figé d'indignation. En elle résonnaient une myriade de bruits. Son pouls battait tel un marteau entre ses cuisses, et un bruissement emplissait sa tête, comme l'eau d'un torrent souterrain.

Finalement, un son lui parvint. Un merle chantait devant la fenêtre de sa cellule, un chant pénétrant, lancinant et répétitif. Le matin approchait, la cloche ne tarderait plus à sonner. La jeune Pilar, qui avait à tout jamais perdu son innocence et trahi son céleste époux, se leva péniblement de son lit, s'enroula dans la couverture, puis sortit en courant et se précipita dans la petite cour où le réservoir d'eau de pluie se dressait sur ses quatre pieds en bois. Elle plongea le seau et remonta de l'eau pure. Avec cette eau, l'élixir de Dieu, et une brosse à récurer, elle entreprit de se purger de sa honte.

3

Une heure à peine après avoir rencontré Mair Watkins, Hector l'accompagna à la pension Pelayo, l'hôtel pour lequel il travaillait. Comme il l'avait redouté, leur incursion dans la guerre civile et chez ses survivants s'était soldée par une déception. Pilar avait été jadis d'une relative politesse envers les visiteurs, mais, devenue gâteuse dans ses vieux jours, elle était de plus en plus désagréable. Hector en éprouvait de la honte, même si sa protégée semblait plutôt contente.

— Pilar est une vieille dame grognon, mais il faut dire que son arthrite la fait beaucoup souffrir, dit-il en guise d'excuse alors qu'ils serpentaient dans les rues étroites. C'est mon *abuela*, ajouta-t-il, pensant qu'il valait mieux le lui avouer.

— Ta grand-mère ? Ça alors. Elle t'a parlé de la guerre civile ?

Hector regretta de ne pas en savoir plus long sur ce qui s'était passé dans la ville ; la seule chose qu'il savait de l'engagement de Pilar dans la guerre était qu'elle y avait survécu. Pour la première fois, son ignorance du passé le plongea dans l'embarras. Il chercha désespérément quelque chose de factuel à raconter.

— Avant la guerre civile, Pilar était religieuse dans un couvent. Il se trouve tout près d'ici, mais il y a en général trop de brume pour qu'on puisse le voir du haut du parapet. À présent, c'est un endroit sinistre, dit-il tout bas. Totalement abandonné et en ruine. Les nuits de pleine lune, on en aperçoit les contours. Je te le montrerai de loin.

— Volontiers.

— Pendant la guerre civile, il s'est passé de vilaines choses à Torre de Burros. Tu risques d'être encore plus déçue, señorita. Les gens ne veulent plus parler de cette sombre époque.

— Peut-être, dit Mair, manifestement décidée à trouver quelqu'un qui accepterait de lui raconter ses souvenirs.

— Je crains qu'il ne reste pas tellement de témoins de cette époque.

— Qui sait... ? insista Mair en lui souriant.

Hector avait déjà remarqué qu'elle était têtue, et du genre résolu. Elle satisferait sa curiosité malgré tout. Ce qu'il trouvait admirable mais aussi déconcertant, car cela le renvoyait à son ignorance crasse.

— Moi je parle à peine un mot d'anglais ou d'une autre langue, dit-il, histoire de changer de sujet. Comment se fait-il que tu sois si bonne en espagnol ?

— Cours du soir, groupes de conversation, cassettes, romans de gare..., fit-elle en haussant les épaules. J'avais déjà étudié l'espagnol à l'école, mais, ces six derniers mois, c'est devenu une sorte d'obsession.

— En prévision de ta venue ici ?

— Oui, sans doute, répondit-elle d'un air songeur. Et puis, c'était mieux que passer ses soirées à boire de la bière ou devant la télé.

— Pas de petit copain ? demanda Hector d'un ton détaché.

Mair le regarda en souriant d'un air mystérieux.

— Et toi ?

Hector lui rendit son sourire.

— Non, pas de petit copain.

Un petit chien surgit d'une porte en aboyant et en grognant, découvrant trois pauvres chicots, tandis qu'une femme s'élançait à sa poursuite armée d'un balai. Elle jeta un regard suspicieux à Mair et agita un doigt menaçant devant Hector.

— Comment vas-tu, Virtudes ? demanda-t-il.

— Ah là, là, Hector ! se lamenta la femme en secouant la tête comme s'il avait enfreint le code de la décence en se promenant en ville en compagnie d'une femme. Et regarde-moi un peu ces cheveux… Quand vas-tu enfin les couper, mon garçon ?

Hector fut reconnaissant à Mair d'avoir la délicatesse d'ignorer cette remarque. Alors qu'ils se remettaient en marche, elle lui effleura le coude.

— Parle-moi de ton *abuela*. Dans quel camp était-elle ?

Hector était à peu près certain que Pilar, comme la plupart des bons catholiques, avait été du côté de Franco, mais tout le reste demeurait trouble et enfoui. Sa mère, Adelaida, était née pendant la guerre civile, et en dépit de soixante-cinq années de ragots et de spéculations diverses, personne n'avait jamais réussi à savoir qui avait été l'amant de Pilar, pas même Adelaida, l'enfant née de cette union. Sa grand-mère, qui avait quitté le couvent peu de temps après être tombée enceinte – ce qui n'était guère surprenant –, ne s'était jamais mariée. Hector avait toujours supposé que la honte de porter une bâtarde avait fait d'elle la femme rébarbative et odieuse qu'elle était aujourd'hui. Et ensuite il était né, lui aussi était un bâtard, une nouvelle honte à ajouter au malheur de la famille. Une seule fois, lorsqu'il avait treize ans, il avait abordé le sujet en faisant remarquer l'absence d'hommes dans leur lignée. Pilar l'avait giflé, un coup si violent que son oreille avait vibré deux jours durant, mettant un terme définitif à ses questions. Et, alors qu'il ignorait tout des hommes qui avaient été à l'origine de son existence et de celle de sa mère, cette fougueuse jeune femme montrait au contraire une parfaite résolution dans sa quête à découvrir le sort de son grand-père.

— Alors ? fit Mair en agitant sa main devant son nez, comme il l'avait fait lui-même un peu plus tôt. Tu es avec moi… ou tu ne veux pas me le dire ?

Hector rougit, mais il ne répondit pas, et, pleine de tact, Mair n'insista pas. Ils déambulèrent à pas lents dans les rues. Hector, qui connaissait les moindres venelles – si sinueuses et étroites qu'ils devaient marcher l'un derrière l'autre –, la conduisit par un itinéraire détourné jusqu'à la place principale. Mair lui posait tant de questions sur la ville qu'il se sentait dépassé, au point qu'il dut improviser à plusieurs reprises pour ne pas avoir l'air idiot. Compte tenu de l'intérêt qu'elle manifestait pour l'époque de la guerre, il lui fit faire un détour de plus par la Plaza de Las Cruces.

— C'est ici, dit-il en montrant la place vide au centre de laquelle se dressaient trois croix. C'est ici qu'a eu lieu un massacre épouvantable en 1938. Quand les troupes de Franco ont pris la ville, les soldats sont devenus fous furieux, ils se sont soûlés et ont taillé en pièces les hommes et les femmes qu'ils estimaient coupables de trahison. Plus de soixante personnes ont été massacrées ici...

Il ajouta sa propre touche à l'événement macabre.

— Le sang coulait dans les caniveaux partout dans la ville.

— Vraiment ? Un massacre ?

Le visage de Mair s'éclaira considérablement à l'évocation de ce bain de sang. Hector ne put s'empêcher de rire. Mair écarquilla les yeux et se mordit les lèvres, honteuse. Elle s'arrêta et posa la main sur son bras.

— Ce que je peux être bête, parfois, et maladroite... peut-être que quelqu'un de ta famille a été tué. Ou un ami.

La douceur de ses doigts sur sa peau nue le fit frissonner. En la regardant, Hector éprouva soudain un sentiment de tristesse, car c'était le genre de femme dont il ne serait jamais digne. Dire qu'elle se croyait bête et maladroite ! Si seulement elle savait... D'ailleurs, elle le comprendrait bien assez vite, si elle restait quelque temps. Puisque tout serait perdu de toute façon (tout finissait toujours par l'être pour lui), Hector s'autorisa un instant à recouvrir la petite main posée sur son bras avec la sienne, en espérant qu'elle ne le prendrait pas mal.

— C'est bien possible, dit-il. Dans ma famille, on ne parle pas du passé. Jamais.

— Dans ma famille non plus, alors, ne te sens pas mal à cause de ça, dit Mair en se remettant en marche. Mais, c'est bizarre, maintenant que plus personne n'est là pour me raconter quoi que ce soit, je découvre toutes sortes de choses.

Sur la place principale, Mair s'arrêta pour admirer la fontaine. Hector lui expliqua que le couple nu sculpté dans le marbre était une folie scandaleuse qui trônait là depuis des siècles. Il n'y avait encore pas si longtemps, on le recouvrait d'un drap au moment des fêtes religieuses, et ce n'était que depuis peu qu'il n'était plus considéré comme pornographique mais comme un trésor artistique et une rare attraction touristique.

— C'est très beau, dit Mair.

Hector observa avec une pointe de gêne le vif intérêt que suscitait chez elle l'activité alambiquée du couple, qu'elle mitrailla sous tous les angles avec son appareil photo.

Mair affichait une tranquille assurance, tandis que lui était mal à l'aise, se sentait idiot. Sois à moi, songea-t-il, et j'inventerai des guerres qui te plairont, civiles ou pas. Oh, mon Dieu, c'était ridicule...

Lorsqu'il détourna les yeux le temps de reprendre ses esprits, il aperçut au loin une femme à l'allure familière qui venait vers eux. Il lui fallut une seconde avant de se rendre compte que la femme en question était sa mère, Adelaida. Elle marchait vite, et en même temps de ce pas traînant qu'elle avait depuis plusieurs semaines. Il y avait autour d'elle comme une sombre aura, une ombre. Hector la savait fatiguée, mais en la voyant là, dans un environnement différent, il prit conscience du changement radical survenu chez sa mère. Son comportement avait changé du tout au tout, elle paraissait abattue, résignée. Outre le fait qu'elle avait perdu pas mal de poids, son beau visage avait vieilli et s'était paré d'un air grave. Une peur soudaine lui scia l'abdomen, lui coupant le souffle. Serait-elle de nouveau malade ?

Comme elle ne l'avait pas vu, Hector se retourna en fixant des yeux la fontaine afin de ne pas être obligé de lui présenter Mair. Sa mère ne serait sans doute que trop heureuse de voir qu'il avait une amie. Cependant, à la suite d'un incident survenu lorsqu'il était adolescent, et qui lui avait valu d'être accusé de tentative de viol, sa grand-mère lui avait interdit de parler aux filles. Et, vingt ans plus tard, il ressentait encore de la honte à être vu en compagnie d'une femme. Mais il était désormais un homme, se rappela-t-il, et Mair avait tout d'une femme, bien qu'elle soit adorablement petite et...

— Hector !

Mair se tenait sous le vieil if, en brandissant son appareil photo. Avant d'aller la rejoindre, il se retourna pour regarder la silhouette amaigrie vêtue de noir qui s'éloignait dans la petite rue le long du bar *Metropol*. Comme d'habitude, je choisis mal mon moment, c'est grotesque, songea-t-il. *Mama* a l'air gravement malade, et voilà que je m'embarque dans je ne sais quelle histoire de cul... Je devrais être en train de courir après ma mère que j'aimerai jusqu'à ma mort, et non après une femme passionnée par la guerre civile et dont j'ignore tout !

Néanmoins, Hector ne courut pas rattraper sa mère. Après avoir pris une photo de Mair sous l'immense ramure du vieil arbre, il l'entraîna d'un pas décidé de l'autre côté de la place vers la grille de la pension Pelayo.

— C'est le meilleur hôtel de la ville. Et c'est là que je travaille, ainsi que mon *abuela* l'a si aimablement fait remarquer.

— Bel endroit, dit Mair, qui pencha la tête pour admirer la vieille façade en pierre et ses colonnes de granit sculptées. C'est sûrement trop cher pour moi.

Hector eut tout à coup envie de rentrer sous terre. Il n'avait pas pensé à ce détail.

— Je peux t'obtenir une remise, s'avança-t-il imprudemment.

— D'accord. Réserve-moi une chambre. Au moins pour quelques jours.

Il lui fit monter les marches jusqu'à la lourde porte en chêne.

— Tu te plairas, ici. La pension Pelayo n'est pas n'importe quel vieil hôtel, dit-il en montrant l'inscription qui figurait sur une plaque près de la porte.

Mair la lut lentement à haute voix : *Le roi des Asturies, Pelayo, a passé six nuits dans l'édifice construit sur ce site en 722, après avoir vaincu l'armée des Maures et tué 124 000 hommes sur 187 000 lors de la bataille de Covadonga.*

— Je m'imagine toujours le roi devant moi, dit Hector en train de monter ces marches à grand-peine à cause de l'encombrante armure, d'où il s'extirpe péniblement pour aller manger un sanglier rôti à la broche dans la cuisine en sous-sol, et finalement, sans même pouvoir prendre une douche, il se glisse entre des draps immaculés, lavés et essorés par un de mes ancêtres blanchisseurs…

Il s'interrompit et, soudain, sur une impulsion, il décida d'abattre sa première carte.

— Je m'occupe de ça. Du linge. Un jour, j'hériterai d'une blanchisserie.

Mair le regarda, les yeux mi-clos.

— Parfait. Peut-être pourras-tu me donner un conseil. J'ai des chaussettes pleines de poils de chien, et j'ai beau les laver…

— Tu te crois drôle, mais c'est exactement en cela que consiste mon travail. Je laverai tes chaussettes, tes draps, tes sous-vêtements…

— Ah, pas question… Plutôt mourir !

— Mourir ? répéta-t-il, intrigué. Pour qui me prends-tu ?

— C'est juste une expression, Hector Martinez.

Il abandonna son précieux fardeau à la réception, l'invitant à aller s'asseoir dans l'un des fauteuils en chêne et à se servir de raisin dans la soupière en étain posée sur la table.

— Non, il est trop beau, protesta Mair dans un murmure.

— Vas-y… C'est pour les clients.

Puis il fila chercher Carmen, qu'il trouva dans la lingerie en train de procéder à l'inventaire.

Carmen Campoamor était la fière propriétaire de l'hôtel et sa patronne à mi-temps depuis quatre ans, bien qu'il soit convaincu de ne devoir cet emploi qu'à l'amitié de Carmen pour sa mère.

Dès qu'elle l'aperçut, Carmen lui fit un clin d'œil maternel et repiqua quelques mèches folles dans son *moño*, un minaret de tortillons, de spirales et de boucles, maintenu par tant d'épingles qu'il en pleuvait comme des pellicules chaque fois qu'elle faisait un geste brusque. Pensant à Mair, Hector toisa Carmen. Je suis bien placé pour ne pas juger les autres sur les apparences, songea-t-il. Et pourtant, à mesure que l'on descendait du sommet de son *moño* digne d'une reine et de son visage au maquillage soigné, les efforts de Carmen diminuaient peu à peu pour finir sur une paire de chevilles extrêmement velues, des pieds aux talons fendillés et aux cors livides glissés dans des claquettes éculées, et des ongles longs sous lesquels des croissants de crasse noire semblaient incrustés à perpétuité. Ce qui importait peu quand Carmen se tenait derrière le comptoir et que les clients, pour la plupart des pèlerins, pouvaient se contenter d'admirer la moitié supérieure de sa personne, mais aujourd'hui, Hector tenait à ce qu'elle fasse bonne impression sur sa nouvelle amie.

— Hectorito ! soupira Carmen en se méprenant sur son regard. Ne fais pas cette tête-là ! Je ne fais que vérifier (la patronne du Pelayo était d'une méticulosité extrême avec le linge, signe selon elle d'un « établissement de qualité »). Et tout est impeccable.

Ignorant le compliment, Hector l'attrapa par le poignet.

— Viens. Tu as une cliente. Elle voudrait rester quelques jours...

Puis il reprit sa respiration avant d'ajouter :

— C'est moi qui l'ai trouvée.

Carmen éclata de rire et lui tapota le dessus de la tête.

— Mais c'est très bien, Hector !

— Elle... n'est pas riche, laissa-t-il échapper. Fais-lui un prix, s'il te plaît.

— On va voir ça.

Carmen passa devant lui et descendit l'escalier en replaçant quelques bouclettes dans la tour qui trônait sur son crâne. Il s'attarda un instant, examinant les piles de linge rangées en ordre impeccable, son propre travail et celui de Juana, la bonne de *mama* qui vivait chez eux.

Très vite, la conversation animée et amicale qui lui parvint du rez-de-chaussée lui arracha un soupir de gratitude. D'après l'accueil chaleureux qu'elle lui réservait, Carmen semblait juger favorablement son enfant trouvée. Il avait entendu dire – peut-être n'étaient-ce que des ragots – que cette femme au grand cœur avait tenu une maison de filles de joie à Saragosse, après en avoir été une elle-même autrefois. Vrai ou pas, Carmen était une dame intelligente, dotée d'un grand sens des affaires, ainsi que d'une bonne connaissance de l'anglais et du français. Cela dit, elle était aimable avec tout le monde, y compris avec ceux qui racontaient des bêtises derrière son dos, sans compter qu'elle était la meilleure amie de sa mère. Nul doute que Carmen dénicherait quelqu'un de bien informé susceptible d'aider la Galloise à obtenir des renseignements sur son grand-père.

Toutes deux étaient en train de rire, et il espéra que ce n'était pas de lui. Hector prit le panier de linge sale posé par terre et le hissa sur son épaule afin de l'emporter chez lui pour le laver. Lorsqu'il arriva à la réception, Mair était en train de montrer une feuille à Carmen, la même que celle que Pilar lui avait arrachée de la main. Les deux femmes l'examinèrent ensemble, la tête penchée d'un air sérieux. Ce document évoquait quelque chose de grave et d'important, tout comme le nom et la photo collée à côté. Quelque chose de cet homme qui s'était perdu dans le temps résonnait en Hector, comme si la quête de Mair le concernait, lui, personnellement.

— ¡ *Hectorito* ! l'appela Carmen dès qu'elle l'aperçut. Demande à Manolo de pousser sa moto au fond du garage pour qu'on puisse mettre la voiture de la *señorita* Watkins à l'abri. La *señorita* n'en aura pas besoin pendant un jour ou deux.

« Petit Hector »... Comment osait-elle ? Même Mair leva sur elle ses yeux myosotis avant de les poser sur Hector. Pris d'un sentiment de désespoir, il se détourna. À quoi bon ? Le contrôle de la situation lui avait déjà été confisqué. La belle étrangère lui avait été enlevée, et il reprenait son rôle d'un air maussade : celui du jeune homme émotionnellement absent, délibérément incompétent et généralement peu fiable.

La mère d'Hector, Adelaida, avait laissé le centre-ville derrière elle et cherchait la maison d'une vieille femme dénommée Catarina. Les gens la surnommaient la *bruja*, la « sorcière », mais tout le monde savait qu'elle n'était qu'une vieille dame bienveillante qui, grâce à une tradition remontant à plusieurs générations de femmes avisées, avait une excellente connaissance des herbes et des plantes locales, ainsi que de leurs propriétés médicinales. Et, si elle était spécialisée dans le traitement des verrues, des allergies et de l'asthme, elle s'essayait volontiers à tout en échange d'une somme modique.

La maladie d'Adelaida était plus grave que de banales verrues, mais elle en avait par-dessus la tête de la médecine conventionnelle. La lettre de l'hôpital de Gijón l'invitant à démarrer une nouvelle chimiothérapie avait fini dans une machine à laver industrielle réglée sur un programme à haute température. Les dates, le service et le nom du médecin s'étaient effacés. Adelaida n'était pas de nature superstitieuse, elle était au contraire une femme très rationnelle, mais la destruction de la lettre lui était apparue comme un signe du destin. En outre, elle n'avait aucune envie de subir une fois de plus cette épouvantable épreuve. Ça n'avait pas marché la première fois, non ? Et cela, malgré l'ablation d'un sein...

Catarina, la prétendue sorcière, habitait du côté Sud de Torre de Burros – une partie de la ville qui n'était pas considérée comme la plus rutilante –, et lorsque Adelaida avait traversé la place pour s'y rendre, elle avait aperçu son fils planté tout raide devant la fontaine de marbre. Hector avait les yeux fixés sur le couple fornicateur. Et voir son fils fasciné par les corps entrelacés avait beau la déranger, elle éprouvait pour lui une profonde pitié. Quand et comment Hector satisfaisait-il ses besoins sexuels ? Il restait coupé du monde et se rendait inabordable à cause de son apparence étrange... Les cheveux longs jusqu'à la taille, noirs et lisses comme du charbon humide, les vêtements pouilleux qu'il portait pour vendre des babioles aux pèlerins, son regard tourmenté... Du fait de son manque de goût pour la nourriture, il était trop mince pour un homme adulte, aussi fin qu'un roseau, d'autant plus qu'il était nettement plus grand que la moyenne. Quelle fille irait s'intéresser à une créature aussi singulière ?

Adelaida avait décidé de ne pas le déranger dans sa rêverie, mais, au moment de s'engager dans la ruelle près du nouveau bar, elle avait cru entendre une voix féminine l'appeler : « Hector ! » Si seulement !

Le *barrio* où vivait Catarina descendait vers la falaise. Les maisons étaient perchées en équilibre précaire sur une pente si raide que marcher dans les rues perpendiculaires obligeait à compenser en gardant une jambe pliée. Adelaida avançait en clopinant, le genou gauche ankylosé à force de rester tendu. Après avoir demandé deux fois son chemin, elle finit par trouver la maison. Adelaida, qui connaissait bien Catarina pour l'avoir rencontrée lors de kermesses de charité, n'était jamais allée chez elle et prenait le risque que la vieille dame soit absente, mais elle l'aperçut dans l'embrasure de sa porte. Elle semblait l'attendre. Elle agrippa Adelaida d'un bras potelé.

— *¡ Entra, entra !*

Toute petite et toute ronde, Catarina était âgée de quatre-vingts ans environ, mais elle avait encore le pas leste, sans doute grâce aux nombreux toniques rajeunissants qu'elle concoctait. Elle ne portait que des robes bleues, agrémentées d'un châle bleu drapé sur les épaules. Ses cheveux encore noirs aux reflets bleutés étaient tressés en une longue natte qui lui descendait dans le dos, lui donnant davantage l'air d'une Indienne des Amériques que de la pure Asturienne qu'elle était.

Les volets de Catarina étaient toujours fermés. À l'intérieur, il faisait sombre et frais. La maison à flanc de colline s'était affaissée et n'était plus symétrique. Adelaida eut l'impression d'être revenue à une autre époque, à des années-lumière de ce siècle de voyages dans l'espace et d'ordinateurs. Dans la cuisine, il n'y avait qu'une table, deux chaises et une dizaine de grands paniers remplis d'herbes et de plantes. Le poêle, encastré dans le mur, était un vestige de la maison vieille de plusieurs siècles. Dans plusieurs casseroles bouillaient les décoctions que les patients de Catarina devaient boire. Apparemment, les mixtures étaient entreposées dans les bouteilles alignées sur le rebord de la fenêtre. Ces bouteilles étaient bleu foncé, comme si elles avaient été oubliées au soleil depuis cent ans. La lumière qui filtrait à travers les volets illuminait les flacons et projetait une lueur indigo singulière sur le visage des deux femmes assises de part et d'autre de la table.

— Où avez-vous mal ? demanda Catarina.

— Je ne sais pas trop. Partout.

— Il est possible que vos poumons soient atteints.

— Comment le savez-vous ? demanda Adelaida, un peu sceptique, tout en la soupçonnant d'avoir raison.

— Une vie entière à diagnostiquer la maladie.

Catarina se leva, puis commença à toucher et à palper Adelaida en divers endroits. Ses doigts boudinés travaillaient avec rapidité, pareils à des détecteurs ou des antennes.

— Le Seigneur a reconnu le travail que j'ai accompli tout au long de ma vie avec mes patients et m'a accordé quelques petits talents. Il guide mes mains vers la partie du corps atteinte. Elles ne se trompent presque jamais.

Adelaida se demanda si Catarina avait succombé à la sénilité. Toutefois, au bout d'un moment, ses doutes furent écartés. Aucun de ces médecins contents d'eux avec leurs machines complexes et leurs produits chimiques dangereux n'avait pu la guérir. Le savoir de Catarina étant vieux comme le monde, peut-être ferait-elle mieux. La vieille femme préleva un liquide brun foncé d'une de ses casseroles à l'aide d'une louche, le transvasa avec une passoire dans un des flacons bleus qu'elle ferma avec un bouchon en liège. Puis elle apporta la louche à Adelaida pour qu'elle boive.

— C'est l'herbe la plus puissante que j'aie pour la maladie dont vous souffrez, expliqua-t-elle. Faites-moi confiance.

Le liquide, très chaud, avait un goût de fumier de cochon mélangé à du kérosène. Adelaida réprima un haut-le-cœur lorsqu'elle sentit qu'il lui brûlait le gosier tels les tourments de l'enfer.

— *Dios mío*, ce truc a un goût infect ! s'étrangla-t-elle.

Cependant, après quelques instants, la potion commença à irradier de la chaleur dans tout son ventre. Un chaton sortit du vieux cardigan qui lui servait de couche devant le poêle et frotta sa petite tête contre la jambe d'Adelaida en ronronnant bruyamment.

— Comment va votre beau garçon ? demanda Catarina pendant qu'elle stérilisait d'autres flacons bleus dans une bassine en zinc. Il se promène comme s'il avait des œillères, toujours seul, mais je l'aime bien. Les jeunes gens sont si arrogants, de nos jours... Quand on arrive à capter son regard, votre fils n'est pas gêné de dire bonjour à une vieille dame. L'autre jour, il m'a proposé de porter mes paniers en haut de la colline.

— Il... Il va bien, dit timidement Adelaida. Catarina... n'y a-t-il pas quelque chose que vous puissiez faire, vous n'auriez pas une sorte de traitement pour son état ? Je veux dire... quelque chose qui pourrait l'aider ?

Adelaida se sentit idiote d'avoir posé cette question. Le problème d'Hector n'était pas quelque chose qu'on pouvait guérir. En raison de son immense chagrin, et de sa honte qui l'était plus encore, elle n'avait jamais révélé à personne, excepté à son médecin, quelle était la véritable cause des difficultés d'Hector.

— Quel état ?

Adelaida hésita.

— Je ne crois pas que ç'ait un nom en tant que tel.

— Parlez-moi de lui, dit Catarina.

Le sujet de la naissance d'Hector était une question difficile pour sa mère, mais elle éprouva soudain le besoin d'en parler. Le regard avisé de Catarina débordait de bienveillance et de compassion, et Adelaida se sentit encouragée à se libérer de son fardeau.

— Allez-y, dit-elle. Racontez-moi tout depuis le début.

Où se situait exactement le début ? s'interrogea Adelaida.

— Pilar... Vous connaissez Pilar, ma mère ?

Oui, évidemment, Catarina connaissait sa mère. Pilar avait maintes fois dénoncé le « travail diabolique » auquel s'adonnait Catarina. La vieille dame se contenta de hocher la tête.

— Pardon de vous poser cette question, mais que savez-vous de ma mère, je veux dire, de son passé ?

— Quasiment rien, répondit Catarina. Je sais qu'elle a été sœur du Cœur immaculé de Notre-Dame de la Miséricorde dans sa jeunesse. La première fois que je l'ai rencontrée, elle arrivait de Montelinda et venait s'installer à Torre de Burros pour y vivre ; vous étiez avec elle.

Adelaida observa Catarina, mais elle vit qu'elle n'avait aucune raison de douter de la vieille dame.

— Eh bien, elle a dû vivre une expérience terrible avec un homme, ou même plusieurs, car elle a toujours tout fait pour les éloigner de moi. J'ai vraiment été stupide de la laisser faire...

Catarina sourit.

— Il doit pourtant bien y avoir un homme. Je crois savoir que c'est indispensable pour concevoir.

Adelaida s'autorisa un petit rire forcé.

— J'avais déjà vingt-huit ans quand j'ai connu Porfirio, le père d'Hector. Nous nous sommes rencontrés dans une étude de notaire sinistre. Je n'avais aucune idée que j'avais un grand-oncle, mais, à sa mort, j'ai été convoquée afin de prendre connaissance de ses dernières volontés et de son testament. Il est apparu qu'il m'avait connue petite et m'avait laissé un peu d'argent. Les seules autres personnes présentes étaient la femme du vieil homme et un grand garçon séduisant. Son visage m'a plu tout de suite. En fait, dès que nous nous sommes vus, nous avons aussitôt été attirés l'un vers l'autre. Mais, malheureusement, bien qu'il ait eu deux ans de moins que moi, il s'est avéré qu'il était le fils de mon grand-oncle. À cause de ce lien familial, nous étions plutôt embarrassés par les sentiments que nous éprouvions l'un pour l'autre, si bien que nous avons commencé à nous voir clandestinement et, peu de temps après, il m'a demandée en mariage. Quand j'ai avoué tout ça à Pilar, elle a été horrifiée et s'est élevée violemment contre ce mariage.

— Pour quelle raison ? interrogea Catarina.

— Parce que Porfirio et moi étions de la même famille. Ce qui n'avait aucune importance pour moi ou pour Porfirio. À l'époque, il suffisait de déposer une demande auprès du pape pour obtenir une dispense spéciale. Mais Pilar m'a avertie qu'il y avait eu plusieurs mariages incestueux dans notre famille et que de nombreux enfants étaient nés retardés.

Catarina la regarda attentivement sans rien dire.

— Sa mise en garde contre l'inceste est néanmoins arrivée trop tard. J'étais déjà enceinte.

Adelaida posa les coudes sur la table et se cacha le visage dans les mains.

— Lorsque j'ai parlé au vieux Dr Medina de ma grossesse hors mariage et du problème du lien familial, il a été scandalisé – il appartenait à la vieille école. Vous vous souvenez comment c'était à l'époque, j'en suis sûre. Il m'a cependant dit qu'il n'y avait *probablement* pas de quoi s'inquiéter. Qu'il y avait seulement un risque infime que je donne naissance à un enfant porteur d'un handicap.

Catarina plissa les yeux.

— En effet, vous n'étiez pas assez proches. Il n'y avait pas de réel danger.

— Bien sûr que non ! Mais moi, j'étais si naïve, si crédule... Pilar m'avait inculqué la crainte de Dieu, énuméré toutes sortes d'exemples parmi nos ancêtres d'enfants nés avec de lourdes déficiences, si bien que, finalement, impressionnable comme je l'étais, j'ai demandé au médecin s'il était possible de mettre un terme à ma grossesse pour raison médicale...

Adelaida toussa en riant sèchement.

— Et en fervent catholique, le bon docteur n'a pas voulu en entendre parler !

— Remerciez Notre-Dame de la Miséricorde qu'il ait eu l'esprit si étriqué, observa Catarina avec douceur.

Adelaida sentit les larmes lui monter aux yeux, en même temps qu'une rage qu'elle parvenait d'habitude à dissimuler.

— Oh, non... Pilar était tellement déterminée à ce que je ne mette pas ce bébé au monde qu'elle a pris des dispositions de son côté... Dieu sait comment elle a trouvé cette femme... et Dieu seul sait pourquoi j'ai accepté un projet aussi odieux ! Si seulement j'en avais parlé à Porfirio, il m'aurait ramenée à mon bon sens !

Catarina écarquilla un peu les yeux.

— Qu'avez-vous fait ?

— Nous sommes partis pour Oviedo en car et nous avons marché jusqu'à un immeuble qui se trouvait dans un *barrio* malfamé. Pilar est restée assise sur un banc, dans la rue. La femme m'attendait. Elle avait trois petits enfants, et son appartement empestait l'huile rance. Ça n'a pas pris longtemps. Pendant que j'étais allongée sur son lit conjugal, recouvert d'une feuille de plastique, elle m'a introduit un tube en caoutchouc muni d'une ventouse dans l'utérus et m'a injecté une solution. Quelque chose qui sentait l'eau de Javel et le sel, mais je ne sais pas exactement de quoi il s'agissait. Au bout de quelques secondes, j'ai été prise d'une douleur épouvantable, et la femme a eu l'air de croire que le fœtus avait été tué. Elle m'a dit d'aller à la pharmacie acheter des antibiotiques afin de prévenir toute infection. Sans doute était-elle fière de son travail et espérait-elle un bon résultat... Apparemment, ces interventions étaient pour elle une routine dont elle tirait une bonne partie de ses revenus.

Adelaida se tut et, pendant quelques secondes, les deux femmes écoutèrent en silence le ronronnement paisible du chaton. Catarina ne bougea pas, attendant patiemment la suite du récit.

— La douleur était si intense que nous n'avons pas pu repartir comme nous l'avions prévu. Pilar m'a emmenée dans une pension, et là, toute la nuit, j'ai eu des contractions en essayant d'expulser le fœtus. Je ne le savais pas encore, mais ç'a été pire qu'un accouchement. Au petit matin, les douleurs ont diminué, puis ont fini par cesser. J'ai supposé que tout était terminé. Je me suis reposée un moment et nous sommes rentrées à Torre de Burros en taxi. J'étais naïve sur ces choses, pourtant j'aurais dû deviner. En fait, pendant ce long supplice, rien n'avait été expulsé, pas même une goutte de sang. Le bébé était toujours vivant.

Adelaida se tut de nouveau. Cet épisode de sa vie était resté si longtemps secret que l'évoquer le lui faisait revivre avec la force d'une tempête. Elle frissonna et fondit en larmes, se couvrant le visage de ses mains.

— Continuez, l'encouragea Catarina au bout d'un moment.

— Voilà ce que j'ai fait à mon garçon, sanglota Adelaida. J'ai voulu le tuer, mais je n'ai réussi qu'à lui faire du mal. J'ai participé à la mutilation de mon propre enfant. Mon pauvre, pauvre enfant...

Catarina attendit qu'Adelaida finisse de pleurer. Elle avait du temps pour cela, ça faisait partie de son travail.

— Quand Hector est né, reprit Adelaida entre deux sanglots, on a compris tout de suite que quelque chose n'allait pas. Il était amorphe, silencieux et refusait de se nourrir. J'ai dû parler de la tentative d'avortement au Dr Medina pour qu'il puisse diagnostiquer ce qui n'allait pas. Il a été furieux. Il s'est lavé les mains de toute l'affaire et a refusé d'envoyer Hector dans un hôpital, en me prévenant que toute recherche qu'entreprendrait un pédiatre aurait pour conséquence la révélation de la sordide vérité. On devrait appeler la police, car les médecins avaient des consignes très strictes lorsqu'ils se retrouvaient confrontés à des avortements clandestins. C'était un crime, et nous aurions – lui compris – de gros ennuis...

Elle leva vers Catarina des yeux noyés de larmes.

— Pilar est tombée d'accord avec lui. Elle a refusé de me laisser emmener le bébé à l'hôpital. À l'entendre, les problèmes d'Hector n'avaient rien à voir avec la tentative d'avortement. Ils n'étaient que la conséquence de mon lien de consanguinité avec Porfirio, ainsi que des générations d'incestes et de mauvais gènes. Elle ne m'a jamais pardonné. J'étais responsable de tout. D'être tombée enceinte, d'avoir attendu trop longtemps avant de le lui avouer et d'avoir permis au bébé de s'accrocher dans mon ventre.

— Hector a pourtant dû progresser, observa Catarina. Car il n'a aujourd'hui plus rien d'un garçon retardé ou anormal.

— Oui, concéda Adelaida. Au bout de plusieurs semaines, il a commencé à se développer, mais il était toujours aussi taciturne et n'a pas prononcé un mot avant l'âge de cinq ans.

— Einstein non plus, lui rappela fièrement Catarina, comme si le savant était son fils.

Puis elle se pencha et posa sa main sur l'épaule d'Adelaida.

— Vous croyez que les problèmes d'Hector sont liés à ce qu'on vous a fait subir alors qu'il était dans votre ventre ?

— Naturellement. C'est ce qu'a dit le Dr Medina, même si ma mère était convaincue par sa propre théorie.

— Peut-être parce qu'elle se sentait coupable d'avoir organisé cette boucherie, releva Catarina avec une certaine véhémence.

Adelaida se moucha dans un mouchoir en papier.

— Quelle importance, à présent ? Hector est ce qu'il est.

Il était déjà tard dans l'après-midi, la lumière déclinait. Catarina alluma une petite lampe. Le chaton sauta sur la table et vint s'étendre de tout son long sous la chaleur de l'ampoule. Adelaida s'appuya contre le dossier de sa chaise, se sentant plus légère d'avoir parlé. La douleur dans son ventre s'était quelque peu apaisée, mais elle avait les membres trop engourdis pour retourner chez elle. Elle aurait voulu rester dans cette cuisine un long moment, tandis que la vieille dame vaquait à ses occupations, lui préparait tranquillement des décoctions au goût infect. Elle se fit la réflexion que Catarina était la mère qu'elle aurait aimé avoir. Pilar n'avait jamais voulu avoir d'enfants, et le père d'Adelaida avait sans doute disparu pendant l'exode des réfugiés à la fin de la guerre civile. C'était en tout cas ce que lui avait raconté Pilar. Et elle ne lui en avait jamais plus reparlé.

— Il n'y a rien que je puisse donner à Hector, dit finalement Catarina, qui revint s'asseoir en soupirant.

— Non, bien sûr que non… Je m'en doutais. Mais ça m'a fait du bien d'en parler.

Catarina se pencha brusquement au bord de sa chaise et plaqua ses mains potelées sur la table.

— Écoutez-moi, à mon avis, tout ça, c'est de la crotte de mule. Votre garçon est parfaitement normal.

Adelaida la dévisagea, un brin surprise. Elle aurait bien aimé partager l'opinion de la vieille dame.

— Vous ne le connaissez pas vraiment, Catarina. Un instant, il est comme un enfant, naïf et irresponsable, et une minute après, on dirait un vieil homme, pensif, bizarre et renfermé. Il donne l'impression de ne jamais dormir, il mange à peine, il compte les choses de manière obsessionnelle et il parle à ses pigeons comme si c'étaient des personnes. Il est rare qu'il se fasse des amis, ce qui n'a rien de surprenant. Un médecin chez lequel je l'avais emmené quand il était enfant a déclaré qu'il était un « savant imbécile ».

— C'est scandaleux ! Savant, peut-être, mais sûrement pas imbécile.

— C'était à cause de son aptitude peu commune pour les mathématiques. Un autre médecin m'a dit qu'il était autiste. Je me suis procuré des livres sur l'autisme et sur le syndrome d'Asperger, mais en dehors du calcul, je ne pense pas que ces étiquettes lui correspondent.

— Je n'ai aucune connaissance particulière sur les maladies auxquelles vous faites allusion, remarqua Catarina en haussant les épaules, mais Hector me fait l'effet d'un être humain d'une grande sensibilité. J'aime beaucoup la façon qu'il a de me regarder. Ses yeux sont profonds, pleins de compassion, et il y a une sagesse cachée dans...

— Et ensuite, il y a eu cette histoire de..., l'interrompit Adelaida. On l'a accusé de choses étranges, même si je ne l'ai jamais cru coupable. Les enfants font des expériences, testent leurs limites... Hector est juste différent.

— Dites-moi, rétorqua Catarina avec virulence, pourquoi faudrait-il qu'il soit comme tout le monde ?

— Catarina, il est adulte, or il vit comme un enfant, dans un monde imaginaire. En tant qu'homme, il n'a aucune perspective.

Catarina tapa du poing sur son genou.

— Bah, *aucune perspective* ! Je pense que vous et votre mère l'avez toujours traité comme un idiot, parce que vous êtes convaincues qu'il ne peut pas en être autrement. Hector se contente de jouer son rôle. Son principal problème, c'est qu'il vous croit.

Adelaida la regarda fixement. Elle se refusait à admettre ce verdict, bien qu'Hector lui-même eût déjà fait des remarques dans ce sens. Le reconnaître aurait fait peser sur elle un nouveau fardeau. Elle savait bien qu'elle n'avait pas été une mère idéale, mais de là à…

— Je crois que vous vous trompez, dit-elle en fermant les yeux.

Elle avait la tête lourde, sans doute à cause de la potion qu'elle avait bue. Et en même temps elle éprouvait une sensation de vide, comme si son cerveau avait été aspiré par un orifice au sommet de son crâne.

— Qu'est devenu Porfirio ? demanda Catarina avec plus de gentillesse.

— J'ai rompu nos fiançailles. J'étais trop perturbée pour envisager de me marier. J'avais été trop fière et trop embarrassée pour lui annoncer que j'étais enceinte, et comme il vivait à Montelinda, il n'a jamais su ce que j'avais fait. Du moins, je ne le pense pas. Il a été anéanti par notre rupture, mais, après cet acte de violence honteux que j'avais commis envers son enfant à naître, j'estimais que je ne méritais rien, et sûrement pas l'amour d'un homme aussi bon. Il en a épousé une autre peu de temps après.

— Et Hector... N'aurait-il pas été bénéfique pour lui qu'il eût un père ?

— Oh, je vous en prie ! s'écria Adelaida. Ma culpabilité est déjà comme un chancre en moi...

— Je sais, dit la vieille dame. Je l'ai senti, là, sous mes doigts.

Catarina eut soudain l'air très lasse. Elle avait accumulé beaucoup de la douleur des autres en un seul après-midi. Non sans effort, Adelaida se leva et se prépara à partir. Catarina plaça deux flacons bleus dans un sac en plastique.

— Quatre cuillerées de chaque, sans faute, une demi-heure avant de manger et juste avant le coucher, dit-elle. Mangez des tas de fruits colorés, bannissez le porc, le bœuf et le poulet, et revenez me voir la semaine prochaine.

Adelaida lui donna un billet de dix euros, le prix de la consultation, et sortit de la maison, mais Catarina la rattrapa sur le seuil et lui murmura à l'oreille :

— J'ai oublié de vous prévenir. Une des potions que je vous ai données est très puissante. Elle affecte chaque individu de manière différente. Dans de très rares cas, elle agit sur le corps par l'esprit... en l'ouvrant et en... libérant les tensions. Rien toutefois d'inquiétant. Mais pensez-y au cas où.

Adelaida acquiesça. Il n'y avait rien d'enfoui en elle qui ait besoin d'être relâché. En dehors des secrets qu'elle venait de confier à Catarina, elle était peu sujette à l'angoisse. À son âge, elle ne cherchait pas à se donner de faux airs et n'avait rien de particulier à cacher. À vrai dire, à la seconde même, elle se sentait légère et soulagée de toute douleur. L'air était frais. Quelques gouttes de pluie étaient tombées pendant sa consultation, mais le ciel était de nouveau dégagé. Le mince et pâle croissant de la nouvelle lune était suspendu au-dessus de l'horizon. Comme monter la rue très raide lui était pénible, elle attrapa la rambarde que la mairie avait installée à l'intention des personnes âgées.

Parvenue à mi-pente, elle s'arrêta une seconde pour se reposer et, tandis qu'elle regardait vers le fond du précipice, elle repensa à un épisode de la vie d'Hector. Tout avait commencé ici, à l'endroit même où elle se trouvait. Ces dernières années, nombre de véhicules avaient vu leurs freins à main lâcher et avaient dévalé la rue, défonçant la barrière avant de plonger du haut de la falaise, raison pour laquelle se garer ici était désormais interdit. Dans une des voitures qui avaient fini au fond de la vallée s'était trouvé un chien qui attendait son maître. Hector, alors âgé de douze ans et qui avait peu d'amis, connaissait bien ce cabot, qu'il avait essayé d'adopter à plusieurs reprises.

Anéanti de chagrin, il avait réclamé le cadavre du chien sous prétexte de l'enterrer près de sa cachette secrète dans la forêt. Le propriétaire du chien n'avait été que trop heureux de se débarrasser de cette tâche macabre (il se souciait uniquement de son automobile réduite à un tas de ferraille), de sorte qu'Hector avait emporté le cadavre. Quelques semaines plus tard, il était rentré d'une de ses excursions en portant un sac à dos qu'il avait confectionné avec l'animal. Un truc malin (mais que seule une mère pouvait juger ainsi). Les pattes de derrière étaient attachées à celles de devant, le tout joliment transformé en bretelles. La tête empaillée du chien reposait paisiblement sur la nuque d'Hector, tandis que la queue fournie pendait de façon incongrue entre ses fesses. Sur le ventre de l'animal, il avait cousu une fermeture Éclair pour empêcher les affaires qu'il transportait de s'échapper. Adelaida avait trouvé l'idée plutôt touchante ; Hector lui avait expliqué qu'il gardait son ami près de son cœur tout en lui attribuant une fonction utile. Il le caressait et lui parlait souvent quand il se promenait, le chien rebondissant de façon guillerette sur son dos.

Les gens avaient été horrifiés. La répulsion générale provoquée par le sac-chien s'était retournée contre son fils, qui souffrait déjà d'être un enfant illégitime. Les gens de la ville le trouvaient bizarre et cruel, certains disaient même qu'il était fou. On interdisait à la plupart des enfants de jouer avec lui, et les adultes l'évitaient dans la rue. Cette histoire était bien antérieure à celle de la fille...

Adelaida repensa au point de vue de Catarina, mais elle savait que, au départ, Hector était différent. Elle reprit son ascension. Les deux flacons se balançaient dans son sac, tintinnabulant de façon rassurante. Elle prit la décision de croire à l'efficacité de ces potions – il le fallait. Son fils avait besoin d'elle.

4

Mair travaillait dans sa chambre sur le petit bureau. Des papiers, des livres et des CD étaient éparpillés un peu partout. Le *Golfredo Bustamante's Advanced Spanish* ronronnait sur le lecteur de CD en rabâchant les verbes irréguliers. En même temps, à l'aide de son lourd dictionnaire d'espagnol, elle continuait à traduire les lettres de Geraint.

Cette chambre, la moins chère de l'hôtel, était celle qui de loin jouissait de la plus belle vue, bien qu'il fallût faire un effort pour grimper les six étages de l'escalier. La porte était à peine plus haute que sa tête et le plancher penchait, lui donnant un aspect très « historique ». Ce mot la fit sourire, et elle se demanda si le fantasme qu'avait Hector sur le roi Pelayo en train de s'extirper de son armure pour dévorer un sanglier à moitié cru, rôti à la broche, etc., n'avait pas influencé la vision qu'elle se faisait de l'endroit. La chambre, nichée sous les toits, possédait un très vieux lit à baldaquin tout vermoulu, une armoire dans le même état qui s'ouvrait à l'aide d'un levier et une fenêtre de belle taille donnant sur la place. Un ventilateur fatigué tournait péniblement en vibrant, créant un faible courant d'air sans que la chaleur en soit pour autant moins étouffante.

Mair fit une pause, se leva et s'étira. Elle aurait dû sortir pour essayer de trouver d'autres sources d'information, ou au moins parler à des gens. Il devait bien exister d'autres personnes en ville susceptibles de l'aider, bien que celles qu'elle avait approchées dans la rue ne lui eussent apporté aucune réponse utile. Peut-être Hector avait-il raison : les gens ne souhaitaient pas se rappeler cet épisode terrifiant de leur histoire. Quoi qu'il en soit, elle devrait quand même explorer la ville, aller à la bibliothèque et à la mairie pour y consulter les archives afin de se faire une idée du contexte dans lequel Geraint avait passé ses derniers jours... du moins, les derniers connus de sa famille. Mair ne savait pas du tout à quoi s'attendre, ni ce qu'elle pouvait espérer trouver. Que Geraint soit encore en vie (ridicule) ? Sa tombe (incertain) ? Quelqu'un qui se souvienne de lui (improbable) ?

Par ailleurs, il lui fallait faire un peu d'exercice et respirer de l'air frais. Penchée par-dessus le rebord de la fenêtre, elle regarda la place grouillante d'animation. Des hommes âgés jouaient aux échecs sur un échiquier géant peint sur le sol pavé avec des pièces en bois de la hauteur d'un enfant de cinq ans. Le vieil if étendait ses branches sur une moitié de la place, abritant du soleil les commères assises sur les bancs. À l'heure du petit déjeuner, les deux bars étaient à moitié pleins ; elle sentait une odeur âcre de café portée par la brise. Le soleil brillait, annonçant une nouvelle journée resplendissante. Mair se demanda un instant s'ils n'avaient pas besoin de vétérinaires dans cette région de l'Espagne. Quelles

étaient les nouvelles directives de l'Union euro-
péenne à ce sujet ?

Elle chassa cette idée. Une fois rentrée à Swansea,
l'enthousiasme pour son métier lui reviendrait sûrement après ce long congé sabbatique. Elle l'espérait
bien, et pourtant, c'était autre chose que ces
recherches qui l'incitait à se libérer de ses chaînes.
La mort de sa mère, suivie de celle de son père,
l'avait poussée à entamer un examen de conscience
auquel elle aurait dû se livrer depuis longtemps. Elle
avait pris du recul afin d'analyser cette identité
qu'elle s'était imposée, cette volonté inflexible
qu'elle avait de progresser et de « s'élever » par
rapport à sa famille. Son frère Richard, qui avait
éprouvé le même besoin, était parti pour le Canada
sans jamais regarder en arrière. Il avait été bien
avisé de s'exiler, en la laissant avec leurs parents
dépourvus d'illusions et d'ambition qui étaient
morts sans se battre – ni pour eux-mêmes ni pour
elle.

Mair avait plus ou moins promis à son père cette
dernière faveur. Toutefois, pendant les mois où elle
s'était préparée pour ce voyage, elle avait fini par se
rendre compte qu'elle le faisait pour elle-même. Plus
elle avait lu les lettres de Geraint, regardé les photos,
étudié les cartes et parcouru des ouvrages sur la
guerre civile espagnole, plus le passé avait acquis
une réalité dans laquelle elle puisait une énergie
nouvelle. Elle était allée chercher tante Margaret
dans sa maison de retraite, et elles avaient passé des
week-ends entiers dans son appartement à discuter
tout en sirotant des petits verres de sherry, si bien
qu'elle avait glané un peu plus de renseignements

sur son histoire familiale. Margaret avait toujours affirmé que Mair avait sauté une génération, aussi bien pour ce qui était de l'apparence que du caractère. Qu'elle ne ressemblait en rien à ses parents (ce qui, avait-elle suggéré avec tact, pouvait expliquer la distance qu'elle ressentait vis-à-vis d'eux), mais qu'elle était en revanche le portrait craché de son grand-père. Un constat qui lui permettait de s'identifier d'autant plus facilement à Geraint, son héros révolutionnaire. Si jamais elle le retrouvait, ou retrouvait cette part de lui si criante en elle, il lui serait possible de commencer à trouver sa place. Margaret avait d'ailleurs été enthousiasmée par son projet. Elle avait même insisté pour financer en partie son voyage, lui recommandant de le transformer en de « longues et belles vacances ».

Mair entendit un cri. Elle se pencha un peu plus pour voir la fontaine lubrique qui projetait son jet d'eau sous les exclamations grivoises des clients du café. Mair repéra une silhouette familière qui traversait la place en transportant un grand panier. C'était Hector qui emportait le linge sale de l'hôtel. Avec sa cape de cheveux noirs, sa démarche pareille à celle d'une girafe, ses jambes d'une longueur improbable et ses hanches étroites, il était difficile de ne pas le remarquer ! Elle s'était habituée, mais, la première fois qu'elle avait posé les yeux sur lui devant l'église, elle avait eu l'impression de vivre un « moment de transcendance ». Tandis qu'elle se tenait là, paralysée, un souvenir lui était revenu... celui de vacances passées avec ses parents dans une épouvantable station balnéaire d'Andalousie. Elle avait alors treize ans, les hormones en folie, et nulle part où se cacher. Certes, rien n'est plus sinistre que la situation d'une adolescente solitaire en vacances à la mer en Espagne avec ses parents vieillissants. Le temps était resté couvert du premier au dernier jour. La plage grise et poussiéreuse était jonchée de mégots, et la mousse rejetée par un système d'égout inadapté flottait sur les vagues. Au milieu de toute cette laideur, sur un rocher qui surplombait la plage, se dressait l'énorme statue en bronze d'un homme à l'allure fière, un prince maure qui avait régné sur la région au XIIIe siècle. Un homme téméraire et effrayant, un vrai guerrier. Il tournait vers la mer ses traits aquilins, et sa longue chevelure flottait au vent. Très grand et mince, son corps en partie dévêtu avait l'air robuste, et les muscles de ses bras et de ses jambes étaient longs et fuselés. Une de ses mains, qu'il avait larges et puissantes, était refermée sur un sabre incurvé. Alors que tout chez elle, ses parents et ce qui l'entourait la révoltait, ses désirs secrets s'étaient projetés sur ce parangon de pure virilité. Deux semaines durant elle avait fait l'amour à son fantasme, partout, et sous toutes les formes que l'esprit d'une fille de treize ans était en mesure d'imaginer. Elle lui parlait espagnol, plongeait dans son guide pour inventer des conversations empreintes d'érotisme, de romanesque et d'aventure. Ils voguaient ensemble sur des navires, traversaient des déserts à dos de chameau et s'étendaient nus sous des tentes. Elle parcourait le marché à la recherche de vêtements et de colifichets marocains dont elle se parait au lit. Ses parents avaient remarqué qu'elle avait fait d'immenses progrès en espagnol, même si, en dehors des commandes qu'elle passait avec fierté dans les restaurants, elle ne disait pas un mot. Elle prenait un air fermé de façon à se couper de tout, de leurs discussions insignifiantes, des menus détails sur les intestins irritables de son père, de la désapprobation résignée de sa mère sur ce qu'il buvait. Les veines trop fines de l'une, le front pelé de l'autre, le concierge qui se touchait les couilles chaque fois qu'il regardait la gamine qu'elle était.

Naturellement, lorsqu'elle s'était approchée du parapet devant lequel se tenait Hector, elle avait bien vu que ce spectre du passé n'avait rien d'un conquérant, maure ou autre. Son pantalon noir était lustré à force d'avoir été porté, son col de chemise élimé. Et sa veste en tweed semblait être restée accrochée à un clou au fond d'une grange pendant plus d'un siècle. Néanmoins, elle avait tendance à se méfier de ses préjugés, ayant une prédilection aussi ancienne que pénible pour les hommes dépourvus de vanité aux airs de poètes maudits, et qui, comme celui-ci, avaient un regard profond et mélancolique.

Mair regarda Hector traverser la place sans s'occuper de personne. Derrière lui marchait la fille maigrichonne qu'elle avait vue à plusieurs reprises le suivre comme une ombre. Le grand sac qu'elle transportait la dissimulait en partie. Ses cheveux étaient aussi noirs que ceux d'Hector, ses membres décharnés, et sa peau était foncée. Il y avait quelque chose d'une pauvreté ancestrale dans son visage pincé, mignon mais marqué par la souffrance. Hector lui avait dit qu'il n'avait pas de petit copain, mais il était très possible qu'il ait une femme ou une petite amie. Toutefois, à l'évidence, la fille était aussi une employée de l'hôtel ou de la blanchisserie, et elle paraissait plus jeune que lui. Ils s'engagèrent dans une ruelle qui conduisait à la maison de la farouche grand-mère – sa queue-de-cheval voltigeant au vent fut la dernière chose qu'elle vit d'Hector.

— Dis donc, Mair, se réprimanda-t-elle à haute voix, le seul gars auquel on s'intéresse ici, c'est Geraint.

Cependant, lorsque Hector émergea de la même ruelle dix minutes plus tard, elle se pencha impulsivement, mit deux doigts dans sa bouche et lança un sifflement strident. Aussitôt, Hector leva les yeux, comme la moitié des gens présents sur la place. Elle lui adressa des signes joyeux, mais il s'était arrêté et se contentait de la regarder, la tête renversée vers le ciel. Et, d'un seul coup, il tendit ses deux bras comme pour l'inviter à sauter.

Plus tard dans l'après-midi, Mair était assise à côté d'Hector dans une prairie en pente qui surplombait un vieux château. Le terrain descendait abruptement vers les murs en ruine, à la gauche desquels se dressait une falaise à pic qui encerclait la moitié de la ville. De cet endroit, la vue sur les collines était plus austère que vers la mer et les sommets nimbés de brume des Picos. Elle avait l'impression d'être sur le toit du monde. Le soleil de septembre brûlait, l'herbe sous la couverture était sèche et rêche, mais elle n'y pouvait rien. Ils avaient atterri là par défaut. Apparemment, Hector n'était pas astreint à des heures de travail régulières. Sa patronne, Carmen, ronronnait et roucoulait devant lui en le complimentant, et, en retour, il semblait tout faire pour lui plaire. Lorsque Carmen les avait surpris en train de bavarder près de la réception, elle avait souri d'un air indulgent en battant de ses faux cils.

— Sortez donc ! leur avait-elle lancé, comme s'ils étaient des enfants. La journée est magnifique. Allez vous amuser, tous les deux. Hectorito, pourquoi tu ne montres pas le fort à la petite *señorita* ?

Parfois, c'était bien que quelqu'un vous dise quoi faire, et Mair n'avait pas protesté. D'ailleurs, elle était habituée à cette double identité, si paradoxale fût-elle. Son petit gabarit incitait les gens à lui parler comme à une enfant, tandis que son travail et ses recherches lui valaient le respect dû à une adulte. Hector lui avait dit de l'attendre à la réception et de manger du raisin qui retombait avec art des soupières pendant qu'il courait à la cuisine concocter en hâte de quoi faire un pique-nique : deux baguettes, un énorme salami, un gros morceau de fromage de chèvre, un récipient en plastique contenant de minuscules olives noires, un melon et une outre en peau à l'ancienne remplie d'un vin rouge acide.

Sans se presser, ils se prélassaient sur la couverture et pique-niquaient – Mair avec un bel appétit, Hector avec méfiance, comme si quelqu'un avait versé du cyanure dans la nourriture qu'il avait lui-même préparée.

— C'est quoi, ton problème ?

Hector releva la tête brusquement.

— Il n'y a rien chez moi qui n'aille pas, quoi qu'on ait pu te raconter.

Mair éclata de rire.

— Waouh ! Je ne voulais pas dire « problème » par rapport à ta personne. Seulement que tu n'as pas l'air d'apprécier le pique-nique que tu as préparé.

— Oh, mais si ! J'apprécie avec qui je le mange, rétorqua Hector, embarrassé quoique visiblement soulagé.

— Apprends-moi des mots difficiles, dit Mair, entre deux tentatives pour faire gicler le vin dans sa gorge sans que ses lèvres touchent le bec, comme Hector le lui avait montré.

Depuis une semaine qu'elle était arrivée, elle avait l'impression que son espagnol jaillissait de sa bouche avec de moins en moins d'efforts, et chaque fois qu'elle avait croisé Hector à la réception, il avait toujours semblé disposé à l'aider à progresser.

Il s'étira, puis s'allongea sur le côté, la tête appuyée sur la main. Après l'avoir observée un instant, il commença à énumérer les couleurs qu'elle portait.

— Jean bleu. Chemise blanche. Bottines noires. Sac violet à paillettes orange. Clou argent, poursuivit-il en lui effleurant le nez, carnet noir, dictionnaire marron, cardigan rouge, peau rose, conclut-il en lui caressant la joue d'un geste innocent.

— Non, pas ça ! gloussa Mair. Je connais déjà mes couleurs.

— Ah bon, fit-il, l'air penaud. C'est plutôt toi qui devrais m'apprendre des mots. Explique-moi ce que tu fais au *País de Gales*.

— D'accord, essaie de deviner, dit-elle avant de débiter quelques indices à toute allure. Sperme, insémination, cathéter, tube, vache, gant en caoutchouc, vagin et... jusqu'au coude.

Hector blêmit.

— Pourquoi toi ? demanda-t-il sans parvenir à dissimuler son écœurement.

— Parce qu'il faut bien que quelqu'un le fasse.

— Ça ressemble plutôt à un travail d'homme.

— Serais-tu sexiste ?

— Sexy ? fit Hector, intrigué. J'aimerais bien… Je sais, dit-il après quelques secondes de réflexion, tu travailles dans une de ces boutiques pour fétichistes.

Mair bascula en arrière en riant et secoua la tête.

— D'accord, tu es fermière et tu t'occupes de la reproduction du bétail.

— Non, mais tu brûles…

— Bouchère… avec des spécialités particulières ?

— Non, s'écria Mair, je suis vétérinaire !

Hector la regarda d'un air admiratif et hocha la tête comme pour se confirmer quelque chose à lui-même.

— *Una veterinaria*, tu m'impressionnes.

— À toi. Explique-moi en quoi consiste *ton* travail à toi.

Changeant soudain d'expression, Hector détourna les yeux. Il sortit une cigarette d'un paquet froissé et l'alluma avec un briquet en argent. Elle se demanda pourquoi cet homme poli et singulièrement captivant avait l'air aussi désœuvré, aussi incohérent.

— Ce que je fais, tu l'as vu.

— Oui, c'est vrai, dit Mair, sentant qu'elle avait touché un point sensible. Et comme passe-temps ?

— Je joue aux échecs, répondit Hector au bout d'un moment, sans la regarder.

Elle sourit et le regarda fixement.

— Je ne t'ai jamais vu défier les hommes qui jouent sur l'échiquier géant.

— Non, je ne joue jamais ici, en ville. Mais ne le répète à personne.

— Pourquoi ?

— C'est compliqué à expliquer…

— Mais encore ?

— Les échecs sont un vice, et mon *abuela*…

— Oui ?

— Il y a des tas de choses que je ne dois pas faire, dit Hector. C'est trop ridicule de l'expliquer.

— Serais-tu un peu rêveur ? demanda Mair en passant inconsciemment son pouce sur le dos de sa main posée entre eux sur la couverture.

Bien qu'il travaillât dans une blanchisserie, ses mains n'étaient pas du tout celles d'un travailleur manuel, ni d'un paysan, mais évoquaient plutôt celles d'un pianiste ou d'un artiste avec ses longs doigts fins. Mair les imagina sur sa peau et retira aussitôt sa main. Hector sembla tout aussi inconscient de son geste, apparemment occupé à réfléchir à la question. Il écrasa du talon son mégot de cigarette dans l'herbe.

— Un rêveur. Oui. Sûrement, admit-il d'un ton grave.

— Il n'y a rien de mal à cela. Il faut bien des rêveurs.

Les yeux mi-clos, il la regarda. Il avait des yeux de chat, très étirés, et de longs cils recourbés sur sa magnifique peau brune – trop beaux. Brusquement, Mair ressentit un frémissement inconnu du côté du bas-ventre. L'endroit, l'herbe, le temps… tout ça devait y être pour quelque chose. Prise d'une folle impulsion, elle songea qu'elle pourrait tenter de le séduire. Elle se pencha pour effleurer ses lèvres de son pouce. Elles étaient foncées, comme sa peau, juste un peu plus sombres. Assez fines, mais souples et malléables. À sa grande surprise, il semblait de glace, comme incapable de répondre à son geste, alors elle retira sa main. S'ensuivit un moment de vague embarras, mais il sourit d'un air désarmant. Elle n'avait rien contre la difficulté. De toute façon, il lui était plus utile en tant qu'ami.

— Hector, est-ce que tu te souviens que tu m'as proposé d'être mon informateur ? Peut-être pourrais-tu m'aider à chercher mon grand-père. Je pourrais même te dédommager un peu pour ton temps.

— Ah non ! s'exclama-t-il en se redressant et en rougissant comme un adolescent. Je veux dire que... pour toi, je ferais n'importe quoi.

Mair sourit en voyant son visage franc rempli d'attente et se demanda si c'était une bonne chose ou pas. Il avait l'air si innocent. S'il s'attachait à elle, elle finirait par le faire souffrir.

— Nous allons mener une enquête, décida-t-elle. Entamer des recherches sérieuses. Parler aux gens.

— D'accord. Mais... pourquoi ç'a une telle importance pour toi ?

Mair se sentait partagée entre l'envie de se livrer à un autre genre de recherches sans paroles et le sérieux de sa question. Du coup, elle soupira et ouvrit son sac. Quelque part au milieu de son fouillis se trouvait une chemise en carton. Et, dedans, la lettre de Geraint, que, non sans peine, elle avait fini le matin même de traduire en espagnol.

— Je vais te le dire, lui répondit-elle. Voilà…

Chère Delyth,

Comment allez-vous, toi et les enfants ? Je suis désolé de ne pas t'avoir envoyé de lettre depuis un bout de temps. Comme tu le sais, je ne peux pas écrire sur la campagne que nous menons, je n'en ai pas le droit. Je suis toujours en forme, bien que les conditions de vie soient misérables. La nourriture est épouvantable, et ta cuisine me manque plus que tout – enfin, presque. On nous donne des saucisses rances, du pain, des haricots gras et encore des haricots gras, plus des cigarettes horribles et une petite ration d'alcool, dont je suis incapable de prononcer le nom, et que je saurais encore moins écrire. Être dynamiteur offre néanmoins quelques petits privilèges, comme de se voir refiler de temps en temps une boîte de sardines.

Qui aurait cru que mes connaissances seraient si utiles ici, dans la mesure où il y a des dizaines de milliers de mineurs dans le nord de l'Espagne ? En fait, j'ai rencontré des mineurs originaires des Asturies, l'endroit où, si tu te rappelles, a eu lieu un soulèvement il y a deux ans. Je me suis fait quelques très bons amis, et nous veillons les uns sur les autres, alors tâche de ne pas te faire de souci pour moi, chère Delyth. Ils m'apprennent un peu d'espagnol, et je suis décidé à visiter un jour la région (si je survis).

L'équipement qu'ils m'ont remis est très dépassé, et ils ne sont pas habitués au matériel que les Russes ont envoyé. Tout est très primitif, même si, à la fin de la journée, la dynamite est la même partout dans le monde. Nous sommes ici six cents Britanniques, plus de nombreux autres bataillons étrangers, des Français, des Canadiens, des Suédois et un grand nombre de Russes. Et, bien qu'ils soient censés être d'ardents staliniens, tu seras surprise d'apprendre que les Russes sont les moins idéalistes, car la plupart d'entre eux ne sont pas venus ici comme volontaires. Ils boivent beaucoup et sont enclins à de violentes disputes.

Je sais que tu ne crois pas vraiment à ce que je fais, ce dont je suis désolé. Je n'ai jamais regretté d'être venu, quand bien même j'ai vu des choses atroces, et quoiqu'on ne sache jamais qui sera le suivant. J'ai appris à apprécier chaque seconde de mon existence et je suis conscient d'être impliqué dans quelque chose de très important. J'espère que tu n'en seras pas blessée, mais je me sens plus heureux et davantage un homme que je ne l'ai jamais été, et cela n'a rien à voir avec tes qualités de femme et d'épouse. Il s'agit de tout autre chose. D'une manière assez étrange, je me sens ici à ma place.

Peut-être arriverai-je un jour à me faire pardonner. Embrasse Dai et Margaret de ma part, dis-leur d'être forts et gentils, et que leur papa pense à eux tous les jours.

Geraint.

P.-S. : Je confie cette lettre à un de mes camarades, Bill Bottomsworthy, du Lancashire. Comme il a été blessé, d'une balle dans le derrière (ne ris pas, ce n'était pas drôle du tout), on le renvoie chez lui par bateau de Barcelone. Tu devrais par conséquent recevoir cette lettre sous une quinzaine de jours.

Mair remit la lettre dans la chemise, puis se tourna vers Hector.

— Cette lettre, ainsi que trois autres, représente tout ce que je sais sur mon grand-père. On m'a bien sûr raconté des choses, mais, la première fois que je les ai lues, j'ai eu l'impression qu'il me parlait directement, par-delà le temps. Quant aux photos...

Elle en sortit une, qu'elle tendit à Hector. Il l'examina longuement, puis la rendit à Mair, qui la regarda à son tour. C'était celle où l'on voyait Geraint sur une balançoire dans un jardin, ses cheveux blonds en touffe épaisse sur le front, souriant, séducteur devant l'objectif. Ce jeune combattant de la liberté idéaliste était son grand-père, un homme qu'elle n'avait jamais connu, et que son père avait vu pour la dernière fois à l'âge de six ans. Oui, elle commençait à le connaître, mais cette « connaissance » qu'elle avait de lui n'était-elle pas qu'un rêve romantique ?

Hector avait l'air si troublé que Mair se demanda ce que signifiait son silence. Son grand-père était venu jusqu'ici se battre dans une guerre espagnole, sur le territoire même d'Hector, peut-être même pour défendre ceux qui étaient sa chair et son sang. Se sentait-il diminué, complexé ?

Après quelques secondes, il demanda :

— Que disent les autres lettres ?

— Je te les lirai une autre fois. Je les traduis une par une.

Mair s'allongea sur le dos et regarda les traces d'avion qui striaient le ciel. Prise d'un frisson, elle se rappela que Franco avait engagé des aviateurs allemands pour bombarder Torre de Burros, détruisant des maisons, tuant des hommes, des femmes et des enfants. Geraint en avait-il été témoin, avait-il vu le ravage, vu les nationalistes entrer dans la ville ? Avait-il été tué ici alors qu'il la défendait, ou bien avait-il été fait prisonnier et fusillé à l'aube comme des centaines d'autres ? La lettre qu'elle avait lue à Hector lui avait donné froid dans le dos. Elle ignorait si sa grand-mère avait senti comme elle le ton sinistre de Geraint, la perte progressive de ses convictions et de sa certitude de rentrer chez lui sain et sauf. Ou encore la façon qu'il avait de s'identifier à cette guerre et à ce pays, ainsi que l'absence caractéristique de mots comme « amour », « tu me manques » ou « il me tarde ». Une lettre plus tard, après sa « désertion », il n'y en aurait plus du tout.

— Hector, tu en reparleras à ta grand-mère ?

— Bien entendu. Mais qu'espères-tu trouver ? Que crois-tu qu'il soit arrivé à... Geraint ?

Mair hésita, ne sachant toujours pas jusqu'à quel point elle pouvait se confier à lui. Néanmoins, puisqu'elle avait demandé à Hector de l'aider, il fallait qu'il sache.

— J'ai fini par comprendre qu'il avait été considéré comme déserteur. Il s'est battu à la bataille de Jarama en février 1937, mais sa dernière lettre a été écrite de Torre de Burros.

— Comment a-t-il atterri ici ?

— Apparemment, il avait été blessé, mais, au lieu de rentrer en convalescence au pays de Galles, il a été transporté du front jusqu'ici par des camarades. Il prétendait vouloir participer à la défense des Asturies, mais selon ses propres termes. Entreprise inhabituelle, défendable d'une certaine façon, n'empêche qu'il aurait été fusillé pour désertion. Dieu sait comment il a expliqué sa présence aux autorités de Torre de Burros ! En septembre 1938, après que les Asturies sont tombées aux mains des nationalistes, il a disparu. Mais il est possible que la formule officielle « mort au combat » ait figuré pour épargner l'humiliation à ma grand-mère...

— Je ne comprends toujours pas pourquoi c'est si important pour toi de savoir. Qu'est-ce qui t'a poussée à descendre jusqu'ici pour interroger des gens qui ne savent rien de ces événements ou qui ne veulent pas s'en souvenir ?

Toutes ces questions avaient beau être raisonnables, Mair n'avait pas de réponses claires à leur apporter. Elle avait déjà du mal à s'expliquer pour quelle raison une personne apparemment saine d'esprit prenait un congé sans solde, interrompait sa carrière et dépensait son héritage et les économies de sa tante pour rechercher un homme qui s'était évanoui dans la nature un demi-siècle plus tôt !

— Je le fais en partie pour mon père, répondit-elle. Il a été fasciné par Geraint toute sa vie. Il soupçonnait son père d'avoir rejoint les guérilleros qui s'étaient réfugiés dans les montagnes après la chute des Asturies. Papa parlait quelquefois d'aller en Espagne pour retrouver sa trace, mais ma mère n'acceptait même pas qu'on prononce le nom de Geraint à la maison... et refusait encore plus de laisser son mari s'embarquer dans une poursuite aussi vaine ! Alors je le fais pour lui.

— Et quand tu auras trouvé quelque chose, tu repartiras chez toi.

— Oui, reconnut Mair à contrecœur. Je dois reprendre mon travail, mais, pour l'instant, je considère ça comme une mission. Ça ne t'est jamais arrivé de t'imposer une mission ? Juste comme ça ?

— Non, répondit Hector en l'enveloppant une seconde d'un regard intense. À ma grande honte, jamais. Pas jusqu'à aujourd'hui.

— Ah, parce que, maintenant, tu en as une ? s'exclama Mair en riant. Qu'est-ce que ça peut bien être ?

— Tu vas me trouver puéril. Tu vas croire que j'essaie de...

— Vas-y, l'encouragea-t-elle. C'est quoi ?

Hector sourit d'un air gêné.

— Ça consiste à... à me trouver, moi. Moi par rapport à tous ces gens qui m'ont précédé et dont je ne sais rien.

— C'est un projet important. *Quels que soient les reins qui t'ont enfanté, je t'aime bien*, dit-elle, citant un poème espagnol qu'elle venait de lire.

— C'est la *veterinaria* qui parle, rétorqua Hector avec un sourire entendu mais ravi.

Il se rallongea sur le dos, les mains croisées derrière la nuque.

Par la suite, Mair s'en voulut de ne pas l'avoir interrogé davantage sur « ces gens qui l'avaient précédé ». Il ne fallait pas qu'elle fasse une fixation sur ses propres recherches en les considérant comme plus importantes ou plus dignes que celles de n'importe qui d'autre. Hector était certainement aussi marginal qu'elle. Peut-être était-ce ce qui expliquait qu'elle ressentait pour lui cette attraction étrange, cette attirance. Peut-être n'était-ce pas seulement cette douceur et cette candeur enfantine qu'elle n'avait encore jamais vues chez un homme, ni cette beauté singulière.

Le soleil se cacha derrière une petite volute de nuages, la rafraîchissant un instant. Les cloches de l'église sonnèrent trois coups. Un moineau intrépide se posa près d'eux et picora les miettes de pain qui restaient du pique-nique. Ils le regardèrent en silence, de peur de l'effrayer. Au bout de quelques secondes, Mair écrasa un taon et Hector se redressa pour nouer ses lacets.

Enfin, sans la toucher, il se pencha vers elle pour observer son visage. Elle lui fit un petit sourire encourageant, et il l'embrassa. Jamais elle n'avait reçu baiser si doux, si léger, même si ses lèvres en restèrent meurtries un long moment.

5

Elle était dans un abri en pierre froid et humide, en train de tenir un bébé par les chevilles, comme le font les sages-femmes à la naissance pour donner la première claque qui fait venir le nouveau-né à la vie en poussant son premier cri. Mais il n'y avait pas de sage-femme, seulement elle et le bébé. Elle s'apprêtait à écraser la tête de la petite fille minuscule sur le sol, parce que c'était la première chose qui lui était venue à l'esprit. Elle savait qu'elle était en état de choc, et que cet état l'aiderait à passer à l'acte. Et qu'elle devait le faire vite, sans quoi elle n'en serait plus capable.

Elle leva le bébé très haut en l'air, mais au bout d'une ou deux secondes elle renonça. Peut-être redoutait-elle le bruit des os mous contre la pierre, le liquide comme de l'eau qui éclabousse dans un seau. De plus, l'impact risquait de ne pas suffire. Il faudrait peut-être faire autre chose pour en finir. Il devait bien exister des formes d'infanticide moins horribles, plus humaines, plus sûres, mais il lui faudrait pour cela poser l'enfant par terre et la regarder. Toutes deux, la mère et la fille, étaient encore attachées l'une à l'autre par un cordon violacé.

Et voilà que la petite fille criait, un petit coassement semblable à celui d'un crapaud, intermittent, *mais obstiné. Fais-le tout de suite, s'ordonna Pilar, sinon quelqu'un risque d'entendre l'enfant. L'abri se trouvait au fond du potager, pas loin de la chaumière du concierge. Le vieux concierge (celui que les camarades de Carlos avaient assassiné) était à moitié sourd, mais le nouveau était jeune, dynamique, et se levait de bonne heure.*

Dehors, un oiseau de proie lança de longs cris angoissants qui résonnèrent entre les murs de pierre qui entouraient le couvent. Le cri de l'oiseau évoquait une mise en garde, un danger, un crime contre Dieu et la nature. Pilar se signa – geste profane s'il en était. Elle ne savait que trop bien qu'en appeler à la clémence en cette occasion était faire insulte au Seigneur.

Elle avait mal au cœur et transpirait à grosses gouttes. Elle se rallongea et cala l'enfant au creux de son bras. Son ventre commença à se contracter à un rythme régulier, s'efforçant d'expulser ce qui restait à l'intérieur. L'enfant hurla. De désespoir, Pilar dénuda un de ses seins engorgés et douloureux, qu'elle fourra dans la bouche du bébé. Les hurlements cessèrent, l'oiseau crieur fit silence. Tout redevint calme.

Bien qu'elle n'eût fait aucun projet, elle avait quand même fait une chose en vue de se préparer. Dans l'après-midi, lorsqu'elle avait ressenti les premières contractions violentes dans les reins, elle s'était glissée furtivement dans l'abri en emportant de vieilles serviettes et une couverture, un sac pour les jeter, puis, au dernier moment, elle avait pris la lourde pelle accrochée sur le mur afin de bloquer la porte.

Pilar se redressa pour regarder l'enfant en train de téter, silencieuse et paisible, et par-delà la petite tête elle aperçut la pelle appuyée contre le mur. La pelle, un achat récent, était grande et en métal noir. C'était un outil d'homme destiné à bêcher les rangs de patates ; trop gros pour qu'une petite femme creuse une petite tombe. La voir là lui glaça le sang. Elle sut alors que jamais elle ne serait capable d'endurer ça.

Pilar se débarrassa du placenta. Une fois les serviettes ensanglantées rassemblées dans un sac, la sinistre pelle creusa un trou dans le jardin, un trou grouillant de vers de terre dans lequel elle jeta le sac.

Peu de temps après, elle se retrouva devant le bureau imposant de mère Rosario, sa jeune sœur Concepción à ses côtés. La minuscule créature était posée sur le bureau, emmaillotée dans une grande couverture. Entre les plis, elle émettait ses cris de crapaud.

— Répétez-moi ça, dit la mère supérieure, le visage impassible. Vous vous êtes réveillée tôt. Continuez.

— Je me suis réveillée tôt, mère Rosario. Après avoir récité mes prières, j'ai eu besoin de respirer l'air frais, alors j'ai ouvert la fenêtre. C'est à ce moment-là que j'ai entendu l'enfant pleurer, tout doucement.

— Comment avez-vous su que c'était un enfant ? demanda la religieuse de son ton neutre qui ne trahissait aucun soupçon.

— Pour l'amour du ciel ! laissa échapper Pilar, à bout de nerfs, et le corps relâché d'épuisement. Je sais reconnaître un enfant qui pleure ! J'ai pratiquement élevé mon frère et ma sœur. N'est-ce pas la vérité, Concepción ? fit-elle en se tournant vers sa sœur pour qu'elle confirme ses dires.

Concepción pâlit devant l'impolitesse de Pilar. Elle se refusait à approuver autant d'impertinence ; elle courba la tête, et ses lèvres se serrèrent en formant une ligne pincée.

— Laissez le Seigneur en dehors de cela, dit mère Rosario d'un ton égal.

Le disque de son visage qu'encadrait le voile était blanc et glabre. Ses yeux étaient bordés de rose. Elle n'avait ni cils ni sourcils, résultat d'années passées à arracher ces vulgaires surabondances, une pratique qu'elle encourageait chez ses novices. Son nez était épaté comme celui d'un boxeur, mais sa bouche était minuscule, et si elle n'avait pas été aussi serrée que le cul d'une mule, elle aurait pu être jolie. Son visage et son comportement étaient si inexpressifs qu'aucune des novices n'avait jamais été capable de deviner son âge.

— Continuez, mon enfant. Nous n'avons pas toute la journée. Je dois prévenir la Guardia civil.

— J'ai écouté les pleurs et je suis restée perplexe. D'après moi, ça venait du potager. Au bout d'un moment, je me suis inquiétée et suis sortie voir. C'est là que j'ai trouvé le bébé, sur le banc, à côté des citrouilles. Je l'ai prise dans mes bras pour essayer de la calmer. Elle était toute bleue de froid.

Pilar débita son mensonge à toute vitesse. Mal répété, il paraissait d'autant plus improbable que les mots qui se déversaient de sa bouche manquaient de naturel. La calmer ! Comment aurait-elle su que le bébé était une fille ? Mais sa bourde semblait être passée inaperçue. Sous son habit, ses seins lui faisaient mal et coulaient, tandis que son ventre était tiraillé de spasmes douloureux. Elle se sentait à deux doigts de défaillir.

— Et vous n'avez vu personne ?

— Non, je suis sûre que la mère a déposé le bébé beaucoup plus tôt, à l'aube.

— *La mère ? Qu'est-ce qui vous fait penser que la mère l'a laissé là ?*

— *Je le suppose, mère Rosario. Ces choses-là arrivent, non ? Des mères qui amènent dans un couvent des bébés qu'elles n'ont pas désirés...*

— *Cherchez-vous à être insolente, mon enfant, ou dois-je mettre cela sur le compte du désarroi ? Avec la force d'esprit que vous avez, je n'aurais jamais cru que vous seriez affectée à ce point.*

— *Je suis désolée, dit Pilar. C'est juste que je suis fatiguée.*

Concepción lui jetait des regards en biais en fixant son ventre. Elle devait soupçonner quelque chose. Peut-être qu'elle sentait le sang, le lait, la sueur... Après tout, elles étaient sœurs ; peut-être avait-elle aussi perçu cette panique épouvantable derrière son épuisement, ces changements successifs chez sa sœur aînée qui avait vécu à ses côtés depuis le jour de sa naissance. Il était même possible qu'elle ait ressenti des mouvements fantômes dans son propre ventre, tout comme des envies folles de boudin noir fétide. Franchement, comment avait-elle pu ne pas remarquer le tourment qu'avait enduré Pilar ces derniers mois ? Prise d'une soudaine amertume, Pilar la regarda à son tour. Devinant sa colère, Concepción détourna les yeux. La jeune fille n'était pas bête, ni insensible, mais on devinait chez elle une nouvelle résolution. Avoir assisté à la mort lente et pénible de leur mère avait dû l'endurcir, et maintenant qu'elle était de retour au couvent, sa loyauté était entièrement dévolue au Seigneur, non plus à sa famille. Concepción avait toujours été beaucoup plus pieuse, plus obéissante, moins sujette aux objections et aux doutes. En revanche, Pilar était plus directe dans sa foi. Peut-être que ses questionnements l'autorisaient davantage à dialoguer avec le Seigneur, dans une relation plus immédiate, et avec plus d'ardeur.

Si Concepción n'avait rien remarqué, personne n'avait pu le faire. Aucune des religieuses n'avait regardé Pilar ni ne l'avait interrogée sur sa santé. Pas une seule de ces femmes n'avait vu que son ventre avait grossi. L'existence que menaient les nonnes était si confinée... En outre, plusieurs d'entre elles étaient obèses ; l'Église était riche, et si nombre de gens ne mangeaient pas à leur faim, le couvent n'était jamais à court de nourriture. Sans doute que, par la grâce de Dieu, son ventre n'avait pas beaucoup grossi, d'autant qu'il était bien dissimulé sous l'ample chasuble. De plus, l'enfant était arrivée trois semaines avant terme, trois semaines jour pour jour.

Sur le coup, il ne lui était pas venu à l'idée de parler du viol à qui que ce soit. Pilar était sous le choc, et la perspective de raconter l'agression révoltante dont elle avait été victime lui paraissait tout simplement trop épouvantable. Et en dehors du fait qu'on ne l'aurait peut-être même pas crue, elle craignait un interrogatoire au cours duquel aurait pu être mise en cause l'attitude qui avait été la sienne pendant l'acte sexuel. Quatre mois plus tard, lorsqu'elle avait senti la vie frémir dans son ventre, Pilar avait plus d'une fois été tentée de tout raconter à mère Rosario, mais, chaque fois, l'entretien avait dérivé sur un autre sujet. Elle n'arrivait pas à se résoudre à dire que les hommes qui avaient assassiné le concierge étaient entrés dans sa chambre et que, l'un après l'autre, ils lui avaient écarté les jambes pour lui grimper dessus et s'enfoncer en elle en laissant leur graine dans son ventre. L'expression d'impatience hautaine qu'arborait mère Rosario lorsqu'elle se préparait à l'écouter suffisait à réduire Pilar au silence. Son mutisme mortifié avait d'ailleurs suscité chaque fois plus d'agacement et de désapprobation. On lui reprochait de faire perdre son temps à la mère supérieure, de réclamer l'attention et de manquer de force morale. On lui recommandait de prier avec plus d'application, et de demander à la Vierge de Miséricorde de lui apporter la paix de l'esprit en même temps que ses conseils.

Soudain, en voyant le visage dénué de compassion de mère Rosario, tandis que lui revenait ce souvenir, Pilar fondit en larmes.

— Allons, allons, mon enfant, murmura la mère supérieure de sa voix monotone. Au vu des cauchemars que nous avons endurés l'an dernier, des tortures et des crimes commis à l'encontre de nos sœurs et de nos frères, du pillage et de l'incendie de nos églises et de tous les autres maux que subit la République, un enfant abandonné ne saurait être un si grand désastre. L'Espagne entière regorge d'orphelins.

— Alors, emmenez-la ! sanglota Pilar. Il faut lui trouver quelqu'un...

— C'est une fille ? demanda mère Rosario d'un air suspicieux. Vous l'avez déshabillée ?

— Oui, répondit Pilar en pleurant. J'étais curieuse.

Elle vit le regard qu'échangèrent la mère supérieure et Concepción. Sa sœur était sur le point de la trahir. Mais elle garda le silence, peut-être par crainte de se tromper ou qu'on ne l'accusât de complicité. Elle n'avait pas la moindre preuve concrète, après tout.

Les deux sœurs furent congédiées et sortirent en laissant le bébé qui hurlait sur le bureau. Pilar lui jeta un dernier regard, consciente qu'elle n'avait pas été nourrie depuis plusieurs heures. Lorsqu'elle voulut se retourner pour suggérer quelque chose, ne serait-ce qu'un bout de tissu trempé dans de l'eau bouillie à sucer, ou du lait de chèvre dilué, elle dut admettre que le rôle qu'elle avait joué dans le destin du bébé était arrivé à son terme. Elle aurait dû se sentir soulagée. Il lui était encore possible de s'en tirer sans autre dommage. Vu que la mère supérieure n'allait pas laisser le bébé mourir de déshydratation, à partir de maintenant, Pilar pouvait s'en laver les mains. Ce qu'elle n'avait pas encore compris, c'était que le lien qui unissait une mère à son enfant est infiniment plus complexe que toute autre relation humaine. Nourrir un enfant est une force irrésistible qui existe indépendamment d'autres facteurs tels que l'amour ou la joie. Ce bébé, qui lui avait fait vivre tant de mois si sombres, tant de cauchemars, sans parler de la naissance en elle-même puis de la tentation de l'éliminer, semblait avoir agrippé la chair de Pilar de ses petits doigts pour la retenir. Pour s'en arracher, Pilar plaqua ses mains sur ses oreilles et se précipita au fond du couloir. Le lait maternel qui suintait de ses tétons dégoulinait sur son ventre sous le drap rugueux de sa chasuble.

— Pilar ! l'appela sa sœur.

Elle s'immobilisa et se tourna vers Concepción. Et soudain, quelque chose se produisit en elle. Après un instant d'hésitation qui la mit à la torture, Pilar repartit en courant dans l'autre sens, bousculant sa sœur qu'elle faillit renverser au passage. Sans plus se soucier des conséquences, elle ouvrit la porte à la volée.

Le petit paquet qui miaulait était toujours sur le bureau. Mère Rosario se tenait de dos devant la fenêtre. Cette femme se moquait éperdument d'un bébé orphelin en train de pleurer. L'espace d'une seconde, Pilar prit conscience de la dureté et du détachement de toute l'institution ; personne ne s'inquiétait ni ne faisait preuve de l'amour et de la charité qu'elles faisaient vœu d'embrasser. Et, dans ce moment de vérité, elle comprit que le dogme stupide de l'Église et son hypocrisie l'avaient engloutie elle aussi. Elle s'adressait à Dieu à profusion, mais Son cœur était émoussé, il était devenu insensible à toute chaleur humaine.

Cependant, à présent, elle était mère et avait des instincts de mère. Elle se précipita en avant et saisit l'enfant au moment même où mère Rosario se retournait. La vieille religieuse poussa un cri. Le geste que venait de faire Pilar lui fit tout comprendre en un éclair. Elle fonça pour empêcher l'enlèvement, mais sa chasuble s'entortilla autour de ses jambes. Pilar avait déjà atteint la porte. Elle s'enfuit, tenant d'une main le bas de sa chasuble, de l'autre le bébé qu'elle serra contre son flanc, tandis que la religieuse glabre hurlait des injures telle une harpie surgie de l'enfer.

Pilar marmonna cinq *Ave Maria* tout en égrenant son chapelet. Le Seigneur, dans Son immense sagesse et Sa compassion, autoriserait sûrement une femme de son grand âge à prier allongée sur son lit. Arrivée dans sa quatre-vingt-neuvième année, Pilar estimait partager avec le Seigneur une sorte de compréhension, non, une camaraderie, et avoir mérité de s'octroyer ce petit confort. Après tout,

Dieu avait ravagé son corps d'arthrite au point qu'il lui fallait vingt bonnes minutes pour remettre en marche ses articulations et ses ligaments qui craquaient avant de se lever après sa sieste.

Finalement, elle sortit de son lit. Dehors, le soleil, encore haut, filtrait à travers les fentes des persiennes. Des tourbillons de particules minuscules dansaient dans les rayons éblouissants. Le bruit des enfants qui repartaient pour l'école emplit la petite chambre de Pilar d'un gazouillis, une cacophonie de plus en plus forte qui n'était pas sans évoquer une volée d'étourneaux se disputant les fruits mûrs sur un poirier. Elle chaussa ses lunettes de soleil avant d'entrouvrir les volets pour laisser la lumière asturienne de l'après-midi pénétrer dans sa chambre. Puis elle s'approcha de la coiffeuse sur laquelle elle prit la brosse à manche d'argent, un souvenir de sa mère, et la passa sur ses cheveux blancs coupés court. Quand elle était jeune, après avoir quitté les ordres, elle avait essayé de les laisser pousser, mais avait décidé que ce style ne lui allait pas. Les défauts qu'elle se connaissait lui imposaient cette apparence austère.

À présent, elle était prête à affronter l'après-midi. Il était l'heure de nourrir les poules, d'aider à aller ramasser les draps sur les étendages et de faire son travail quotidien pour le bar *Emiliano*. Elle pensait bien être la plus vieille employée payée de toutes les Asturies, même si l'emploi en question ne consistait qu'à éplucher trois seaux de pommes de terre par jour, et cinq le week-end. Près d'un siècle passé à éplucher des légumes lui était utile, et malgré ses

101

mains déformées par l'arthrite, elle était aussi rapide que l'éclair.

Un dernier coup d'œil par la fenêtre de sa chambre la figea sur place, puis elle recula d'un pas en ajustant ses lunettes de soleil. Hector était là, habillé comme un clochard, en train de se diriger d'un pas furtif vers son pigeonnier. Son corps pareil à une tige semblait insolite en raison de sa maigreur, ses longues jambes s'écartant comme celle d'un poulain – une erreur de la nature, si l'on pouvait dire.

Madre de Dios, dire que je suis responsable de ça ! songea Pilar lorsqu'elle le vit lui jeter un regard. Elle l'observa refermer la porte du pigeonnier derrière lui, le blanc de ses yeux brillant dans la pénombre. Elle imaginait que le fardeau qu'il était lui pesait sur les épaules, s'enfonçant dans sa chair maigre comme la croix que Jésus avait dû hisser jusqu'au lieu de Sa crucifixion. Chaque jour de ces dernières trente-quatre années, elle avait dû regarder ce visage étonnant, presque beau, qui faisait penser à un diable en même temps qu'à un enfant innocent, si toutefois une telle combinaison était possible. Pilar poussa un long soupir, se signa, puis descendit au rez-de-chaussée assumer sa part de responsabilités.

Adelaida était dans la cuisine avec Juana, la jeune gitane. Toutes deux étaient assises devant la table en train de boire du café. Pilar s'immobilisa sur le seuil en mettant les poings sur les hanches. Aussitôt, la *gitana* éteignit sa cigarette et se leva d'un bond, un air de culpabilité sur son visage à la peau sombre.

— *Mama*, dit Adelaida d'une voix lasse, je te sers ton café.

Elle se leva et remplit une petite tasse pour sa mère. Pilar la prit et y ajouta trois cuillerées de sucre. Puis elle s'approcha du placard, d'où elle sortit sa bouteille d'*aguardiente*. Elle la brandit à la hauteur de ses yeux afin de vérifier ce qu'elle contenait. Personne d'autre dans la maison n'aimait l'*aguardiente*, mais vérifier son niveau était devenu une habitude trop ancrée pour qu'elle s'en défasse.

Pilar remplit un petit verre à ras bord, une dose thérapeutique qui se révélait beaucoup plus efficace que tous les analgésiques que le pharmacien voulait lui faire avaler. Après quoi elle s'assit en face d'Adelaida, évitant soigneusement de prendre la chaise que la *gitana* venait de libérer. Sa fille, qui avait l'air fatiguée, avait remonté ses longs cheveux grisonnants en un chignon lâche. Des mèches folles entouraient sa tête d'un halo de paille. Le sein qui lui manquait, ou plutôt la pauvre boule de silicone censée le remplacer, pendait plus bas que l'autre, lui donnant un air de guingois, un peu comme une bossue. Pilar ressentit une tristesse fugace pour son unique enfant, devenue une femme épuisée qui avait largement dépassé la quarantaine. Elle qui avait été si belle… Pilar était néanmoins soulagée qu'Adelaida ait passé l'âge de ramener un homme à la maison – un autre homme que son diable de petit-fils.

— Je viens de voir ton garçon se faufiler sous ma fenêtre, dit-elle. Où va-t-il donc, ces jours-ci ? Il ne fait pas la sieste ?

Adelaida fit les gros yeux à sa mère et tourna imperceptiblement la tête vers la gitane.

— Hector n'est pas un garçon, *mama*, lui répondit-elle avec douceur. Et tu sais bien qu'il déteste dormir.

— Tout le monde a besoin de faire un somme après le déjeuner ! protesta Pilar. Sans ça, comment travaillerait-on ?

Adelaida haussa les épaules.

— Le serveur de chez Emiliano a déjà apporté les patates. Ils en ont besoin de bonne heure. Je vais t'aider.

Pilar fit claquer sa langue, puis aspira une goutte de café sucré entre les espaces où son dentier et ses gencives refusaient de se rencontrer.

— Ton fils mijote quelque chose... Depuis que j'ai retrouvé la vue, il me paraît plus fuyant que jamais.

Adelaida attendit que Juana se soit suffisamment éloignée pour ne plus les entendre. La jeune fille était en train de franchir la porte en reculant à petits pas, se débattant avec l'énorme panier de linge de la pension Pelayo.

— Il grandit un peu, *mama*. Tu n'as pas remarqué qu'il avait changé ?

— Si. Il y a chez lui comme une nouvelle malice, dit Pilar avant de vider son verre. Il a ramené une étrangère.

— Ah bon ? Une petite amie ?

— Qu'est-ce que j'en sais ? Mais je ne lui fais pas confiance. Et vu la morale qu'ont les femmes étrangères...

— *Mama*... À son âge, Hector peut faire ce qui lui plaît. Cette histoire est du passé.

Elles entendirent Juana chanter dans la cour. Un sombre chant de lamentation, obsédant et déplaisant. Pilar se leva et alla à la fenêtre. La fille chantait toujours ses ballades haineuses de gitane pendant qu'elle travaillait, bien que Pilar lui ait maintes fois demandé d'arrêter. Attiré par la mélodie, Hector était sorti du pigeonnier et écoutait avec une attention émerveillée, son long corps ondulant et se balançant au rythme de la plainte stridente qui parlait d'amour et de revanche. Il avait troqué sa tenue de vagabond pour des habits neufs. S'il n'avait pas eu cette révoltante chevelure, il aurait eu l'air presque présentable.

Cessant de chanter brusquement, la *gitana* dit quelque chose à Hector, et ils éclatèrent de rire. Il ramassa le panier de linge, qu'il rangea à sa place dans la blanchisserie. Pilar grogna d'un air furibond. Depuis quand se piquait-il de ce genre de galanterie ?

— Regarde-les ! dit-elle à Adelaida, qui se leva et la rejoignit devant la fenêtre. À mon avis, on ferait mieux de se débarrasser de cette fille. Avec une telle proximité, il représente une menace pour elle… et, connaissant les gitans, *elle* en est une pour *lui*.

— Tu dis des bêtises, *mama*. Et arrête de l'appeler comme ça.

— Quel âge a-t-elle ?

— Elle dit qu'elle a dix-sept ans.

— Qu'est-ce qui te fait sourire ? aboya Pilar. C'est bien la dernière chose dont on a besoin. Ces deux-là ensemble… La Vierge nous en préserve !

Adelaida tapota l'épaule de sa mère, sans rien dire.

— Ça suffit comme ça, insista Pilar. J'ai tenu la promesse que j'avais faite à sa mère.

— Et alors ? Elle travaille bien et elle est très agréable, dit Adelaida avant de remonter sa manche et de tendre son bras à Pilar. Regarde, est-ce que c'est un bras qui peut sortir des draps mouillés de la machine ou les passer à l'essoreuse ?

Pilar contempla le bras gonflé et la main qui ressemblait à un gant en caoutchouc boursouflé. Elle avait beau ne pas voir l'aisselle creusée dissimulée sous la manche, elle recula légèrement à la vue de sa fille à ce point abîmée. Il était clair que c'était là un autre acompte à payer en punition de ses péchés.

— Je peux très bien t'aider à faire la lessive, assura Pilar d'un ton ferme.

Adelaida pencha la tête et regarda sa mère.

— *Mama*, tu ne peux rien faire de tel, mais, si je ne peux plus avoir Juana, je demanderai à Hector de prendre le relais.

Pilar se signa en vitesse et marmonna avec colère :

— Mettre ce garçon à la tête de l'affaire ? Après tout le dur labeur que nous y avons consacré ? Nous n'en sommes pas là !

— Mais pourquoi pas ? argua Adelaida. Pourquoi t'acharnes-tu à le croire incapable de quoi que ce soit ? Hier encore, il m'a demandé pour quelle raison je pensais qu'il n'avait rien fait de sa vie. Avoir des responsabilités lui ferait du bien. Qui d'autre ? Ni toi ni moi ne serons plus là très longtemps.

Pilar attrapa le bon bras d'Adelaida dans sa petite main dure, ses doigts s'enfonçant dans la chair rose comme des griffes.

— Quand je serai morte, tu feras ce que tu voudras.

— Je voudrais bien voir ça ! rétorqua Adelaida d'un ton laconique.

Puis elle revint vers la table et prit une pomme de terre dans le seau.

— Laisse ces patates tranquilles, ordonna Pilar, qui vida à nouveau son verre au cas où il serait resté une dernière goutte. C'est *mon* travail.

Elle regarda sa fille sortir d'un air résigné dans la cour. Puis elle laissa échapper un juron (encore un signe de son impiété) pour s'être montrée si dure avec elle, mais, à la vérité, Hector lui faisait peur. Pilar était la seule à connaître la vérité sur lui, or elle refusait qu'un homme ait du pouvoir sur elle, surtout un dans son genre !

La circulation dans la ville qui s'éveillait commença à résonner dans la rue étroite, des hommes criaient avec impatience alors qu'ils essayaient de passer sans abîmer les rétroviseurs extérieurs des véhicules garés le long du trottoir. La ruelle en double sens donnait constamment lieu à des accès de rage que Pilar devait supporter tandis qu'elle vaquait à ses tâches quotidiennes dans la cuisine. Pourquoi tant d'hostilité ? Pourquoi faut-il que j'écoute tous ces blasphèmes dans ma propre maison ? À peine s'était-elle fait cette réflexion qu'une voix d'homme bourrue hurla : « *Joder, muévete por Dios !* » mêlant Dieu et la fornication, et vice versa.

« *Cómete la mierda de tu madre* », lui répondit quelqu'un, invitant l'homme à la voix bourrue à manger les excréments de sa mère. Pilar était outrée, mais un fin sourire se dessina au coin de ses lèvres. Celle-là, elle ne l'avait encore jamais entendue.

Le camion qui livrait les fruits s'arrêta devant la petite épicerie voisine, et Pilar se blinda en prévision du concert inévitable de klaxons qui durerait aussi longtemps que durerait le déchargement de quatre caisses de bananes des Canaries, quatre caisses d'oranges, quatre autres d'avocats d'Andalousie, et dix cageots de légumes de la région. Pilar compta les minutes tandis qu'elle posait le premier seau de pommes de terre sur une chaise et remontait ses manches. Un papier glissé dans sa manche tomba par terre ; elle le ramassa. C'était le document que lui avait remis l'étrangère. Pilar le déplia.

Geraint... Elle examina la photo. Ce prénom...

Et, d'un seul coup, elle se souvint parfaitement de l'homme qu'ils appelaient Geronimo, et revit le moignon déchiqueté et sanguinolent de sa jambe arrachée.

6

Au volant de sa camionnette Mercedes, Pablo Herman fonçait sur l'autoroute dans un bruit de ferraille en direction de Villahermosa. Hector était installé dans le siège du passager. Le véhicule en piteux état les avait déjà laissés en rade en maintes occasions. Chaque passage de vitesse s'accompagnait de craquements inquiétants, et, dans le rétroviseur extérieur, Hector apercevait une fumée couleur de suie s'échapper du cul de la camionnette en semant une traînée de pets noirs dans l'air immobile.

Lorsque la petite colline où se dressaient la flèche de l'église et sa croix sévère disparut derrière eux, Hector ressentit une métamorphose à la fois familière et excitante, comme si sa culpabilité s'estompait à chaque kilomètre parcouru, l'autorisant le temps d'une journée à devenir quelqu'un d'entièrement différent. Il avait une autre raison de se sentir exalté. Ses lèvres avaient touché celles de cette délicieuse enfant perdue, Mair Watkins, une expérience qui éclipsait toute intimité qu'il eût jamais partagée avec une femme. Qu'un simple baiser revêtît un sens aussi stupéfiant était ridicule, mais peut-être était-ce aussi parce qu'il était chargé d'une sorte de catastrophe. Il plaisait à Mair pour l'instant, mais très vite elle saurait, quelqu'un lui expliquerait ce qu'il était : un homme corrompu, entaché d'une mauvaise réputation depuis l'enfance, la risée de la ville, un idiot. Dès lors, quelle impression garderait-elle de ce baiser ? L'humiliation du rejet inévitable qui s'ensuivrait, tout comme la perspective de voir le dégoût se lire sur son visage, lui était insupportable.

— Aujourd'hui, j'ai des courses importantes à faire, dit-il à Pablo. Ça me rendrait service si on pouvait repartir un peu plus tard que d'habitude.

Pablo lui fit un clin d'œil.

— Des courses importantes, hein ? Comment qu'elle s'appelle ?

— Écoute, je comprends. Il faut que tu sois rentré à l'heure. À cause de la laisse très courte au bout de laquelle te tient ta *comandante*.

Hector observa son compagnon pour savourer son indignation. Sa femme, qui avait découvert récemment des traces de sa maîtresse sur ses vêtements, surveillait ses moindres gestes.

— Hé, pourquoi que tu passes pas ton permis, fils de pute ? grommela Pablo d'un air furieux. Tu pourrais me conduire, pour changer ! Ou aller sur la côte par tes propres moyens !

Sa mauvaise humeur étonna Hector. En temps normal, Pablo était toujours partant pour quelques plaisanteries grivoises et enjouées, même si Hector veillait à ne pas aller trop loin. Car il était dépendant de Pablo. Le premier lundi de chaque mois, celui-ci l'emmenait jusqu'à la ville côtière à la mode, où il allait vendre les placards et les tables en pin local qu'il fabriquait. En échange, Hector l'aidait à charger la camionnette puis à la décharger devant Elegancia y Hogar, le magasin qui vendait ses meubles aux touristes fortunés de Madrid.

— Pourquoi faudrait-il que j'aie le permis, étant donné que je n'ai nulle part où aller ni de voiture à conduire ? demanda posément Hector.

— C'est une drôle de logique que tu as là ! se moqua Pablo. Tous les petits garçons rêvent d'avoir une voiture. Dès qu'on devient un homme, on achète une voiture. Avec une voiture, on ramasse des filles. On les baise sur la banquette arrière. On s'offre des week-ends à la ville, on va passer un entretien quelque part pour du boulot... La voiture et l'homme ne font qu'un. Sans voiture, tu n'es rien. Une voiture, ça donne une identité, de l'intimité, de la liberté !

— Pour la liberté que tu as ! le défia Hector, sachant pourtant bien que Pablo avait raison au sujet de son apathie, de sa vie, laquelle aurait dû, à l'évidence, inclure un véhicule.

Néanmoins, il n'avait pas envie de faire l'amour à des femmes à l'arrière d'une voiture, et à quel entretien d'embauche serait-il allé se présenter ? Il n'avait aucune qualification. L'idée de se perdre dans une grande ville le terrorisait. Il avait tout faux. Manifestement, il n'était pas un *vrai* homme.

Pablo ne mordit pas à l'hameçon. Il était retombé dans un silence morose et méditait sur sa condition de mari que sa femme menait par le bout du nez. Sa bonne humeur refroidie, Hector contempla le matin brumeux. Des suaires de vapeur effleuraient le sommet des pins entre lesquels ils roulaient. En approchant de la gorge, le paysage commençait à changer. La gorge serpentait sur une dizaine de kilomètres, berçant un fleuve capricieux qui descendait jusqu'à la mer. Une forte pluie pouvait en gonfler brusquement le lit et provoquer des inondations qui emportaient tout sur leur passage, des rochers comme des voitures, mais, pendant les périodes de sécheresse, le fleuve se réduisait à un mince filet d'eau.

La camionnette roula sur des gravillons. Pablo enfonça la pédale de frein, et ils dérapèrent dans un virage sans barrière de protection. C'est ça, un plongeon dans la rivière ! songea Hector. Que je me noie et me réveille dans la rue d'une ville, en costume-cravate, au volant d'une Maserati... Non, il ne correspondrait jamais à cette image, pas plus que ça n'impressionnerait Mair, avec sa Coccinelle, ses chaussures de marche éraflées, ses vaches et ses cathéters. D'ailleurs, qu'est-ce qui pouvait l'impressionner ?

— Au fait, qu'est-ce qui cloche chez toi ? lança soudain Pablo.

— Tu me l'as déjà demandé, répondit Hector avec froideur.

— Et alors ?

— Alors quoi ?

Ils descendirent vers le fond de la gorge en silence. Les parois menaçantes se dressaient de chaque côté, noires et humides, de plus en plus hautes.

Pablo se tourna vers lui.

— Allez, mon vieux, on est copains, putain ! Sur quel genre de planète es-tu coincé ? Je sais bien que tu n'es pas bête... même si tu fais semblant de l'être.

— Occupe-toi de tes oignons.

C'était le genre de propos qu'ils échangeaient fréquemment, avec humour, mais Hector sentit cette fois qu'il y avait quelque chose de différent. Il ne pouvait cependant pas oublier que, du temps où ils étaient ensemble à l'école, Pablo ne s'était pas comporté autrement que les autres gosses qui le harcelaient et le rejetaient. Il avait appris depuis longtemps à ne faire confiance à personne, et, de toute façon, il n'existait pas de réponse satisfaisante à sa question, du moins aucune qu'il ne soit en mesure de formuler.

— C'est bon, t'emmener ne me dérange pas, était en train de dire Pablo. Mais qu'est-ce que tu fous avec cette pute ? Tu ne pourrais pas trouver mieux ? Ça fait combien d'années que tu vas la voir ?

— Dix ans et sept mois, cent quarante-huit visites en tout, sans compter les deux mois où j'ai eu ce foutu zona et celui où ta mère est morte, ce qui m'a coûté six mille neuf cent soixante-huit euros, convertis des pesetas à partir de la date du changement de monnaie, et sans l'inflation, avec laquelle ça ferait onze mille deux cent quarante-trois, plus les mille trois cent quatre-vingt-cinq que je lui ai donnés pour ses Noëls, soit un total de douze mille six cent vingt-huit euros, dit Hector, étonné que ça ne fasse pas davantage.

Pauvre La Fresca ! Elle devrait exiger un tarif plus élevé. Il veillerait à lui en faire la remarque.

— Merde, de quoi t'acheter une bagnole… Et une bonne, en plus ! Sans parler de toutes ces années où tu aurais pu baiser des filles pour rien sur le siège arrière ! observa Pablo, ralentissant presque au pas devant une petite cascade qui inondait la route. T'en pinces toujours pour Antonia ? C'est ça ? fit-il en jetant un regard à Hector. Non, sûrement pas. On n'était que des mômes. D'ailleurs, elle avait commencé à le faire avec tout le monde.

Hector regarda l'eau s'engouffrer sur la route dans sa volonté inexorable de rejoindre la mer.

— Tu ne te rappelles pas, à ce qu'on dirait... Je me suis retrouvé accusé de tentative de viol. La police s'en est mêlée.

— De viol, tu parles ! Elle était plus vieille que nous de plusieurs années... Il y a environ deux mois, je l'ai aperçue à Oviedo. Un vrai tas. Elle est devenue aussi grosse qu'une barrique, si ça peut te consoler.

Aussi grosse qu'une barrique ? Hector n'arrivait pas à l'imaginer. Antonia, son amour d'enfance (un amour qui s'était exercé uniquement à distance, bien qu'on l'ait accusé du contraire), avait été une fille élancée aux cheveux d'or et aux yeux de biche, quoique du genre traîtresse. Grosse vache ou pas, il lui était impossible de repenser à elle sans en même temps revivre la peur et l'humiliation de son arrestation... ainsi que ses conséquences.

À cet instant, ils sortirent de la gorge, et Hector referma la porte sur les mauvais souvenirs. En contrebas s'étendait la ville magnifique de Villahermosa. Pablo se mit à chanter tandis que la lumière éclatante de la côte emplissait la camionnette. Comme le monde paraissait différent, ici... On avait beau lui avoir dit qu'il y pleuvait souvent, Hector ne se souvenait pas d'y avoir connu une seule journée pluvieuse. Sans doute la joie qu'il éprouvait lors de ces précieux moments d'anonymat lui faisait-elle tout voir sous le soleil.

Ils n'étaient pas aussi en avance que prévu. Lorsqu'ils traversèrent la jolie place bordée de cafés élégants, ils virent que le panneau publicitaire décoré de dorures était déjà sorti sur le trottoir. La boutique Elegancia y Hogar était ouverte. Ce qui signifiait que la señora Pidal serait pendue au téléphone, en train de brasser des papiers et de s'occuper des clients, et qu'elle ne leur prêterait pas attention. Ils déchargèrent en vitesse, puis Hector s'esquiva pendant que Pablo attendait qu'on lui remette la paperasse à remplir.

— À six heures ! lui cria Pablo. Ne sois pas en retard !

Hector fila directement au bar Mauro afin d'acquérir ce qu'il était venu chercher. Cette partie de la journée était la plus importante, ces heures dont même Pablo ignorait à quoi il les occupait. Ne pas avoir un moyen adéquat de gagner sa vie le gênait, mais, comme il était le seul homme de la famille, il faisait de son mieux pour mettre du beurre dans les épinards. Sa mère et sa grand-mère avaient lavé des draps et des serviettes en quantité suffisante pour que, étalés bout à bout en plein air, ils recouvrent la totalité des Asturies, voire de l'Espagne. Le pape avait dormi dans des draps qu'elles avaient lavés, de même que des écrivains célèbres et des pèlerins de tout acabit venus des quatre coins du monde. À un moment donné, après l'achat de trois machines à laver industrielles, lesquelles contenaient chacune une douzaine de draps, tous les hôtels de Torre de Burros, six au total, avaient fait appel à leur blanchisserie. Mais la mère et la fille vieillissaient, elles étaient fatiguées et, apparemment, malades. Les peurs que lui inspirait la santé de sa *mama* lui pesaient. Il devait faire des efforts pour s'assurer qu'il y avait de quoi les entretenir tous les trois. Cette résolution s'était raffermie en lui. Il était important que *mama* soit fière de son fils. Il voyait cela comme une sorte de mission. Il prit alors conscience avec un sentiment coupable que l'opinion que Mair avait de lui et le désir qu'il avait d'améliorer son image se trouvaient probablement derrière cette noble résolution.

Le bar était assez éloigné, mais Hector marchait à grandes enjambées. Ses bottes résonnaient avec détermination sur le trottoir, ses pas se réverbérant dans les ruelles. Le quartier semblait plus délabré que jamais, mais le bar débordait d'animation en dépit de l'heure matinale. En raison de la chaleur, des tables étaient installées dehors. C'était là que, quelques années plus tôt, il avait marché vers la maison de La Fresca et était tombé par hasard sur ce bar. Plusieurs parties d'échecs étaient en cours sur le trottoir, et le silence régnait dans la rue. La concentration des joueurs et des spectateurs l'attirait. Hector n'était pas vraiment un novice à ce jeu. On jouait aux échecs quotidiennement sur la place de Torre de Burros, et, enfant, il avait appris à jouer rien qu'en observant les vieux messieurs, mais son *abuela* lui avait mis dans la tête que cette activité était pour les fainéants, et que les jeux dans lesquels on pariait de l'argent n'étaient rien d'autre que des jeux. À ses yeux, jouer était un passe-temps semblable à une drogue et tout aussi nocif. Ce qui se passait au bar Mauro appartenait à cette catégorie de vice, et si Hector avait vu de l'argent changer de mains, il y avait là quelque chose de très professionnel. Discrètement, il s'était mêlé à l'assistance en jetant des coups d'œil par-dessus les épaules. Le mois suivant, il avait décidé de retourner dans ce bar et de demander à jouer contre quelqu'un. Enhardi par son complet anonymat, et bien que c'eût été là sa première vraie partie, il avait gagné facilement.

À l'intérieur, dans la semi-pénombre, plusieurs tables étaient occupées par des joueurs. Les murs aux carreaux de céramique bleus renvoyaient une certaine fraîcheur. Hector frissonna de plaisir car marcher l'avait fait transpirer. Plusieurs hommes l'interpellèrent : « Hé, Hector, Herrera est là. Tu oserais jouer contre lui ? » Leur ton était celui du défi, voire légèrement moqueur. Mais il ne prenait jamais la mouche, car, ici, cela faisait partie du sport. Ceux qui ne jouaient pas se voyaient souvent chahutés ; tout le monde espérait un adversaire plus faible afin de se faire un peu d'argent.

Hector n'avait jamais rencontré Herrera, dont une photo était accrochée dans un cadre au-dessus du bar. Il avait, semblait-il, été un grand maître et avait joué à Linares, avant d'être disqualifié et déshonoré pour un motif resté imprécis. On racontait qu'il avait joué contre Kasparov en personne, et même contre Viswanathan Anand quand il était au sommet de sa gloire, mais il ne jouait plus à présent que dans le sous-prolétariat des échecs. Ici, il n'y avait ni champions ni grosses sommes d'argent. La plupart des hommes étaient des retraités qui n'avaient rien d'autre à faire.

Hector reconnut Herrera grâce à la photo. L'homme était très grand et obèse. Impressionné,

Hector observa le globe énorme que formait sa tête, laquelle devait renfermer un cerveau de la taille d'une pastèque. Ses doigts étaient tellement gras qu'il peinait à attraper les pièces de l'échiquier. Personne ne connaissait quelqu'un qui l'ait jamais battu, et ceux qui osaient se frotter à lui se faisaient de plus en plus rares.

— Vas-y, Hector ! lança un vieil homme frêle accoudé au bar dont il ne se rappelait plus le nom. Montre-lui donc un peu ! Ce type n'est qu'un gros tas de bluff !

Herrera, resté jusqu'alors immobile, réfléchissant à un coup, tourna lentement la tête vers le vieil homme. Malgré son gabarit, il avait l'air bienveillant et paraissait indifférent aux insultes. Puis, toujours aussi lentement, il se tourna vers Hector.

— Qui est-ce ? demanda-t-il à son adversaire sans cesser de fixer Hector de ses yeux globuleux.

— Hector ? Il passe ici une fois par mois et fait de son mieux pour nous lessiver. Il vient de je ne sais où, là-bas, dans les terres. Il ne joue que les noirs... et c'est un rapide ! Toujours pressé.

Herrera lui adressa un signe de tête.

— Ton nom, ta dégaine... j'ai entendu parler de toi, dit le champion sur un ton d'une parfaite courtoisie. Si tu veux faire une partie, accorde-moi une demi-heure.

Aussitôt, les paris commencèrent à fuser au milieu des cris d'excitation. Même le vieil homme au bar, qui portait un pantalon usé et déchiré, sortit le peu d'argent qui lui restait au fond de sa poche. Et, en effet, Herrera se révéla un formidable adversaire, mais, au bout de dix minutes de jeu, Hector sut qu'il

118

allait le battre. Il avait souvent eu l'occasion de s'enorgueillir de sa subtilité à exploiter les faiblesses ou les doubles pions, et de sa détermination à rechercher de façon implacable une conclusion rapide à la partie, mais rien ne procurait le frisson du grand boom, la combinaison nuptiale qui fait s'écrouler d'un coup tous les obstacles. Rien d'autre ne lui procurait ce sentiment de pouvoir, même s'il savait qu'il était, d'une certaine façon, un faussaire. Il avait un don, un talent particulier à percevoir la géométrie du jeu, une capacité à prévoir les coups de son adversaire aussi bien que les siens, de manière logique et instantanée, qui le menait jusqu'au triomphe, lequel n'avait cependant rien d'une douce victoire. Certains des hommes s'exclamaient, d'autres restaient silencieux. Herrera avait l'air de plus en plus vieux et fatigué. Vers la fin de la partie, il transpira abondamment, mais il eut ensuite l'élégance d'appeler Antonio derrière son bar et de commander une tournée pour fêter le succès d'Hector.

Jamais encore il n'avait eu droit à autant de tapes dans le dos et de poignées de main. Lorsqu'il disputait une partie avec les habitués, il lui arrivait de faire exprès de perdre, de peur de ne plus être le bienvenu ou de ne plus trouver de partenaire. Et ces parties étaient importantes pour lui dans la mesure où elles donnaient un sens au défilé incessant de nombres, de données et de statistiques qui lui traversait la tête. À une époque, quand il était petit garçon, compter les choses, les diviser en fractions, calculer les distances, les additionner ou les soustraire et construire des probabilités avait été sa façon à lui de passer le temps. Mais son *abuela* lui avait strictement interdit de laisser les autres avoir connaissance de cette obsession, notamment à l'école, sans quoi il risquerait de se retrouver au *manicomio*, l'endroit où l'on enfermait les fous. Au fil des ans, il avait découvert que c'était plutôt le contraire. Le fait d'aérer les nombres, d'offrir un exutoire à leur caractère obsessionnel, l'empêchait de sombrer dans la folie.

Deux heures après être entré au bar Mauro, Hector ressortit d'un pas vacillant au soleil, les poches pleines. Il avait encore le temps de déjeuner au café des ouvriers avant d'aller passer son heure habituelle en compagnie de La Fresca. Pour une fois, il avait une faim de loup. Après avoir avalé une assiette de petits calmars frits avec du riz, arrosés du vin rosé local qui rendit le plat encore plus savoureux, il retira un billet de la liasse qui reposait dans sa poche et le laissa sur la table. Ce gros pourboire mis à part, quelque chose devait irradier sur son visage, car, lorsqu'il sortit, la serveuse d'ordinaire si peu amène à son égard lui sourit d'un air aguicheur en lui tapant sur l'épaule.

La maison de La Fresca, qui n'était pas très loin, bénéficiait d'un emplacement parfait sur le plan commercial puisqu'elle était située à proximité du petit port où venaient mouiller les yachts et les voiliers de gens fortunés. Hector connaissait le trajet par cœur – c'était la cent quarante-neuvième fois qu'il l'empruntait. Pablo l'avait initié aux manières des hommes. Lorsqu'il avait découvert que la seule expérience sexuelle qu'avait connue Hector se résumait à un dépucelage rapide par une femme d'âge mûr venue en pèlerinage, il avait pris sur lui de contribuer à rectifier la situation. Une contribution ayant consisté à le conduire de force dans un bordel sans prétention et à l'abandonner entre les pattes d'une prostituée exténuée qui n'avait pas arrêté de fumer pendant toute la durée de l'acte, aussi bref et maladroit que celui-ci eût été.

Bien qu'Hector ait eu honte de son incapacité à accomplir sa part de la transaction, la femme – c'était tout à son honneur – avait fait de son mieux pour l'aider. Revenu tout seul par la suite, il avait rassemblé le courage nécessaire pour réclamer une fille plus proche de son âge. Hector sourit en repensant à sa première rencontre avec La Fresca, qui était alors aussi fraîche que le laissait supposer son surnom : tout d'abord parce qu'elle était relativement jeune, mais également d'une verdeur choquante dans ses manières et son langage. Et, au bout de presque onze ans, si elle avait quelque peu perdu de sa fraîcheur, elle n'en restait pas moins le genre de femme luxuriante que tout homme devait espérer tenir un jour dans ses bras.

Une femme qu'il ne reconnut pas le fit entrer dans le salon, où elle le pria d'attendre que La Fresca en termine avec un client. Elle lui proposa de lui faire un café ou de lui apporter une bière, puis, voyant que La Fresca prenait du retard, suggéra qu'une autre fille, Katrinka, s'occupe de lui. Déstabilisé à cette idée, Hector déclina poliment. En outre, depuis tout ce temps qu'il fréquentait La Fresca, il ne lui avait jamais été infidèle.

Lorsque La Fresca le fit enfin entrer dans son boudoir, elle était d'une humeur spéciale, pas vraiment impolie, mais impatiente. Elle n'avait jamais été du genre à faire des cérémonies, mais aujourd'hui elle semblait particulièrement irritable et pressée d'en finir au plus vite. Elle se mit à califourchon sur Hector, écrasant son opulente poitrine sur son visage comme si elle voulait l'étouffer. On parlait de ses seins magnifiques dans tout le *barrio*, et comme elle ne se lassait jamais de le lui rappeler, les hommes venaient de toute la ville – et ils payaient une somme d'argent insensée – pour enfouir leur visage entre ses *tetas*.

Alors pourquoi soudain n'était-il pas excité à la vue de ses seins énormes au-dessus de lui ? Hector avait l'impression de suffoquer, si bien que son érection, déjà pour le moins incertaine, retomba brusquement. La Fresca sembla ne pas s'en rendre compte, occupée qu'elle était à accomplir une routine pratiquée depuis trop longtemps et devenue désormais ennuyeuse. Par politesse, Hector ne dit rien et se contenta d'attendre l'étape suivante de l'opération. La dame n'appréciait guère les variations sur son thème, mais, quand elle finit par remarquer qu'il n'était plus en elle, elle se redressa et le regarda d'un air contrit.

— Hector, tu ne vas pas t'y mettre, toi aussi ! Qu'est-ce qu'ils ont donc, les hommes ?

Cela dit, elle posa son ample derrière sur son ventre, puis attrapa ses seins à pleines mains, et les examina tour à tour, l'air consterné.

— Tu crois qu'ils deviennent trop flasques ? Il va falloir que je mette du fric de côté pour me payer une paire de ces sacs bourrés de gelée de silicone qui me feront des lolos gigantesques comme les stars américaines du porno.

— Oh non, je t'en supplie, grommela Hector. Ma mère en a un, et ce n'est pas formidable. Pourquoi gâcher ton meilleur atout ?

La Fresca laissa retomber ses seins et le dévisagea.

— Quoi ? Ta mère en a un... un seul ? Elle était à court de fric ?

— Eh bien...

Hector hésita, se sentant affreusement déloyal envers sa mère, qui n'avait aucune idée qu'il rendait visite à une *puta* et aurait été encore plus horrifiée d'apprendre que ses glandes mammaires malades faisaient partie de leurs sujets de conversation.

— Elle a perdu un sein à cause d'un cancer, et maintenant, elle porte un de ces machins, finit-il par expliquer. Mais je ne vois pas ce que ça t'apporterait de plus.

La Fresca rit de son rire de gorge, et il nota qu'il manquait une nouvelle molaire au fond de son immense bouche.

— Hectorito, fit-elle affectueusement, pas un machin de ce genre-là... Le mien serait caché sous la peau. Ils ouvrent le sein là et...

Pris tout à coup d'une nausée, il dit :

— On peut arrêter, s'il te plaît... Je ne me sens pas très bien.

En moins d'une seconde, La Fresca bondit hors du lit. Hector avait oublié qu'elle avait une peur bleue des maladies, pas seulement de celles qui étaient sexuellement transmissibles, mais de toutes. Elle ne voulait prendre aucun risque avec sa santé, son corps représentant sa seule source de revenus. Elle se pencha et lui donna une claque assez forte sur la tête.

— Espèce d'imbécile ! gronda-t-elle en commençant à se rhabiller.

— Ne sois pas fâchée, Fresquita. Je ne suis pas malade. C'est à cause de la chaleur. J'ai eu mal au crâne toute la matinée, mentit Hector.

Et d'ailleurs, je le mérite, songea-t-il en ressentant un élancement sourd à l'endroit où elle l'avait frappé. Qu'est-ce qui m'arrive ?

Discrètement, il regarda le corps tout en courbes de La Fresca, l'abondance de chair douce et pommelée aux endroits où il le fallait. Elle était belle d'une façon que tous les hommes semblaient apprécier et, soudain, il comprit quel était son problème. Dans sa beauté, La Fresca était la même que d'habitude : c'était lui qui avait changé. Il eut alors la vision d'une petite personne pleine d'énergie avec de petits seins et de petites fesses, sans autres protubérances nulle part ailleurs, toute droite de haut en bas, comme une des solides planches de l'atelier de Pablo. Rien ne flottait, ne se balançait ni ne bougeait, rien ne pendouillait ni ne tintait, pas plus qu'il n'y avait d'yeux violets, de lèvres rouge sang ou de chevelure spectaculaire. Rien que des lignes bien nettes ininterrompues, un visage rose naturel, des yeux bleu clair, une peau fraîche comme celle des fesses d'un bébé, des dents blanches et une haleine que n'avaient pas gâté le tabac bon marché ni les nuits prolongées. Tout ce qui, il s'en rendit compte, symbolisait désormais pour lui la perfection de la beauté féminine.

Le pire, c'est qu'il lui semblait tout à coup lamentable de payer pour de l'amour, un amour qui ne pourrait jamais être réel ou vrai. Comment appeler cela de l'amour, d'ailleurs ? C'était le langage de La Fresca, et le mot, corrompu par l'argent, résonnait maintenant de façon sordide. Bien que depuis des années il eût mimé les gestes qui consistaient à faire l'amour à La Fresca, avec beaucoup d'affection et de respect, et que chaque fois elle eût gémi et grogné, se fût agitée et tortillée, il savait qu'elle n'éprouvait que de l'ennui, voire du dégoût. Il n'était rien d'autre qu'un horrible client de plus. Hector comprit soudain qu'il n'avait *jamais* fait l'amour. Il n'avait jamais été amoureux, ni n'avait voulu l'être, en partie à cause de sa peur persistante, mais sans doute également parce que l'idée même d'une intimité aussi envahissante l'effrayait. Une telle intimité ne pouvait entraîner qu'un bouleversement et, au bout du compte, du chagrin. En outre, se sentir pour de bon responsable du bonheur et de la satisfaction d'un autre être humain... Ne lui avait-on pas dit qu'il n'était pas fait pour cela ? Son *abuela* lui avait mis dans la tête qu'il ne devrait jamais se marier, mais pour quelle raison ? Il n'avait jamais posé la question parce qu'il était un imbécile – pire, un lâche.

Tandis qu'il méditait sur ces troublantes vérités, La Fresca commença à lui jeter ses vêtements à la figure. Il se leva du lit en hâte et s'habilla, mais elle lui pardonna avant son départ. Sans doute avait-elle compris que contrarier un si vieux client n'était pas dans son intérêt. Lorsqu'elle le prit dans ses bras sur le pas de la porte, elle se colla contre lui et lui palpa les fesses, enfonçant douloureusement ses longs ongles rouges dans sa chair.

— La prochaine fois, on fera ça comme des fous, promit-elle. Comme au bon vieux temps !

Hector acquiesça d'un air las, glissa l'argent plus un gros pourboire dans son petit sac en daim et l'embrassa sur les deux joues.

— Tu sais, ma jolie, tu devrais augmenter tes tarifs.

— Ce n'est pas possible, répliqua La Fresca d'un ton agressif, ses lèvres peintes en rouge vif faisant la moue. Pas avec ce nouveau Puticlub !

— Le Puticlub ?

Elle éclata de rire.

— Quel innocent tu fais… Tu n'as pas vu les maisons éclairées au néon le long de l'autoroute, avec *Club* qui clignote au-dessus ? Elles sont remplies de Russes et d'Albanaises, de pauvres filles misérables… De l'esclavage pur et simple ! Ces filles sont si peu chères que ça discrédite toute la profession !

— Dommage… Bon, *adiós*, Fresquita.

Alors qu'il s'éloignait dans la rue, Hector se retourna, pris d'une soudaine intuition. La Fresca était sur le trottoir et lui faisait des signes de la main, chose qu'elle n'aurait jamais faite auparavant. Il lui fit signe à son tour et lui envoya un baiser. Il se demanda avec tristesse si elle allait s'imaginer avoir perdu son plus ancien client au profit du Puticlub. Quelque part au fond de lui, il éprouva un vague remords, mais aussi une sorte de délivrance, en même temps que la certitude que plus jamais il ne reviendrait la voir.

7

— Tu sais, je me sens très bizarre, dit Adelaida à Carmen. Aux moments les plus inattendus, je ressens des picotements partout. Comme on en avait parfois pendant les règles. J'imagine que c'est la façon qu'a la nature de s'assurer qu'on tombe enceinte de temps en temps, sauf que, dans mon cas, il n'y a aucun homme à l'horizon. Je me regarde dans le miroir pour voir si ce que je ressens se traduit par des signes visibles. Ma peau prend une couleur rosée et mes yeux ont l'air différents. Brillants et fuyants, comme si je risquais de me trahir par inadvertance… Non, ne ris pas, c'est vrai ! Mais, curieusement, la douleur dans ma poitrine diminue et je déborde d'énergie. Et là, pendant une heure ou deux, j'arrive à faire des tas de choses.

Adelaida changea de position sur la chaise à dos droit sur laquelle elle était assise dans la réception de Carmen. Dans la salle sombre et fraîche, les lourds rideaux en velours encadraient les fenêtres voûtées. Les meubles dataient du Moyen Âge en raison de la relation historique entre l'hôtel et le roi Pelayo. Des armoiries, des épées et des lances décoraient les murs, ainsi que des drapeaux et des peintures à l'huile anciennes. Sur les trois tables en chêne étaient disposées des soupières en étain d'où débordaient des grappes de raisin noir. Adelaida soupçonnait le décor de ne pas être à la mode, et même d'être légèrement de mauvais goût, mais, pour elle, il représentait un havre de paix et de réconfort.

— Diable, ne cherche pas ! dit Carmen en versant du Campari dans deux grands verres remplis de glaçons. Je ne sais pas ce que la vieille *bruja* t'a concocté, mais je vais en prendre moi aussi. Dieu sait que j'aurais besoin d'un coup de fouet ! Explique-moi ce que...

Au même instant, Manolo, le barman, entra avec son chiffon humide, décidé à nettoyer les tables après être sorti de son habituelle léthargie de l'après-midi.

— Mmm... Du sublime au ridicule, commenta Carmen avant d'aborder un nouveau sujet de conversation : ses cheveux.

Elle raconta à Adelaida qu'elle revenait tout juste du *salón de belleza* Marisa, où Marisa en personne, la patronne du salon, s'occupait de sa coiffure. Une fois par semaine, elle démantelait le *moño* de Carmen, défaisait les longues tresses de soixante centimètres et les débarrassait de leur profusion d'épingles. Puis elle lui lavait les cheveux, leur appliquait un baume démêlant et les séchait sous un casque à l'ancienne avant de remonter la création fantastique qui variait légèrement d'une semaine à l'autre.

Adelaida sentait bien que cette discussion avait un rapport avec ce que Carmen pensait de l'état de sa coiffure. Le sujet n'intéressait cependant pas Adelaida. La maladie lui avait fait perdre tout son éclat, et le plaisir qu'elle prenait à être relativement séduisante s'était depuis longtemps envolé. Se laver les cheveux, les sécher et les coiffer était une corvée dont elle pouvait désormais se passer, même si elle savait qu'elle avait de la chance que la chimiothérapie ne les ait pas tous fait tomber. Le traitement l'avait fait maigrir de quinze kilos, une perte de poids plutôt bienvenue. Elle se sentait plus légère, et il lui arrivait d'apprécier de sentir sa taille qu'enveloppaient auparavant deux bourrelets de chair, mais dans l'ensemble, elle s'en fichait.

— Tu sais, tu devrais aller te faire faire une petite coupe, histoire de te débarrasser de ces fourches, lui fit remarquer Carmen.

Manolo acquiesça tout en continuant à épousseter les tables.

— Ces fourches ?

— Oui, tes cheveux...

— Ah oui... mes cheveux, murmura Adelaida, sentant l'alcool doux-amer lui monter à la tête. J'aurai soixante-cinq ans dans deux mois, et j'ai l'impression de ne pas avoir encore pris ma vie en main. Apparemment, je ne le ferai jamais.

— C'est une bonne idée de faire la poussière, lança Carmen à Manolo, mais pas ici, et pas maintenant.

Manolo jeta le chiffon sur son épaule et s'éloigna vers le bar d'un air hautain. Carmen se retourna vers Adelaida.

— Bon, écoute-moi. Qui te dit que c'est trop tard ?

— Sans parler du fait que j'ai l'impression qu'il y a une vie entière que je n'ai pas eu... tu sais bien...

un homme près de moi, ajouta Adelaida dans un soupir.

— Bah, ça… Qui en a besoin ? Ça ne m'a jamais apporté grand-chose… à part des infections à répétition.

— C'est sûr, concéda Adelaida, bien qu'elle ait l'air d'en douter. De toute façon, ma mère s'est toujours arrangée pour les tenir à distance. Elle leur flanque une trouille insensée !

— Ta mère…

Carmen retira une de ses tongs, se pencha en avant et arracha un morceau de corne sur son talon de ses mains superbement manucurées.

— Et Hectorito ? demanda-t-elle avec précaution. Tu y as pensé ? Et Pilar ? Quelles dispositions as-tu prises ? ajouta-t-elle en retirant un peu de crasse sous l'ongle d'un de ses orteils. Même si je la mentionne par pure politesse.

Adelaida aimait beaucoup de choses chez Carmen, mais surtout son franc-parler, à la limite de la rudesse. En dehors du jeune Dr Medina, revenu depuis peu s'installer en ville, et de Catarina, aucun médecin n'avait eu la décence ou la courtoisie de lui dire la vérité, même quand elle l'avait réclamée. Adelaida avait beau ressembler à une plouc mal fagotée aux cheveux grisonnants, elle était loin d'être idiote et savait très bien de quel mal elle était atteinte. La mastectomie avait été effectuée trop tard, de sorte que des métastases avaient gagné ses poumons. Déjà, avant que les médecins lui aient annoncé cette cruelle nouvelle (enrobée de phrases prononcées à voix basse et d'un ton apaisant), personne ne voulait parler de sa maladie, certaines personnes allant même jusqu'à traverser la rue pour éviter d'avoir à faire semblant de se comporter normalement. Mais ici, à la pension Pelayo, la vérité prévalait. Carmen était une femme qui avait tout vu, et qui avait elle-même vécu l'enfer lorsqu'elle avait perdu son fils unique après un accident de moto. Carmen avait même mis fin à ses jours de sa propre main afin que les médecins n'aient pas à le faire. La mort et la douleur lui étaient familières. Elle pouvait parler de la mort n'importe quand. Elle ne lui faisait pas peur.

— Pilar... elle n'en a plus pour très longtemps, elle non plus, dit Adelaida en tapotant la main de Carmen. Tu as proposé de donner un toit à Hector... Tu ne peux pas savoir la tranquillité d'esprit que ça m'a apportée.

Carmen baissa les yeux et haussa les épaules.

— Il ne remplacera pas Victor, mais ce sera comme un succédané.

— Je l'espère bien. Il t'aime comme une seconde mère.

— Victor aurait trente-trois ans aujourd'hui. Un an de moins qu'Hector. Nos deux fils sont foutus, chacun à leur manière, mais peut-être que, à eux deux, ils veilleront sur moi dans mon grand âge.

Carmen jeta un regard vers le plafond enfumé comme pour y chercher l'âme volatile de son fils.

Adelaida se plia en deux et grogna, se rendant compte que, sans une pratique régulière, on pouvait même oublier comment rire. Ses poumons lui faisaient mal. Elle avait envie de hurler, mais elle ne réussit qu'à émettre une série de gloussements essoufflés. Carmen le fit pour elle, et elles réussirent à émettre une sorte de cacophonie stridente. Une cliente étrangère, une femme maigrichonne d'âge moyen qui tenait une carte postale à la main, descendit l'escalier en leur lançant un regard désapprobateur. Son œil s'attarda sur la bouteille de Campari, et elle fronça le nez d'un air méprisant en sentant l'odeur de la fumée. Carmen et Adelaida pouffaient et toussaient à qui mieux mieux en s'efforçant d'étouffer ce fou rire inconvenant. La dame posa sa clé sur le bureau de la réception, enfila un gilet vert dans lequel elle se serra et sortit sans dire au revoir.

— Quelque chose me tracasse, reprit Adelaida. Hector me donne pas mal d'argent. Combien le paies-tu exactement ?

— Pas plus que Manolo.

— J'espère qu'il ne trempe pas dans quelque affaire louche...

— Sans doute qu'il ne garde rien pour lui. J'imagine que tu l'as prévenu que ton cancer était revenu.

— Il le faudrait. Mais je ne tiens pas à l'angoisser encore plus.

Carmen se pencha pour l'embrasser.

— Allons, ma chère amie, ton fils n'est pas aussi fragile que tu sembles le croire !

Adelaida se leva péniblement et se prépara à partir. Elle embrassa Carmen sur les deux joues, puis tira une dernière longue bouffée sur sa cigarette avant de l'écraser et de terminer son verre. En sortant, elle entra en collision avec une jeune femme qui franchit la porte telle une tornade en miniature.

Adelaida crut tomber, mais la jeune femme la rattrapa juste à temps par le poignet.

— Je suis vraiment désolée, *señora*, je n'ai pas fait attention, s'excusa-t-elle, hors d'haleine.

Les joues rosissant de honte, elle se fendit d'un sourire éblouissant. En regardant la jeune femme, Adelaida ressentit une sorte de jalousie pour cette étrangère aux manières décontractées, aux cheveux en brosse et à la silhouette de gamine. L'assurance et le charisme de la jeunesse... Elle-même avait-elle jamais connu une telle chose ?

— *La veterinaria*, dit Carmen en les présentant. Une amie d'Hector.

Adelaida sourit et serra la main de la jeune femme, se demandant s'il s'agissait de l'étrangère dont Pilar lui avait parlé. Qu'ignorait-elle d'autre concernant son fils ? Ces derniers temps, il la surprenait sans cesse. Après avoir réitéré ses adieux, elle prit une grande inspiration, qui lui brûla l'intérieur de la poitrine, puis descendit les marches en vitesse et traversa la place.

Alors qu'elle allait s'engager dans la Calle Juan Fernández, Adelaida hésita une seconde et se tourna vers l'église au bout de la rue. Il y avait un an et demi qu'elle n'était pas allée à la messe et ne s'était pas confessée. Comme si son salut lui était devenu indifférent. D'ailleurs, qu'aurait-elle confessé ? Elle n'avait pas eu de pensées impures – le ciel l'en préserve ! –, elle n'avait pas menti, pas volé, pas forniqué ni commis aucun péché, à part quelques jurons proférés malgré elle. Néanmoins, elle se sentit brusquement attirée vers ce lieu qu'elle avait fréquenté toute sa vie.

L'église se dressait au milieu du parvis, étonnamment calme. Les cars de pèlerins n'étaient pas encore arrivés, et la place poussiéreuse semblait endormie, comme si on l'avait abandonnée après une fête débridée. Des pneus et des chaussures avaient laissé des traces par terre, et le sol était jonché de papiers d'emballage et de canettes de Coca-Cola. Les poubelles débordaient. Une rafale de vent souleva un paquet de chips vide qui tourbillonna comme un convive ivre et esseulé, mais bien décidé à danser. Adelaida le suivit des yeux un moment, puis le ramassa et l'enfonça dans une poubelle. Où était donc le petit homme répugnant, Rodriguez, payé pour nettoyer le parvis ?

Adelaida s'approcha du parapet pour contempler le panorama. La journée était claire, et elle voyait la vallée s'étendre au loin vers le nord-est, où les sommets argentés des Picos pointaient à l'horizon. Il y avait si longtemps qu'elle n'avait pas quitté Torre de Burros que cette vision soudaine du monde ne fut pas loin de l'enivrer. Peut-être était-ce à cause de ces Campari qu'elle venait de boire, mais elle avait envie d'escalader le parapet, d'ouvrir tout grands les bras et de s'envoler. Elle avait toujours rêvé de voler dans un avion, seulement l'occasion ne s'était jamais présentée. Une fois, elle avait gagné le premier prix à une tombola, un séjour de cinq jours pour deux personnes à la Grande Canarie, mais, comme à l'époque elle était enceinte, elle n'y était pas allée. De toute façon, partir lui aurait rappelé qu'elle avait renoncé à Porfirio, et Pilar n'avait aucun intérêt pour les voyages.

Mal à l'aise à l'évocation de ces souvenirs, Adelaida s'éloigna du parapet et du panorama qui avait déclenché le rappel inopportun de son passé. Elle faisait demi-tour dans l'intention de rentrer chez elle lorsqu'elle entendit la lourde porte en chêne de l'église s'ouvrir en grinçant et vit une femme s'en aller sans prendre le temps de la refermer complètement. Adelaida hésita, puis traversa le parvis en direction de l'église. Avant d'entrer, elle vit que ses chaussures étaient couvertes de poussière. D'un geste gauche, elle se pencha et les essuya avec la manche de sa robe. Elle n'avait rien pour se couvrir la tête, mais, depuis l'afflux de tous ces touristes, une telle pratique n'était apparemment plus indispensable. Néanmoins, elle lissa les mèches rebelles qui s'échappaient de son chignon.

Dans l'église il faisait si froid qu'elle eut la chair de poule. Il fallut un instant à ses yeux avant de s'accoutumer à la pénombre. De fins rais de lumière filtraient à travers les hauts vitraux, dardant sur les bancs des flèches multicolores qui baignaient l'espace d'une atmosphère étrange et spectrale. L'ambiance n'était plus la même qu'autrefois. Néanmoins elle entra, fit la génuflexion rituelle et se signa devant le Jésus sur la croix. Puis elle refit la même chose devant la Vierge de Miséricorde. Immense et resplendissante, elle éclipsait le Christ, qui paraissait inférieur à la fois par sa taille et sa facture moins habile, tandis que son visage tourmenté contrastait avec les joues roses et rebondies de la jeune Vierge. Un rayon de soleil la nimbait d'un éclat laiteux. Depuis la dernière fois qu'elle l'avait vue, d'autres objets précieux étaient venus s'ajouter à ceux, déjà nombreux, qui ornaient la statue. Autour du cou gracieux pesaient des dizaines de colliers, certains rehaussés de pierres précieuses. Des broches incrustées de joyaux étaient épinglées sur le tissu drapé sur son épaule. Plusieurs diadèmes se disputaient la partie située entre sa tête et ses coudes, tandis que ses poignets et ses doigts disparaissaient sous les bijoux. La Vierge resplendissait tel un arbre de Noël, pendant que Jésus la regardait avec indulgence sous la couronne d'épines qui ceignait son front meurtri et ensanglanté.

Certaines personnes offraient à la Vierge de Miséricorde ce qu'elles possédaient de plus beau. Plus pauvre était le pèlerin, plus précieuse était l'offrande. Adelaida elle-même avait donné sa bague de fiançailles à la Vierge, la seule chose qui lui était restée de Porfirio. Dans l'espoir que ce don aiderait le petit Hector à se développer normalement.

Adelaida avait lu un article dans le journal sur le risque que représentait l'accumulation de ces trésors. Après un ou deux vols, on avait parlé de recouvrir la Vierge d'une cloche en plexiglas géante. L'idée, qui avait déclenché un tollé, avait été abandonnée, toutefois personne ne semblait être là pour garder les trésors. Rodriguez, qui était en principe chargé d'assurer la sécurité, n'était nulle part en vue. Bien que la statue fût entourée d'une barrière, surmontée d'une rangée de piques à l'air menaçant, Adelaida nota que la porte du sanctuaire était restée ouverte. L'énorme cadenas pendait de guingois sur la grille.

Elle tripota le cadenas en se demandant si elle ne devrait pas le refermer et, sans trop savoir ce qu'elle faisait, passa de l'autre côté de la grille. Elle se trouvait à présent dans le domaine de la Vierge, censé la protéger des voleurs, des pillards, des vandales, des communistes, des anarchistes et des athées. Adelaida grogna d'un air dégoûté ; nul n'était là pour l'empêcher d'aller plus loin, aucune alarme ne s'était déclenchée, personne n'avait crié pour s'opposer à cette intrusion sacrilège. Elle attendit un instant, puis monta les quelques marches jusqu'au trône et caressa l'ourlet du manteau doré de la Vierge, qui était maintenant à la hauteur de son buste, mais tout resta silencieux, personne ne se manifesta.

Quelque chose d'étrange était en train d'arriver à Adelaida, comme si avait sommeillé, tapie au fond d'elle, une des multiples catégories de délinquance, sans qu'elle sût très bien laquelle. Elle n'avait jamais été une voleuse, ni une communiste (même si, dans ses jeunes années, elle avait nourri une haine profonde pour Franco, les fascistes, les phalangistes et la Guardia civil). Peut-être était-ce sa mort annoncée qui la rendait audacieuse, voire indifférente au danger, comme si elle venait d'entrer en contact avec une part insolente d'elle-même et ne voyait pas de raison de la refouler.

Le visage de la Vierge était incliné vers elle, souriant d'un air innocent. Ce n'est qu'une image, songea Adelaida. Rien de plus qu'une statue en bronze doré, froide et inanimée, une idole morte. Adelaida la regarda dans les yeux tout en essayant de poser son pied droit sur le socle du trône. Elle tendit le bras pour agripper le bord du manteau, puis posa le talon de sa chaussure gauche sur le pied nu de la Vierge et se hissa tant bien que mal. Une fois là, elle saisit le poignet tendu de la Vierge dans sa main gauche. Se tenant en équilibre précaire sur le pied de la Vierge, la main droite désormais libre, elle examina les innombrables bagues sur les doigts raides de la statue. L'une d'elles attira particulièrement son regard. Une bague d'homme ornée d'une grosse pierre rouge qui brillait au milieu de multiples petits diamants. Elle semblait avoir une très grande valeur, mais ce ne fut pas cela qui retint son attention. Il y avait quelque chose de spécial dans la façon dont la pierre rouge scintillait, comme un œil diabolique qui lui faisait signe. Pour s'en saisir, Adelaida dut d'abord retirer deux autres bagues. La chose ne fut pas difficile, elle les enfila sur le pouce de la Vierge, mais la bague qui la fascinait tant était coincée. Rassemblant un peu de salive dans sa bouche, elle cracha sur le doigt. Ainsi lubrifiée, la bague glissa facilement. Elle la sentit peser dans sa paume ouverte. Elle fourra la bague dans la poche de sa robe, puis retira les deux autres du pouce, qu'elle replaça sur le doigt. Sans la grosse bague, celui-ci paraissait étonnamment nu.

Je ne m'en tirerai pas comme ça, se dit Adelaida. Abasourdie par ce qu'elle venait de faire, elle n'en renonça pas pour autant à voler la bague.

La véritable difficulté consistait maintenant à redescendre. À quelque altitude que l'on soit, descendre est toujours plus délicat que monter. Adelaida dut lâcher le poignet de la Vierge, mais, manquant de souplesse, elle faillit basculer en arrière. Prise de panique, elle réussit à éviter la chute en se rattrapant au manteau de la Vierge. Lorsqu'elle se laissa glisser, les minuscules pierres qui en ornaient le bord lui écorchèrent les doigts. Dans la manœuvre, elle perdit une de ses chaussures, et son menton heurta violemment l'angle du socle. Une fois sur le sol en pierre froide, elle se mit à hoqueter de frayeur. Un bref instant, elle s'imagina gisant au pied de la Vierge, la hanche fracturée ou le crâne fracassé, prise en flagrant délit, ou encore empalée sur la barrière, ce qui, au moins, lui aurait épargné la honte. Ses doigts lacérés se mirent à saigner tandis qu'elle s'efforçait tant bien que mal de remettre sa chaussure.

Adelaida sortit précipitamment de l'enceinte du sanctuaire et regarda autour d'elle. Personne. Elle remit le gros cadenas en place et le ferma. Elle crut alors entendre un autre cliquetis, comme si on avait tiré le verrou parfaitement lubrifié d'une porte. Le cœur battant la chamade, elle tendit l'oreille. Rien – l'église était aussi silencieuse qu'une tombe.

— Qui était la dame que j'ai failli renverser ? demanda Mair à Carmen.

— Adelaida, la mère d'Hector.

— Oh, vraiment ? Vous auriez dû me le dire…

En repensant à l'allure de la femme, plutôt quelconque, Mair se fit la réflexion qu'elle n'avait pas grand-chose en commun avec son fils au charme si exotique.

— Elle a l'air très sympathique, ajouta-t-elle.

Carmen la prit par le bras et murmura :

— Écoutez, je ne suis pas du genre à me mêler de ce qui ne me regarde pas, mais étant donné que vous n'êtes pas de la ville et que vous êtes la seule amie d'Hector… je sais qu'il est très épris de vous. Alors soyez gentille avec lui, d'accord ? Sa mère est en train de mourir.

Mair la dévisagea.

— Oh, mon Dieu ! Pas étonnant qu'il ait toujours cet air mélancolique !

— Non, il ne le sait pas encore, mais, si elle ne le prévient pas très vite, c'est moi qui m'en chargerai.

Il était évident que Carmen avait une immense affection pour Hector. Ses lèvres couleur rubis frémirent légèrement, et elle tapota Mair sur l'épaule, comme si elle voulait consoler Hector, et se consoler elle-même, d'une telle perte.

— Qu'est-ce que vous entendez par là, quand vous dites que je suis la seule amie d'Hector ?

Un groupe de clients déboula dans l'escalier, piaillant comme une volée de moineaux, et se répandit sur les canapés et les fauteuils du hall. Carmen s'empressa de passer derrière son comptoir. Mair avait remarqué que ses pieds étaient dans un état catastrophique comparés à l'édifice extraordinaire qui lui tenait lieu de coiffure. Elle s'était d'ailleurs demandé comment elle parvenait à maintenir son chignon en place lorsqu'elle dormait et attendait d'avoir rassemblé assez de courage pour lui poser la question.

— Hector a de lourds bagages à traîner dans la vie, les siens et ceux d'autres personnes, dit Carmen de façon énigmatique en parlant à voix basse.

— Comment cela ?

Une femme entra, accompagnée de sa fille handicapée, et Carmen lui tendit sa clé avec un sourire bienveillant. La petite fille, dont les jambes étaient maintenues dans des appareils orthopédiques en métal, serrait sur sa poitrine une horrible madone à l'Enfant Jésus. Mair et Carmen les observèrent d'un œil discret lorsqu'elles entreprirent tant bien que mal de monter l'escalier.

— Il faut absolument que j'installe un ascenseur, murmura Carmen.

— Parlez-moi d'Hector, insista Mair. Pourquoi n'a-t-il pas d'amis ?

Elle attendit l'explication. Visiblement, Carmen s'interrogeait sur ce qu'elle pouvait lui confier ou non au sujet de son protégé.

— Je suis contente de voir que vous avez plaisir à être ensemble, mais je sais aussi que vous partirez tôt ou tard, finit-elle par dire. S'il vous plaît, souvenez-vous-en, pour le bien d'Hector.

Mair émit un petit rire.

— Carmen, on se connaît depuis deux semaines seulement ! Et je ne suis pas à la recherche d'une amourette pour les vacances, si c'est ce que vous pensez.

— Une amourette, ça fait du bien à tout le monde. Et d'ailleurs, ça ne me regarde pas.

— Seigneur ! se défendit Mair en secouant la tête. Je n'ai aucune liaison avec votre… blanchisseur !

Carmen lui jeta un regard noir.

— Hector est d'une grande intelligence, ne vous y trompez pas. S'il n'avait pas eu un tel passé, il serait sans doute professeur de mathématiques ou quelque chose dans ce goût-là.

— De quel passé parlez-vous ? demanda Mair en se penchant en avant, les coudes sur le comptoir. Allez-y, Carmen, dites-m'en davantage.

— On peut avoir douze *cafés con leche* ? cria une femme à la voix aiguë.

Mair entendait son accent français strident depuis plusieurs jours déjà. La dame en question était manifestement une sorte de guide, mais se comportait comme si elle commandait toute une armée. Sans rien perdre de son élégance ni de sa patience, Carmen sonna Manolo. Il arriva d'un pas lourd, la fumée d'une cigarette sortant de ses narines. Après la *siesta*, la plupart des gens descendaient de leurs chambres, prêts à s'octroyer des plaisirs plus spirituels, tels que le tourisme ou le shopping. Mair comprit qu'elle n'en apprendrait pas plus pour l'instant, mais se promit de questionner son hôtesse plus avant une autre fois. Elle se rendit compte que son intérêt pour le blanchisseur dépassait le stade de la simple curiosité, ce qui n'avait pas échappé aux antennes aiguisées de Carmen. Zut !

— Vous me raconterez ça plus tard ? fit-elle, capitulant. Cela m'intéresse.

Carmen lui sourit en tapotant sa main avide posée sur le comptoir. Mair s'en alla et sortit sur la place qui commençait à se remplir, comme chaque jour à cette heure de la journée. Des gens grouillaient dans tous les sens, prenant des photos, mangeant et buvant dans les cafés. Une bonne odeur de pizza s'échappait du restaurant italien, et le soleil donnait à la place un air méditerranéen. On percevait la rumeur désormais familière des rideaux de fer qui se relevaient alors que les boutiques rouvraient pour les clients de l'après-midi et du soir. Mair flâna un moment, puis s'arrêta parmi d'autres badauds pour observer ce qui se passait autour de l'échiquier géant. Hector jouait donc aux échecs en secret. Elle se demandait pour quelle raison. N'avait-il pas dit que son *abuela* désapprouvait les jeux ? Peut-être que sa famille était très religieuse, ce qui n'aurait rien eu de surprenant dans une ville comme celle-ci.

Mair prit la direction de la seule et unique maison de retraite de Torre de Burros. Ce matin-là, Manolo, le barman, avait très gentiment téléphoné à la directrice afin de demander si elle pouvait venir voir Sergio Gallego, un de ses parents éloignés. Le vieil homme s'était battu avec les républicains pendant la guerre civile, et la plupart du temps dans les Asturies, seulement, à quatre-vingt-treize ans – Manolo l'avait prévenue en se tapotant la tempe du doigt –, il n'était en possession de toutes ses facultés que de temps en temps et avait de la peine à rassembler ses souvenirs.

Le bâtiment, situé au nord de la ville, avait l'air flambant neuf. L'endroit était moderne, spacieux, et les retraités étaient en train de regarder un de ces talk-shows frénétiques comme Mair en avait vu sur le petit poste de télévision de sa chambre. La directrice l'accompagna, et elles s'arrêtèrent un instant sur le seuil de la porte. Un bavardage incompréhensible – une succession de ce qui semblait être des célébrités se coupant sans cesse la parole – emplissait la pièce.

— Le voilà, dit la directrice en montrant un vieux monsieur avachi dans un fauteuil. Et à côté de lui, c'est José Maria. Il a fait la guerre lui aussi, dit-elle plus bas, mais dans le camp de Franco, ajouta-t-elle avec amertume. Celui-là, il a du sang sur les mains…

Mair se tourna vers la directrice, qui devait être âgée d'une soixantaine d'années. Comment le savait-elle ? Le sang auquel elle faisait allusion était-il celui de quelqu'un qu'elle connaissait, d'un parent ou d'un grand-parent ? Elle se demanda ce qui couvait sous les apparences, jusqu'à quel point les gens s'accrochaient au ressentiment ou à la rage. Personne, passé la cinquantaine, n'avait dû oublier les atrocités commises pendant cette terrible époque et leurs conséquences.

Toujours est-il que les deux vieux messieurs étaient assis l'un à côté de l'autre, leur différend idéologique apparemment oublié. Mair remercia la directrice et commença à leur faire la conversation, mais pas la moindre lueur d'intérêt n'éclaira l'expression vide de leurs visages. Les yeux de Sergio se posèrent sur sa poitrine plusieurs fois de suite, avant de sembler en conclure que ses maigres atouts ne valaient pas la peine qu'il s'y intéresse.

— Pendant la guerre civile, Torre de Burros a connu des moments difficiles, n'est-ce pas ? tenta Mair.

Aussitôt, José Maria siffla pour lui ordonner le silence et montra l'écran sur lequel deux moutons déguisés en agneaux se livraient à un échange virulent.

Après quelques minutes de frustration et d'ennui, Mair revint à la charge.

— Auriez-vous rencontré un homme du pays de Galles du nom de Geraint ? Un dynamiteur. Il était venu à Torre de Burros avec quelques camarades. Il avait été blessé et amené ici.

José Maria lui jeta un regard furibond. Mair sortit la photo, qu'elle leur montra. Sergio la pointa du doigt et se mit à rire.

— Un fou ! dit-il.

— Oui, n'est-ce pas ? fit Mair, soudain rassérénée. Quel genre d'histoire vous a-t-il racontée ?

— Un fou ! répéta Sergio en secouant la tête d'un air aimable.

— Pourquoi était-il fou ? implora-t-elle. Dites-le-moi. Je suis sa petite-fille.

— Le rejeton fou de la grande putain universelle !

— Comme vous dites ! Alors, vous l'avez connu, Sergio ? C'est incroyable ! Vous êtes la seule personne qui se souvient encore de lui.

— De la folie. De la pure folie.

Il avait raison, et sans doute était-ce aussi le cas de toute cette entreprise. Une infirmière s'approcha pour l'aider, pensant que l'accent étranger de Mair constituait un obstacle, mais José Maria secoua la tête, le regard rivé sur la télévision, pendant que Sergio se contentait de glousser en la fixant d'un œil libidineux.

— Vous n'aurez qu'à revenir tenter votre chance un autre jour, suggéra l'infirmière. Il leur arrive d'être extrêmement bavards, surtout Sergio. Il peut se montrer tout à fait lucide et retrouver certains souvenirs…

Mair leur serra la main à tous les deux. José Maria hocha poliment la tête, mais Sergio garda sa main dans la sienne et la tira vers lui en disant :

— Donne-moi un baiser, petite dévergondée.

Mair rougit et éclata de rire.

— Je ne suis pas une dévergondée, mais je vous donnerai un baiser si vous me parlez de ce que vous avez vécu pendant la guerre civile. Tout ce que vous pourrez me raconter m'intéresse, notamment des choses sur le fou, mais surtout sur vous.

— Si tu étais plus vieille, je t'emmènerais dans ma chambre, grommela le vieil homme avec une soudaine éloquence. Sauf que moi, j'aime les femmes avec des seins et des fesses.

De ses deux mains, il dessina amoureusement dans le vide les contours de son idéal féminin.

— Vous êtes un vilain ! le gronda l'infirmière. Excusez-vous auprès de la dame.

— Ce n'est pas une dame, insista Sergio. C'est une petite dévergondée. Je les renifle à plus d'un kilomètre.

L'infirmière lui donna une claque sur la main. Mair était impatiente de s'en aller. En remerciant l'infirmière, elle ne put s'empêcher d'ajouter :

— En *Inglaterra*, frapper un résident âgé vous attirerait de sérieux ennuis. Ce qu'il a dit n'avait rien de méchant... d'autant qu'il ne peut même pas se défendre.

— Nous ne sommes pas en *Inglaterra*, rétorqua l'infirmière. Bonne journée !

Dans la rue, Mair inspira une grande bouffée d'air en se demandant ce qu'elle allait faire.

Elle avait consulté tout ce que la bibliothèque contenait sur la guerre civile. Et une foule de choses avaient beau avoir été écrites sur le sujet, les archives historiques sur Torre de Burros semblaient dans ce domaine plutôt minces. Comme si toute la ville avait conspiré pour oublier... du moins, en apparence.

Il lui restait toutefois un autre endroit à visiter, peut-être le plus important. Bien qu'il fût déjà tard dans l'après-midi, Mair décida de fouiner encore un peu – autant battre le fer quand il est chaud, comme disait le proverbe. Sans plus tarder, elle regagna le centre-ville.

Le maire, le *señor* Covarrubias, la reçut en personne derrière le bureau d'accueil de la mairie. Un homme petit et séduisant, les mains fines, âgé d'une quarantaine d'années. Il commençait à prendre de l'embonpoint, et son beau visage était posé sur un bourrelet de chair rasé de près qui s'étalait sur son col de chemise fermé jusqu'au dernier bouton. Son costume et sa chemise avaient l'air coûteux, et sa lotion après-rasage sentait le musc. Après avoir toisé Mair de haut en bas, puis de bas en haut, il lui expliqua qu'il ne pouvait pas permettre à n'importe qui de consulter les archives. Il fallait des autorisations, des vérifications, et une très bonne raison de vouloir fouiller dans les eaux troubles du passé. Mais, lorsqu'elle présenta sa requête comme un passe-temps innocent, celui d'une touriste en mal d'anecdotes à ajouter à la saga familiale, et désireuse d'impressionner ses amis une fois de retour chez elle, le maire se montra plus charmant et prévenant.

— D'accord, *señorita*, dit-il en examinant son jean moulant d'un peu trop près. Quel mal y aurait-il à cela ? On ne refuse rien à une belle femme.

Décidément, les attentions masculines ne manquaient pas, cet après-midi, songea Mair, narquoise, sauf que, malheureusement, ce n'étaient pas celles qu'elle aurait voulues. Le maire la conduisit au sous-sol, où s'alignaient des rangées et des rangées de dossiers qui renfermaient les archives.

Mair ne savait pas trop par où commencer, et le *señor* Covarrubias, qui semblait ne jamais avoir mis les pieds au sous-sol, ignorait tout des dossiers qu'on pouvait y trouver ou de leur classement. D'un geste, il lui indiqua une étagère sur laquelle il pensait qu'étaient rassemblées les archives des années trente, puis il alluma un cigare et s'installa sur une chaise pour l'observer tandis qu'elle explorait les rangées de dossiers d'un air découragé. Au bout d'un moment, quand il eut terminé son cigare, l'ennui le gagna, et il remonta.

Les longues heures passées à examiner des documents desséchés et poussiéreux ne lui révélèrent rien. Naissances, décès, archives de la prison... la guerre civile avait été une époque chaotique et mouvementée. Aussi avait-on négligé ou renoncé à enregistrer les éléments habituellement consignés sur la vie des habitants. Les archives de la guerre ne semblaient pas être conservées ici. Quand bien même Mair n'avait jamais eu de réel espoir de découvrir des archives se rapportant à Geraint, elle se sentit abattue lorsqu'elle finit par remonter au bureau de la réception. Le soleil était déjà couché. Le *señor* Covarrubias était resté plus tard que d'ordinaire, lui expliqua-t-il, pour lui permettre de poursuivre ses recherches. Mair l'en remercia, s'excusa de l'avoir dérangé, mais s'abstint de lui demander quoi que ce soit. Elle était quasiment certaine que le maire en savait moins long sur ses propres archives qu'elle-même à présent.

— Si quelqu'un avait été arrêté à Torre de Burros… au motif qu'il avait déserté les Brigades internationales quelque part ailleurs en Espagne, que pensez-vous qu'il lui serait arrivé ? Je veux dire, avant que les forces nationalistes n'aient pris la ville.

Pour toute réponse, le maire se passa l'index en travers de la gorge.

— Même s'il était déterminé à continuer à se battre pour la cause ?

— Un scénario qui paraît plutôt improbable, *señorita*, vous ne croyez pas ? Laissez-moi vous offrir de quoi vous sustenter, enchaîna-t-il d'un air charmeur. Vous avez l'air affamée. Il faut que vous mangiez.

Là-dessus, il lui tapota l'épaule en grimaçant d'un air théâtral, comme si ses os lui avaient coupé la main tels des rasoirs.

— Je n'ai vu aucun compte rendu d'exécution, dit Mair avec prudence.

— Oh, on ne garde pas ce genre de document en Espagne, jeune dame ! Nous nous efforçons d'oublier. Les choses fonctionnent mieux ainsi. Bon, que diriez-vous de fruits de mer ? Vous aimez le crabe ?

Mair déclina poliment l'invitation. Quand elle lui tendit la main, le maire l'attira vers lui pour lui donner un baiser sur chaque joue. Comme c'était bizarre, songea-t-elle, quel assaut de charme ! Mais il valait mieux rester en bons termes avec le maire, au cas où elle voudrait revenir jeter un œil sur les

149

archives, et qui sait, peut-être qu'il pourrait lui être utile dans le futur.

Lorsqu'elle sortit dans la rue, l'air était plus frais, et elle se dit que boire un gin tonic sur la place en lisant tranquillement le journal local serait un remède idéal à ses déconvenues de l'après-midi. Alors qu'elle tournait dans une ruelle pittoresque, un raccourci vers la place, un mouvement brusque la figea de stupeur. Un petit homme, si petit qu'on aurait dit un nain, surgit devant elle. Elle fit un bond en arrière, sans avoir aucune idée d'où il avait jailli. L'homme la fixa de ses yeux noirs. Il avait quelque chose d'un singe.

— Tu es bien plus vieille que tu n'en as l'air, l'accusa-t-il d'une voix nasillarde. Dommage !

Mair regarda alentour pour chercher de l'aide, mais la rue était déserte. L'homme brandit l'appareil photo qu'il portait autour du cou et, avant même qu'elle ait eu le temps de réagir, appuya sur le déclencheur.

— Pourquoi avez-vous fait ça ? dit-elle avec colère.

L'homme se rapprocha d'un pas et avança une main d'une grandeur disproportionnée vers sa poitrine. Elle l'esquiva en faisant un saut de côté, mais le bout de ses doigts lui frôla le ventre.

— Je t'aurai ! bêla-t-il. Je t'ajouterai à ma collection.

Mair le dévisagea une seconde, puis, affolée, elle partit en courant dans la rue étroite, ses pas résonnant entre les vieux murs de pierre.

8

Pilar s'enfuit du couvent à pied et courut sur un sentier à travers bois, son nouveau-né dans les bras. Elle était persuadée que mère Rosario enverrait le concierge à sa recherche, or celui-ci prendrait sûrement son cheval et emprunterait la route. Dans la campagne, le silence régnait. Il n'y avait pas un seul véhicule en vue, personne en train de chanter, de bavarder ou de travailler dans les champs, pas même un chien qui aboyait, comme si les chiens eux aussi avaient peur d'attirer l'attention. Si quelqu'un arrivait sur la route, il – ou ils – serait armé. L'homme était en guerre contre l'homme. Le voisin contre son voisin. Les pères contre les fils. Les frères contre les frères. Les femmes elles-mêmes étaient divisées. Pourtant, les signes de la guerre n'étaient nulle part visibles. Les gens restaient cachés.

Brusquement, le sentier déboucha sur la grand-route. Pilar n'avait plus d'autre choix que de la suivre en s'exposant aux regards. Torre de Burros se dressait au loin, la falaise dominant le paysage de toute sa hauteur, le manteau doré de la Vierge scintillant tel un bijou dans la lumière éclatante du soleil. En ville vivait un dénommé don Alfonso Gutiérrez, qui avait été l'employeur de sa mère pendant de longues années.

Sa mère était morte depuis maintenant sept mois, mais, en raison des nombreuses années qu'elle avait passées à son service, peut-être lui offrirait-il son aide. Il était riche et puissant, un homme juste, un fasciste, membre de la Phalange, et, d'après ce qu'on racontait, il n'avait pas peur de ses opposants en ville. Il se fichait comme d'une guigne de ce qu'on pensait de lui. Pilar ne l'avait rencontré que deux fois, et il trouverait louche de la voir surgir de façon aussi soudaine avec un bébé dans les bras, mais il était son seul espoir de trouver un refuge pour la nuit.

Le bébé se mit à pleurer. Le visage rouge, il avait l'air d'avoir trop chaud. Pilar enjamba un fossé d'irrigation et entra dans un champ. Elle se laissa tomber par terre et ouvrit la couverture. Le bébé paraissait affreusement petit. Il était mouillé et sentait mauvais. Les petits bras et les petites jambes s'agitaient en l'air. Pilar déposa le bébé sur le sol et lui retira son lourd habit. Puis elle défit les boutons de sa chemise en coton et sortit ses seins. Ils répondirent aux pleurs du bébé en l'élançant douloureusement. Un liquide clair et blanchâtre, qui n'était pas du lait, dégoulinait de son téton. Le bébé dut le sentir, car la petite bouche se plissa comme pour chercher aveuglément à manger. Lorsque Pilar mit l'enfant au sein, elle fut étonnée de la force de ses petites mâchoires. Le bébé téta goulûment, mais le corps minuscule se détendit totalement dans les bras de sa mère.

Pilar était épuisée. La douleur, la soif et la faim la rongeaient. Néanmoins, elle n'était plus sous le choc et n'avait plus peur. Elle se sentait même détachée, libérée. Les huit derniers mois étaient passés comme un cauchemar, et à présent elle était loin de sa prison, mais son seigneur et mari, Jésus-Christ, devait lui avoir pardonné. Comment avait-Il pu permettre qu'une telle violence soit infligée à son corps, ce corps qu'elle se devait de garder pour Lui pur et intact ? Et il y avait l'enfant. Son enfant à Lui aussi, et qui l'obligeait à fuir le lieu où elle était en sécurité. Si c'était une épreuve, Il se révélait un tyran cruel. Pourquoi l'avoir choisie, elle, pour subir cet outrage ? Aussitôt Pilar sentit son soulagement laisser place à une vive amertume. Sa solitude et ses souffrances l'avaient changée. Elle n'avait parlé à personne ni du viol ni de sa grossesse. Aussi injuste que fût sa situation, c'eût été une raison suffisante pour la chasser du couvent. Pilar avait peur du monde et de la guerre qui y sévissait ; elle n'avait nulle part où aller. Et pourtant, elle était là, elle s'était jetée sur les routes de son propre chef. Elle regarda l'enfant auquel elle avait donné naissance seulement douze heures plus tôt. Quel lien de sang était assez fort pour la pousser à s'exclure elle-même de la famille de Dieu ? Bien qu'elle ne pensât nullement aimer cette créature qui piaillait et la suçait, elle avait le sentiment d'être prête à tout pour empêcher quiconque de lui faire du mal.

Le soleil de la mi-journée était accablant, elle tombait de sommeil, mais le sol était dur et grouillait d'insectes. Pilar resta assise là ; le bébé, qui s'était endormi sur son sein, protesta quand elle voulut retirer son téton de sa bouche. Tout à coup, elle entendit des voix et un clip clop de sabots sur la route. En se redressant, elle aperçut une mule qui tirait une charrette. À l'avant était assise une femme ; un homme marchait à ses côtés. Se couvrant en vitesse la poitrine, Pilar les interpella.

— Pour l'amour du ciel, auriez-vous une goutte d'eau ?

La charrette s'arrêta.

— Montrez-vous ! cria l'homme.

Sa voix était hésitante, et il se protégeait les yeux du soleil pour essayer de voir qui avait parlé.

— Attendez ! supplia Pilar.

Elle remonta son habit dont elle noua les manches autour de sa taille. Puis elle prit l'enfant tout nu et se précipita vers la route. La soif et l'épuisement eurent raison de sa prudence. Elle savait qu'elle devait avoir l'air d'une apparition bizarre, mais elle s'en moquait.

— Mère de Jésus, ma pauvre fille ! s'exclama la femme dans la charrette en se levant. Où donc allez-vous, dans l'état où vous êtes ?

Quand Pilar arriva près de la charrette, la femme lui prit le bébé des bras d'un geste résolu et l'enroula dans un châle. Pilar but avidement à la gourde en métal que l'homme lui avait tendue, mais, au bout d'un moment, il la lui reprit. Son regard s'attarda sur son étrange tenue.

— Ce dans quoi vous êtes enroulée, c'est un habit de nonne... À qui est ce bébé ?

— C'est le mien ! répondit Pilar, la voix pleine de défi. Je vais à Torre de Burros... pour y voir quelqu'un.

— À moins que vous ayez de la famille là-bas, vous n'y trouverez que des portes closes, observa la femme en la regardant d'un œil inquisiteur. Le prêtre a été chassé de la ville la semaine dernière. La foule a menacé de le jeter par-dessus le parapet. Il a eu de la chance de s'en sortir vivant !

Pilar agrippa la ridelle de la charrette. La peur et le vertige firent s'abattre un rideau noir devant ses yeux.

Elle entendit la femme dire : « Retiens-la, Joaquín, elle va tomber. Regarde comme elle est pâle, aussi blanche que de la craie. » À la seconde où ses genoux la lâchèrent, les mains puissantes de l'homme la saisirent à la taille. La femme sauta sur la route et dit : « Dépose-la dans la charrette, Joaquín, on ne peut quand même pas laisser ces pauvres âmes ici. » L'homme discuta, mais la femme lui tint tête. Il fit ce qu'elle lui demandait.

Étendue dans la charrette, Pilar dormit par intermittence, tandis que le couple marchait à côté, la femme portant le bébé. Au bout d'une demi-heure, elle s'éveilla et regarda autour d'elle.

— Où sommes-nous ? demanda-t-elle, l'air déconcerté.

Un brouillard bas s'était levé, et le sommet de Torre de Burros n'était nulle part en vue.

— Nous allons à notre ferme, à Loma Los Tajos. Vous pourrez vous reposer et décider quoi faire. Je vous donnerai des vêtements de ma fille. Si ça ne vous fait rien de porter la robe d'une morte…

— Merci, dit Pilar en regardant le bébé dans les bras de la femme.

Puis, d'un seul coup, elle se souvint que ce bébé était le sien.

— Comment s'appelait votre fille ?

— Adelaida, répondit la femme, les yeux fixés au loin sur la route.

— Je veux donner ce prénom à mon bébé. Si ça ne vous dérange pas.

Il y avait si longtemps que personne ne lui avait témoigné la moindre gentillesse que Pilar en était tout émue. Sur une impulsion, elle leur dit :

— Je veux que vous preniez le bébé. Je ne serai jamais une bonne mère, et je n'ai pas de toit à lui donner. Gardez-la. Je vous en prie, gardez Adelaida et élevez-la comme votre fille.

La femme prit un air sévère.

— Non, ce bébé est le vôtre. Vous ne devez pas donner votre fille. Mais appelez-la Adelaida, ça me fera plaisir. Pas toi, Joaquín ?

Deux jours plus tard, Joaquín emmena Pilar et Adelaida dans la charrette jusqu'à Montelinda, une petite ville qui se trouvait à une heure de route de Loma Los Tajos. À force d'être interrogée par ses sauveteurs, Pilar s'était rappelé qu'elle avait peut-être un oncle qui vivait là. En dehors de Carlos et de Concepción, son frère et sa sœur, cet oncle était son seul parent encore en vie, en tout cas à sa connaissance, mais ils ne s'étaient pas vus depuis plus de quinze ans.

Lorsqu'ils arrivèrent à Montelinda, Joaquín ne fut pas content de devoir demander des renseignements, et la plupart des portes auxquelles ils frappèrent demeurèrent fermées. La dernière personne à qui ils posèrent la question était une vieille femme qui poussait une carriole remplie de bois. Elle connaissait l'oncle de Pilar, parce que son fils avait travaillé avec lui, et leur expliqua qu'il habitait dans un cortijo sur les collines près de Montelinda. Ses indications étaient exactes, de sorte qu'à la nuit tombante ils trouvèrent la maison.

Avant de frapper à la porte, Pilar serra Joaquín dans ses bras et lui dit qu'il était l'homme le plus gentil qu'elle ait jamais rencontré. Malgré cela, le paysan lui répondit : « Oubliez où nous habitons. Et ne revenez pas chez nous. Ma femme a déjà trop souffert. »

Clemente Pellicer ouvrit la porte. C'était un homme puissamment bâti au visage plein de douceur. Il fit entrer Pilar sans poser de questions. Bien qu'ils aient de la peine à se reconnaître, il fit immédiatement honneur au lien familial qui les unissait et, sans rien lui demander, lui dit qu'elle était la bienvenue si elle voulait rester chez eux quelque temps.

Clemente, enfant du second mariage tardif du grand-père de Pilar après la mort de sa grand-mère, n'était pas tellement plus vieux qu'elle. Il avait reçu une bonne éducation, on le voyait tout de suite. Sa femme, Claudia, était en revanche plus jeune. Une fille de la campagne robuste, avec un joli visage plein de fraîcheur et des yeux pétillants d'intelligence.

Les jours passant, lorsqu'ils en vinrent à se connaître un peu mieux, Pilar leur demanda à quel camp allait leur sympathie. Tous deux insistèrent sur le fait qu'ils étaient neutres, même si Clemente reconnut avoir dû renoncer à son métier d'instituteur après avoir reçu des menaces de mort. On le considérait comme un partisan des nationalistes et on l'accusait de se terrer chez lui dans les collines en attendant la « libération ».

— Alors nous nous comprenons, dit Pilar, soulagée.

— Ce qui te met en danger toi aussi, lui fit remarquer Clemente.

— Je crois en Dieu et en la Vierge de Miséricorde.

Clemente et Claudia échangèrent un regard sans rien dire. Peut-être n'était-il pas si simple de leur coller une étiquette, après tout. Pilar entendait leurs conversations à travers la cloison qui la séparait de leur chambre. Une nuit, elle fut consternée de les entendre accabler d'injures Franco et ses « copains criminels ».

Ils parlaient avec haine de l'Opus Dei et des phalangistes. Apparemment, ils étaient menacés des deux côtés. Son éducation faisait de Clemente une cible des gauchistes, qui lui reprochaient d'être un burgués, mais aussi des fascistes, qui voyaient en lui un rojo. Quand l'armée nationaliste viendrait libérer le Nord, ils « tueraient les rouges comme des chiens enragés », ainsi qu'ils l'avaient imprimé noir sur blanc sur une pluie de prospectus de propagande jetée du ciel. Pilar avait peur de Clemente et de Claudia, et en même temps pour eux, dans la mesure où ils avaient vraiment l'air d'avoir bon cœur. À cause de la compassion qu'ils leur témoignaient, à elle et à son bébé, elle décida que, quoi qu'il advienne, elle parlerait en leur faveur et ne trahirait jamais leurs sentiments ambivalents. Elle savait que cette décision risquait d'être difficile à tenir, étant donné que les troupes de Franco gagnaient chaque jour du terrain. Impudents et sûrs d'eux, ses partisans sortaient d'un peu partout, en promettant représailles et revanche. Les règlements de comptes, aussi bien personnels que politiques, donneraient lieu à une nouvelle campagne, peut-être même encore plus sanglante que la précédente, et le danger était réel que, avant que la victoire des nationalistes soit assurée, ils soient tous arrachés de chez eux pour être emmenés « en promenade ». Le moment venu, aurait-elle la force de respecter sa résolution ?

Pilar avait peur de surprendre leurs conversations à voix basse et regrettait qu'il n'y ait pas une autre chambre où elle aurait pu dormir. Mais, comme la maison était très petite, c'était tout ce qu'ils pouvaient se permettre. Le propriétaire, un riche propriétaire foncier, se montrait indulgent sur le loyer parce qu'il les aimait bien, mais il ignorait ce que ses locataires pensaient de lui et des gens de son espèce. S'il l'avait su, ils n'auraient pas seulement été expulsés, ils auraient été exécutés.

Souvent, le soir, lorsqu'ils cessaient de parler, Pilar les entendait s'accoupler. Ils étaient dévorés de passion l'un pour l'autre, et elle trouvait quelque chose d'étonnant pour ne pas dire obscène à ce qu'un homme et une femme se livrent librement à la pratique du sexe par amour l'un pour l'autre. Aux yeux de Pilar, il était répugnant que deux personnes ôtent leurs vêtements pour se tortiller tout nus dans leur sueur. C'était un peu comme si Dieu avait joué un vilain tour à ses ouailles. Lui seul était capable de féconder une femme tout en la gardant chaste et pure.

Clemente et Claudia avaient une autre raison de faire l'amour de façon régulière. Ils désiraient plus que tout avoir un enfant, mais, depuis maintenant six ans qu'ils essayaient, ils n'avaient réussi à rien. Encore une farce divine... Pilar savait qu'ils auraient fait de bons parents, à la fois stricts et débordants de tolérance et d'affection. Elle le voyait à la manière dont ils traitaient Adelaida, qui s'était mise à les adorer. À mesure que les semaines et les mois passaient, l'amour qu'ils avaient pour la petite fille apparaissait comme une évidence. Au bout de cinq mois, Adelaida tournait plus volontiers son petit visage vers Claudia que vers sa mère pour chercher consolation, et une danse autour de la cuisine dans les bras de Clemente lui faisait pousser des cris de plaisir. Pilar s'en moquait. Partager le fardeau qu'était cette enfant lui simplifiait la vie. Son oncle et sa tante ne faisaient jamais aucune allusion au fait qu'elle profitait de leur

159

hospitalité, et pour la première fois depuis son mariage avec le Christ, elle avait l'impression de connaître un minimum de bonheur.

Mais, pour finir, ce qui devait arriver arriva. Depuis l'agression violente qu'elle avait subie dans sa chair, Pilar dormait mal, et un jour, à cinq heures du matin, elle entendit le bruit lointain d'un véhicule s'approcher de la maison. Il s'arrêta devant et, quelques secondes plus tard, on tambourina à la porte. Terrifiée, Pilar resta dans son lit en serrant Adelaida dans ses bras. Elle entendit Clemente et Claudia chuchoter d'un air affolé. Ils s'habillèrent en hâte pendant que les coups continuaient à résonner sur la porte. Elle les entendit l'ouvrir, mais, avant qu'ils aient pu dire un seul mot, tous deux se retrouvèrent poussés hors de chez eux. Ils étaient en train de donner leurs noms, il y eut un désaccord, puis des bruits de violence. Claudia cria quelque chose. Bien qu'au son de sa voix Claudia lui parût très effrayée, elle exprimait aussi de la colère. Les portières du véhicule claquèrent, après quoi le silence retomba.

Pilar resta là, tétanisée, incapable de faire un geste. Adelaida, mécontente d'être serrée si fort, commença à hurler. Ses cris se mêlèrent bientôt au bruit de bottes des hommes qui montaient l'escalier. Bien que très jeunes, deux des trois hommes qui entrèrent dans la chambre de Pilar avaient un air dur. Le cœur battant de peur, elle se demanda si son corps allait de nouveau être ravagé, mais ils ne la regardèrent pas de cette façon.

— Inutile de t'habiller. Prends tes papiers et sors, ordonna le plus grand des trois.

C'était un bel homme, quoique pratiquement chauve malgré son jeune âge. Le plus vieux avait la cinquantaine et une moitié de visage dévorée par une énorme tache rouge. Ce visage, Pilar l'avait déjà vu quelque part, mais elle était trop angoissée pour chercher à se rappeler où.

Une fois dehors, elle répéta qu'elle n'avait pas de papiers d'identité.

— J'étais religieuse au couvent du Cœur immaculé de Notre-Dame de la Miséricorde, expliqua-t-elle. Mais, comme vous le voyez, j'ai renoncé à la vie religieuse parce que j'ai eu un bébé. Le père est l'un des vôtres, je peux vous le garantir.

Cette dernière phrase arracha un ricanement à l'un des hommes. Pilar se détendit un peu.

— Pourquoi emmenez-vous ma tante et mon oncle ? Ils n'ont rien fait de mal. Ce sont d'ardents républicains. Je peux en témoigner.

— Ton nom ? aboya le chauve.

— Pilar Martinez de Avila, répondit-elle en vitesse.

Ils l'obligèrent à rester debout pieds nus dans la froideur de l'aube avec le bébé dans les bras, sa chemise de nuit flottant au vent, tandis que les hommes se concertaient à côté du camion. Il semblait régner une incertitude sur ce qu'il fallait faire d'elle. La solution la plus simple eût été de la faire monter dans le camion, mais que faire du bébé ? À mesure que les minutes s'écoulaient, Pilar sentait sa résolution faiblir. Elle était sur le point de cracher tout ce qu'elle savait, de leur dire pour quelle raison son oncle avait été contraint de quitter son poste. Elle était prête à déformer la vérité, à mentir même, histoire de sauver sa peau. Mais soudain, après un long conciliabule tendu, pendant

lequel ils examinèrent des documents sur lesquels figu-
raient des listes de noms, les hommes remontèrent dans
le véhicule. Sans lui adresser un mot ni un regard, ils
s'en allèrent. Grâce à un miracle que Pilar attribua à
quelque rédemption accordée par son seigneur et mari,
Jésus-Christ, elle n'avait pas trahi sa famille. Quand
le camion disparut au bout de la route, elle se retrouva
seule avec le bébé.

Après avoir marché longuement à travers la ville, lorsque Mair entra à la réception de la pension Pelayo, elle trouva Carmen et Hector derrière le bureau, la tête plongée au-dessus d'un grand registre. Hector avait semblait-il demandé à sa patronne de lui apprendre à tenir une comptabilité, un nouveau projet qui paraissait les obséder autant l'un que l'autre. Ce matin même, au petit déjeuner, Mair avait suggéré à Carmen d'acheter un ordinateur, qui lui ferait gagner du temps et de l'argent. Carmen avait hurlé d'épouvante en lui disant que c'était totalement inutile ; Hector était un génie des maths, comme elle l'en avait toujours soupçonné. Il était capable d'additionner n'importe quoi en un clin d'œil.

— *¡ Hola !* s'exclamèrent-ils en chœur dès qu'ils l'aperçurent.

— *Hola*, répondit Mair. Ne vous occupez pas de moi.

Se dirigeant vers le fond du hall, elle s'installa à sa table favorite, puis sortit les papiers que son père lui avait remis – lettres, photocopies de tout ce qui concernait Geraint, permis et documents divers, photos, passeports expirés, licences et certificats – et les étala devant elle. Les examinant un à un, elle s'efforça d'en faire jaillir une nouvelle idée, une nouvelle inspiration. Elle ne savait pas du tout comment poursuivre ses recherches. Toutes les pistes avaient été épuisées, et, à la vérité, une seule lui laissait encore un vague espoir. Elle avait établi que la grand-mère d'Hector était bien la seule survivante lucide de la guerre civile qu'elle connaissait ; seulement, sa promesse d'y « réfléchir » n'avait abouti à rien. Tous ses efforts lui semblaient vains. Trop de temps avait passé. Peut-être devrait-elle se contenter d'essayer de sentir la présence de Geraint, de mieux connaître la ville et la région où il avait vécu ses derniers jours. Peut-être s'en tiendrait-elle à des balades en voiture pour aller voir les rares vestiges de la guerre civile, les lieux importants, et à la lecture de quelques-uns de la centaine de livres écrits sur le sujet. Elle ne se sentait pas prête à rentrer en Angleterre. Elle avait pris ce congé sabbatique durement mérité dans ce but. Perfectionner son espagnol n'était-il pas une raison suffisante pour rester encore un peu ?

Carmen l'appela.

— Il est à toi. Tu peux l'avoir pour ta leçon d'espagnol.

Puis elle attrapa la tête d'Hector d'un geste affectueux et lui posa un baiser sonore sur le front.

— C'est incroyable... Ce petit malin a vérifié mes comptes et a trouvé le résultat à un euro près en moins de temps qu'il n'en faut à mon comptable !

Mair ne put s'empêcher de remarquer que Carmen cherchait toujours à encourager Hector ou à faire son éloge, et ce, d'une manière un brin condescendante. On aurait dit que tout le monde le traitait comme un gamin alors qu'il devait avoir au moins trente ans. Dans la rue, les vieux et les enfants se moquaient de lui, faisant des commentaires sur sa tenue, ses cheveux, sa taille et son poids (ou son manque de poids), et sa grand-mère s'était montrée d'un dédain grossier...

Obéissant à Carmen, Hector s'approcha tranquillement de sa table, son grand corps efflanqué donnant l'impression d'onduler en marchant, son épaisse chevelure ondoyant en se soulevant telle une cape noire derrière lui.

— Tu n'es pas obligé, Hector, lui dit Mair. Il est tard. Tu préfères sûrement rentrer chez toi.

— Non, c'est excellent pour mon amour-propre, rétorqua-t-il avec malice en s'asseyant près d'elle. Ton espagnol est tellement bon que j'ai l'impression d'être un professeur exceptionnel.

Ils se regardèrent une seconde, et Mair sourit malgré elle.

— Quoi ? fit-il en jetant un coup d'œil à Carmen, qui montait l'escalier clopin-clopant dans ses tongs éculées. Qu'est-ce qu'il y a de si drôle ?

— Le baiser. C'est juste trop gênant.

Il la scruta de ses yeux noirs.

— Je suis désolé, dit-il d'une voix plate. Je n'ai pensé à rien d'autre. Si j'ai eu tort de faire ça, je ne recommencerai pas.

L'espace d'un instant, Mair parut perplexe.

— Non, *tonto*, pas ça... Le baiser sur ton front ! s'esclaffa-t-elle.

Elle sortit un mouchoir en papier, cracha dessus, puis essuya le rouge à lèvres rouge vif de Carmen sur sa tempe.

Hector détourna la tête et regarda vers la haute fenêtre en fronçant les sourcils. Aussitôt, Mair se rendit compte de ce qu'elle était en train de faire. Elle le traitait comme un enfant, lui nettoyant le visage avec sa salive, comme elle avait toujours détesté que le fasse sa mère, et l'appelait *tonto*... idiot. Et, pire encore, elle avait giflé son amour-propre fragile en riant de façon désinvolte. Ce tendre baiser dans l'herbe au-dessus du fort avait vraiment représenté quelque chose pour lui.

Brusquement, Hector se leva, mais elle le prit de vitesse. Elle lui saisit le poignet et l'obligea à se pencher vers elle.

— Moi aussi j'ai envie de toi, murmura-t-elle au creux de son oreille.

Leurs visages étaient si proches qu'elle le sentit esquisser un sourire. Il demanda d'une voix rauque :

— Comment ça, Mair ? Qu'est-ce que tu veux que je... ?

— Que tu me donnes une leçon.

— Oh, oui, très volontiers, dit-il d'un air sombre, son souffle brûlant sur sa tempe. Quel genre de leçon serait le plus efficace ?

— Une leçon d'espagnol ! répondit-elle avec un haussement d'épaules ingénu. Quoi d'autre ?

— Tu es un vrai petit diable, dit Hector en riant avant de dégager sa main et de se rasseoir. Très bien... Fais-moi un compte rendu détaillé de la façon dont progresse ton enquête.

Mair soupira.

— Mal. Hier, j'ai vu deux vieux messieurs à la maison de retraite, mais l'un n'a pas dit un mot et l'autre m'a fait des avances. Si seulement il ne m'avait pas traitée de dévergondée...

— Pourquoi tu ne m'as pas emmené ? s'indigna-t-il, l'air sincèrement blessé. Je suis ton assistant.

— Mais, Hector, tu travaillais... N'abandonne jamais le boulot que tu fais dans la journée, comme on dit dans mon pays. Question carrière, travailler pour moi risquerait de t'entraîner sur un terrain glissant.

— Un terrain glissant ? répéta-t-il d'un ton outré. Dieu du ciel ! On ne dit pas des choses comme ça à un homme !

— Tu vois ? C'est exactement pour ce genre de chose que j'ai besoin que tu me corriges, rétorqua Mair en souriant.

Elle lui raconta son passage à la mairie, les archives en désordre et inutiles, l'impression qu'elle avait ressentie d'être dans une impasse. À la fin de son récit (dans lequel elle ne parla pas du maire entreprenant), Manolo arriva de son pas lourd, vêtu d'un pantalon qui serrait beaucoup trop son imposant postérieur.

— Vous voulez boire quelque chose ? demanda-t-il dans son anglais à fort accent. Fanta, bière, vin, gin tonic, Coca-Cola, liqueur de la Vierge ?

— Liqueur de la Vierge ? fit Mair en lui jetant un regard incrédule. Non, pas pour moi, merci, mais votre collègue n'est pas en service.

— D'accord, dit Hector. Apporte-nous deux cidres.

166

— Deux ? fit Manolo en levant un sourcil brous-sailleux.

— Oui, deux.

Quand il rapporta la commande, Manolo fit un clin d'œil à Hector et versa le cidre d'une certaine hauteur, ainsi que l'exigeait, semblait-il, la tradition. Hector posa un des verres devant Mair en lui assurant que le cidre était la meilleure chose que l'on trouvait dans les Asturies, en dehors des produits laitiers, bien sûr, pour lesquels il fallait une grande quantité de vaches... sans oublier tous ceux qui les soignaient et les inséminaient. Mair éclata de rire et goûta au cidre amer, en se demandant s'il lui serait possible de s'habituer à une boisson aussi particulière.

Une fois Manolo reparti sans se presser derrière le bar, Hector joignit le bout de ses longs doigts bien dessinés en formant une voûte et dit :

— Reprenons la leçon, *señorita*. Parle-moi de ta famille, de tes rapports avec elle. Décris-moi ça dans les moindres détails, sans rien oublier.

C'était la dernière question qu'espérait s'entendre poser Mair. Pourquoi casser ainsi l'ambiance, démolir cette exquise tension entre eux deux ? Elle avait envie de l'attirer dans sa chambre (vraiment ?), pas de lui parler des conflits et des désastres de sa vie !

— S'il te plaît, Hector, un sujet plus facile. Celui-là prendrait toute la nuit.

— Non, c'est intéressant. J'ai envie de savoir. Et puis, je suis curieux.

— Mes parents sont décédés, je croyais te l'avoir dit. Ma mère est morte d'une tumeur au cerveau il y

167

a deux ans, et mon père d'une maladie du foie l'année dernière. Il n'y a rien d'autre à en dire. Parlons plutôt de Geraint. Dans la famille, c'est lui qui m'intéresse.

Hector se renfrogna.

— D'accord, laissons tes parents de côté... pour le moment.

Il montra les papiers jaunis posés sur la table.

— Ce sont les lettres de Geraint ? Est-ce que tu as traduit celle qu'il a écrite de Torre de Burros ?

— Oui. Je te la lis ?

Mars 1937

Chère Delyth,
Je serais très étonné que cette lettre te parvienne, dans la mesure où elle n'a pas été envoyée par les réseaux habituels. Il s'est passé des tas de choses depuis la dernière fois que je t'ai écrit. J'ai abandonné mon compagnonnage avec les 15es Brigades internationales à Jarama. La situation au front était devenue absolument épouvantable. Un chaos complet. Certains jours, nous n'avions rien à manger ou si peu que la faim a fini par nous affaiblir. Plusieurs d'entre nous ont eu la dysenterie. Et pour ajouter à nos malheurs, nous étions sous les ordres d'un dingue anglais, un dénommé George Wattering. On nous a donné l'ordre de livrer des assauts l'un après l'autre, chacun plus absurde que le précédent et se soldant par des pertes en hommes chaque fois plus lourdes. De nombreuses vies ont ainsi été gâchées en vain, notamment celle de notre bon ami Huw Williams. Par chance, j'ai été blessé lors d'une attaque, sans quoi je serais certainement mort à

l'heure qu'il est. Ma blessure n'a rien de menaçant pour ma vie, mais, quand on m'a annoncé qu'on allait me renvoyer en Grande-Bretagne, j'ai décidé de « déserter ». Trois camarades originaires des Asturies m'ont transporté dans leur ville natale, où je me remets peu à peu en attendant de les rejoindre pour défendre les Asturies quand le moment viendra, ce qui, j'en suis sûr, ne saurait tarder.

La ville dans laquelle nous nous terrons s'appelle Torre de Burros – littéralement, Tour des Ânes. Il semblerait que, il y a de cela des siècles, des ânes sauvages peuplaient la région. La ville est perchée au sommet d'un immense rocher sur lequel veille une sainte patronne. À en croire les gens d'ici, elle possède des pouvoirs magiques et accomplit des miracles. Mes chers camarades y croient tous, ce qui est assez drôle, étant donné qu'ils se prétendent par ailleurs athées et détestent tout ce qui est lié à l'Église. Leurs systèmes de croyances restent pour moi incompréhensibles.

Au cours de ces derniers mois, mon espagnol a pas mal progressé. Je passe une ou deux heures chaque jour à améliorer mon vocabulaire. Mes camarades rigolent de mes fautes et s'agacent ensuite de mes questions incessantes. Si j'avais su que j'étais si doué, je me serais efforcé de mieux maîtriser ma langue maternelle – d'autant plus que tu le voulais tellement ! Mais tout cela me semble remonter à très longtemps. J'imagine que je ne reparlerai jamais plus le gallois et mourrai en vrai Espagnol.

Je répugne à te le dire, mais il faut te préparer au pire. Il est possible que tu ne me revoies jamais. Je sais que je te l'ai déjà dit, et sans doute le penses-tu toi

169

aussi, mais j'ai le sentiment au fond de mon cœur que je ne survivrai pas à cette guerre.

Quand tu auras lu cette lettre, je te demande, pour ton bien, de la détruire.

Prends soin de toi et des enfants.

Bien à toi, Geraint.

Hector resta un moment silencieux. Puis il se tourna vers Mair.

— Heureusement que ton *abuela* ne lui a pas obéi et ne l'a pas détruite. Sans cette lettre, tu ne serais jamais venue ici.

Mair lui sourit. Si c'était là le principal intérêt que représentait cette lettre à ses yeux, elle se sentait flattée.

— Geraint croyait sincèrement qu'il sauverait l'Espagne, non ? reprit Hector. Il devait avoir l'âme espagnole.

— Oui. Et cette idée embarrassait mon père. Prendre fait et cause comme ça pour un autre pays que le sien... et ne jamais en revenir ! Papa voulait réellement innocenter Geraint, prouver qu'il n'était pas un déserteur. Mon père était gallois jusqu'au bout des ongles. Son univers était petit, étriqué ; l'Espagne lui paraissait à des millions de kilomètres. Pourtant, il lui est arrivé de projeter de venir ici pour faire ce que j'y fais en ce moment. Il aurait pu, après la mort de ma mère. Elle ne supportait pas qu'il se préoccupe de Geraint. Mais la perdre l'a anéanti. Je ne lui ai été d'aucun réconfort, il ne voulait pas me voir. Il a beaucoup bu, s'est bourré d'analgésiques de ma mère et ensuite il est mort, en me laissant ce projet.

170

— Tu ne vis pas tout à fait dans le royaume des vivants, observa Hector d'un air grave. Tu dois faire face à trois morts. Je crois que tu es un peu perdue dans ton chagrin, comme l'était ton père.

— Perdue ? répéta Mair d'un ton vif.

L'antagonisme qui demeurait tapi sous son habituelle désinvolture libéra quelque chose au fond d'elle.

— En réalité, je suis en colère. Carrément furieuse. Et je le suis de plus en plus, d'une certaine façon. Papa n'a pas pensé à moi. Il a commencé à se détruire parce qu'il ne trouvait plus ni agréable ni commode de continuer à vivre, et moi, j'ai dû le regarder faire. Il s'en foutait royalement. *¿ Comprendes ?* fit-elle en le regardant.

Hector hocha la tête et lui prit la main.

— Est-ce pour cette raison que tu cherches Geraint ? Parce qu'il viendra remplir un vide ?

— Pas du tout, répondit Mair, hérissée à cette idée. Mon « vide », j'ai appris à vivre avec !

— Tu n'as ni frères ni sœurs ?

— Si, un frère. Beaucoup plus vieux que moi. Richard. Il vit à Vancouver, si loin qu'il n'est même pas venu à l'enterrement. Je ne l'ai pas revu depuis 1989. Il nous a abandonnés, grand bien lui fasse... à ce salopard !

— *Mairita*, fit Hector d'une voix douce. Tu ressens de la colère, je veux bien le croire, mais je pense quand même que tu es plus triste qu'en colère.

Il rapprocha sa chaise et posa son bras sur son épaule. Mair se raidit, refusant toute démonstration de pitié ou de commisération. Elle était ce qu'elle avait dit : totalement, fondamentalement et même sacrément sérieuse. Son père et sa mère l'avaient eue alors qu'ils étaient déjà vieux, trop vieux, et si installés dans leurs habitudes qu'ils n'avaient jamais été capables de la laisser entrer dans leur petite bulle étanche. Bien qu'elle eût représenté au début une nouveauté, elle était rapidement devenue une intruse, débarquant au moment où la plupart des couples poussaient des petits-enfants dans des landaus – d'ailleurs, elle ne ressemblait ni à l'un ni à l'autre. Très vite, ils l'avaient considérée comme une emmerdeuse, grincheuse quand elle était enfant, puis agaçante et provocante une fois devenue adolescente. Ils s'étaient réjouis de la voir partir à l'université. Dans la vie comme dans la mort, ils l'avaient abandonnée, restant tous deux ensemble même après la fin, se retrouvant côte à côte dans leurs tombes.

En un sens, Hector avait raison. Inconsciemment, elle avait fait de Geraint son modèle, le père courageux et intrépide qu'elle n'avait jamais eu, et *qu'elle aurait dû avoir* ; un homme jeune, beau, aventureux et rebelle. Cependant, elle se devait de rester rationnelle, de ne pas perdre la vérité de vue. Lui aussi avait abandonné ses enfants. De quelque manière que les choses se soient passées, Geraint avait tourné le dos à sa famille.

Hector avait laissé son bras sur ses épaules, et bien qu'il ait deviné sa réticence à le sentir aussi proche, il ne la lâcha pas. Oh, et puis qu'ils aillent au diable, que toute ma satanée famille aille se faire voir ! songea Mair. Elle posa la tête sur l'épaule d'Hector, qui referma son autre bras sur elle. Depuis combien de temps n'avait-elle pas été câlinée avec tendresse par quelqu'un d'autre que tante Margaret ? Comme c'était… bon.

Les yeux soudain noyés de larmes, elle ressentit une lourdeur étrange lui oppresser la poitrine. Mortifiée, Mair s'efforça de faire bonne figure, mais ne réussit pas à retenir ses larmes. Hector se rapprocha encore et la prit sur ses genoux. Personne ne l'avait vue pleurer depuis qu'elle était gamine, et maintenant qu'elle avait commencé, elle se sentait comme une rivière qui déborde, comme une fuite incontrôlable dans un tout-à-l'égout. Par chance, personne n'entra ni ne sortit à ce moment-là dans le hall du roi Pelayo. Hector demeura immobile, le visage de Mair enfoui dans sa chevelure, comme si le moindre changement de position risquait de lui faire percevoir combien la situation était embarrassante.

Peu à peu, Mair se détendit, se ressaisissant plus ou moins. Hector sortit un mouchoir propre impeccablement repassé de sa poche, et le bruit qu'elle fit en se mouchant résonna dans le silence du hall. Elle se laissa aller contre lui, en proie à une sensation étrange de panique mêlée de soulagement, comme une femme en train de se noyer qui aperçoit une planche flottant sur la mer agitée. Elle s'accrocha à ce radeau en écoutant le rythme régulier du cœur d'Hector battre contre son oreille.

Finalement, prise de crampes dans les pieds, Mair redressa la tête.

— Qu'est-ce qu'il y avait dans ce cidre ? Regarde-moi… Je raconte n'importe quoi.

Il lui rendit son regard en lui souriant tel un sage.

— Je crois que je vais monter me coucher, déclara-t-elle. Mais, je te remercie, c'était une bonne leçon d'espagnol.

Hector relâcha son étreinte, et elle se leva.

— Les choses vont en général mieux une fois qu'on a bien pleuré, dit-il. C'est le cas pour moi.

Puis il se tut une seconde, avant d'ajouter :

— J'imagine que ce doit être dévastateur de perdre sa mère.

Soudain, Mair se sentit honteuse de s'être laissée aller. La mère d'Hector était en train de mourir ; lui-même devait vivre un enfer, mais, Carmen lui ayant révélé la nouvelle en toute confidence, elle ne pouvait pas lui rendre le réconfort qu'il venait de lui apporter. Elle le dévisagea, se demandant pourquoi Hector ne lui en parlait pas. Elle lisait dans ses yeux qu'il avait peur. Néanmoins, quelque chose dans le ton de sa voix lui souffla de ne pas nier ce qu'il venait de dire.

— Oui, dévastateur. Mais, avec le temps, on s'en remet.

Cette phrase sonnait comme un mensonge. Bien qu'elle vienne de verser de vraies larmes, elle ignorait si elle pleurerait vraiment un jour ses parents. La colère avait cet effet-là : elle effaçait la tristesse. Et pour l'instant, parmi tous ceux qu'elle avait perdus, le seul dont elle voulait se souvenir était Geraint... l'homme qu'elle n'avait jamais rencontré.

9

— Qu'est-ce qu'elle a, cette femme ? demanda Pilar, fixant de ses yeux perçants la chemise de styliste d'un blanc aveuglant qu'Hector avait achetée récemment. Je parle du petit moucheron étranger que tu as ramené ici le mois dernier. Ce matin, elle m'a tenu la jambe dans la rue avec ses plaisanteries fatigantes... Elle voulait savoir si je m'étais souvenue de quoi que ce soit au sujet de je ne sais quel bonhomme.

Hector cessa de manger le sandwich à la tortilla que lui avait préparé Juana et le posa délicatement sur l'assiette.

— Je t'ai parlé de lui plusieurs fois, *abuela*. La *señorita* Watkins veut juste se renseigner sur son grand-père.

— Comment diable saurais-je quelque chose sur son grand-père ?

— Elle t'a donné un document le concernant, tu te rappelles ? Il s'est battu pour défendre Torre de Burros, il y a maintenant près de soixante-dix ans. Si tu as perdu le papier, je peux t'en apporter un autre, dit-il avec prudence.

— Quel papier ? fit Pilar, d'une voix aiguë de vieille dame qui ne lui était pas coutumière.

Hector était surpris. Si jamais quiconque oubliait les plus infimes détails de sa vie quotidienne, il pouvait compter sur Pilar pour les lui rappeler. Surtout s'il s'agissait de choses perdues ou égarées, mais également d'incartades, de factures impayées, de l'argent rangé dans la boîte en fer, d'ouvrages laissés inachevés, d'affaires pas ou mal nettoyées, tout comme des moindres draps, taies d'oreiller ou serviettes, et à qui ils appartenaient.

Juana se retourna devant l'évier où elle était en train de s'esquinter les mains dans l'eau bouillante, les sécha et sortit quelque chose de la poche de sa jupe en jean.

— Il est là, dit-elle. Je l'ai trouvé dans la manche du gilet que la señora m'a donné à laver ce matin.

Pilar lui arracha la feuille toute froissée de la main.

— Qu'est-ce qu'il fabrique dans ta poche, *gitana* ? Ne t'avise pas d'aller prendre des choses qui ne t'appartiennent pas, grommela-t-elle avec colère.

— ¡ *Mama* ! s'exclama Adelaida avec une sévérité surprenante.

Hector était stupéfait et ravi de voir que sa mère était moins disposée à accepter le sale caractère de la vieille dame. Curieusement, bien qu'elle ait l'air épuisée et abattue, Adelaida se montrait plus sûre d'elle, pour ne pas dire impudente.

Pilar se pencha au-dessus du papier posé sur la table et observa la photo.

— Je n'ai aucune envie de me rappeler cette époque épouvantable, mais tu peux dire au petit moucheron coiffé comme un jeune coq que je me souviens vaguement de cet homme. La plupart des

176

gens d'ici le connaissaient, précisa-t-elle avec un air content d'elle agaçant. Il lui manquait une jambe. Elle avait été arrachée. Tu n'auras qu'à lui dire ça.

Ça alors ! Finalement, la vieille savait quelque chose sur Geraint, songea Hector. Une jambe arrachée... Quelle horreur ! Était-ce une chose que Mair aurait envie de savoir ? Enchanté à l'idée qu'il soit possible que Pilar ait gardé un souvenir de cet homme, il ne put toutefois s'empêcher de mettre en doute la fiabilité de sa mémoire.

— Comment ça ? Il avait sauté sur une bombe ? Et il a survécu ?

— Il a survécu à la perte de sa jambe, en tout cas. Même si, comme combattant de la guérilla, il était fini. De toute façon, cet homme était un *bandolero*... rien d'autre qu'un bandit.

Bien que ses espoirs soient à présent enflammés en pensant à Mair, la suffisance et l'insensibilité de son *abuela* l'exaspéraient.

— Est-ce que tu raconterais ça à la *señorita* Watkins ? Elle voudra entendre sur lui tout ce dont tu pourras te souvenir.

— Bah... pourquoi voudrais-je me souvenir ? s'énerva Pilar.

— Fais-le pour moi, supplia Hector.

— Arrête de vouloir te faire bien voir de cette femme ! aboya Pilar. Son grand-père, c'est son affaire.

— Je vois...

Quelque chose de désagréable se mettant à bouillir au fond de lui, Hector lança :

177

— Et mon grand-père à moi ? C'est mon affaire, ça ! Si tu te souviens de Geraint Watkins, tu dois bien te rappeler l'homme qui t'a mise enceinte !

Dans la pièce, tout le monde cessa de respirer. Hector, qui n'en revenait pas lui-même de ce qu'il venait d'oser dire, perdit un peu de sa bravade.

— Tu pourrais peut-être me donner un nom. Juste son nom.

— Espèce de petit imbécile insolent ! s'écria Pilar. Je t'ai déjà dit de ne jamais me poser ce genre de question. Jamais je ne révélerai les horreurs que j'ai endurées dans ma jeunesse. Enfonce-toi bien ça dans ton crâne d'abruti !

La vieille dame tremblait. La sortie indélicate d'Hector l'avait mise dans une fureur noire.

— N'as-tu donc aucun respect ?

Hector tremblait lui aussi. Sa grand-mère avait raison. Il lui était arrivé quelque chose : en effet, il avait perdu tout sens du respect. Il en avait assez d'être traité comme un imbécile. Il ne savait que trop bien ce que Pilar pensait de lui : un homme mentalement retardé, moralement faible et déficient sur le plan spirituel. Non, pas un homme, un enfant. Pilar lui avait toujours conseillé de se montrer humble et effacé, et, par-dessus tout, de se taire ; de ne jamais discuter ni se lancer dans une conversation élaborée, de peur qu'il ne commette une offense ou ne fasse honte à sa famille du fait de son ignorance. Et de ne jamais défier personne, à commencer par Pilar. Elle prenait soin de ne pas dire ces choses en présence de *mama*, qui, elle, essayait toujours de lui donner confiance en lui. Mais, au bout du compte, Pilar était de loin la plus solide des deux, celle dont la voix résonnait le plus fort dans sa tête.

Cependant, cette fois, il ne se laisserait pas faire. Il regarda les deux femmes qui lui faisaient face et se rappela la mission qu'il s'était donnée. Il avait le sentiment que, en effet, il avait le droit de savoir, et il insisterait quitte à paraître offensant. Il se tourna vers sa mère.

— Et mon père ? C'est quoi, son nom ? Pourquoi ne parles-tu jamais de lui ?

Adelaida pâlit légèrement.

— Je te l'ai dit... Il était marié...

— Et alors ? Comment s'appelle-t-il ? Qu'est-ce qui se passe dans cette famille ? Pourquoi tous ces foutus secrets ?

— Assez ! hurla Pilar.

— Hector, pas maintenant, implora Adelaida.

Hector se leva et frappa du poing sur la table, faisant vibrer les assiettes et les verres.

— J'ai trente-quatre ans. Quand me jugera-t-on assez vieux pour m'apprendre d'où je viens ? Nous sommes entrés dans un nouveau millénaire, au cas où vous ne l'auriez pas remarqué ! Ce pacte du silence est tout à fait ridicule et injurieux... Vous ne le voyez donc pas ? Je t'en prie, *mama*, parle, je t'en prie !

Un silence complet retomba dans la cuisine, à l'exception du bruit que faisait le couteau avec lequel Juana était en train de couper un oignon sur la planche près de l'évier. Les bruits ralentirent, puis cessèrent. Personne ne bougea. Personne ne prononça un mot. Pilar se tenait toute raide, l'air absent, sa fourchette brandie en l'air comme une arme. Adelaida contemplait ses genoux, perdue dans ses pensées. Juana leur tournait le dos, les épaules voûtées comme si une catastrophe allait s'abattre sur elle d'une seconde à l'autre, ce qui n'était pas inconcevable étant donné qu'elle avait assisté à ce lamentable affrontement familial.

— Je n'ai pas l'intention d'en rester là, prévint Hector. Je ne laisserai pas tomber. Je vais aller poser des questions en ville. Vous ne me laissez pas le choix.

Puis il prit son sandwich et quitta la table. Dehors, il le balança dans un pot de fleurs avant d'entrer d'un pas furieux dans le pigeonnier. Là, il se changea, enfila sa tenue de vagabond et attrapa un sac en toile qu'il bourra de madones à l'Enfant Jésus entassées dans un carton. Il allait montrer à toutes ces femmes qu'il n'avait plus besoin d'elles. Ses pigeons se mirent à roucouler et à glousser, comme pour lui faire comprendre qu'il était idiot. Qu'il se comportait comme un enfant.

— Idiot ou pas, c'est exactement ce que je vais faire. Mettez-vous ça dans le bol et bouffez-le ! lança-t-il à ses vieux complices en refermant la porte.

Au moment où il s'apprêtait à franchir la grille donnant sur la ruelle, Adelaida sortit de la cuisine.

— Hector… attends !

Il s'arrêta et se retourna vers sa mère.

— Tu vas me le dire ?

Adelaida alla s'asseoir sur le banc devant le mur en pierre et lui fit signe de venir près d'elle. Hector soupira, referma la grille et la rejoignit. Dans le soleil qui éclairait le visage d'Adelaida, il vit quelque chose de différent, une résolution difficile à définir. Ses yeux brillaient d'un nouvel éclat.

Elle prit sa main entre les siennes.

— N'en veux pas trop à Pilar. Ça n'en vaut pas la peine. La façon dont ton *abuela* te traite fait partie de cette méthode archaïque d'élever les enfants. J'ai été élevée comme ça moi aussi, dit-elle avec soudain plus d'amertume. L'intimidation, le ridicule et l'écrasement de l'identité forgent un meilleur caractère, tu ne le savais pas ?

Hector la dévisagea.

— Peut-être que ç'a marché avec toi, *mama*, mais en ce qui me concerne c'est un échec. Je suis intimidé, ridiculisé, écrasé pour de bon, et je n'ai ni identité ni caractère. Si tu pouvais seulement me dire d'où je viens et me permettre de savoir qui je suis…

Il comprit en voyant son regard qu'elle souffrait, il s'interrompit une seconde.

— Tu es malade, *mama* ? demanda-t-il en l'attrapant par son bon bras, qu'il secoua avec force. Ne cherche pas à me protéger. S'il te plaît, dis-moi ce qui se passe !

Adelaida le regarda quelques secondes, l'air déchiré.

— Oui, je suis malade. Le cancer est revenu, mais j'ai de nouveaux médicaments qui me font beaucoup de bien. Je me sens une nouvelle personne.

Sur ces mots, Adelaida se leva, avant que son fils ait pu lui poser d'autres questions. Devait-il penser que ces nouveaux médicaments allaient la guérir ? Apparemment, c'était ce qu'elle voulait qu'il croie. Hector détourna les yeux et vit l'expression grincheuse de son *abuela* derrière la fenêtre grande ouverte. Si au moins elle avait été à moitié sourde, comme les autres vieux, il aurait pu avoir plus de conversations franches avec sa mère !

— Je t'aime, *mama*, murmura-t-il alors qu'elle repartait vers la cuisine.

Mais peut-être ne l'avait-elle pas entendu... En tout cas, elle n'avait toujours pas répondu à sa question.

Le parking de l'église était vide. Les pèlerins se raréfiaient. Les autocars devenaient moins fréquents. Comme si les gens ne cherchaient plus rédemption et secours que dans les vacances. Octobre était synonyme de revenus médiocres, surtout ces dernières années, où les gens semblaient faire passer leur travail avant leur salut. Ces temps-ci, Hector avait entendu dire qu'il était difficile de trouver un emploi dans les villes et que la concurrence était rude. Les gens devaient être ambitieux et concentrés, arriver au travail très tôt et en repartir tard. Ils étaient obligés de suivre des stages et de mettre leurs connaissances à niveau régulièrement. Résultat, il n'était pas bon de partir visiter les sanctuaires quand l'envie vous en prenait.

Il continua à traîner là, au cas où. Si seulement il arrivait à gagner suffisamment d'argent pour soulager le fardeau qui pesait sur sa mère, à lui offrir une pause, voire des vacances, et à verser un meilleur salaire à Juana, tout en ayant de quoi s'acheter une voiture ou une moto, de même qu'un ordinateur et un téléphone portable... Jusqu'à ce jour, il n'avait jamais eu l'usage d'aucune de ces choses ; il les avait

182

même fuies. Et voilà que brusquement tout cet attirail moderne lui paraissait attrayant et indispensable…

Toutefois, ce qu'il aimait le plus, c'était se perdre dans son monde, comme en cet instant : s'asseoir sur le parapet en contemplant le paysage, regarder le soleil se lever ou se coucher, suivre la formation des nuages tandis qu'ils roulaient, tourbillonnaient et se métamorphosaient, observer les pèlerins transpirer pour gravir les quatre-vingt-dix-neuf marches à genoux et les voitures monter et descendre la colline, le fourgon de la poste, les livraisons, les touristes esseulés… Aujourd'hui, il n'y avait pas la petite voiture de Rodriguez, et l'église resterait fermée pendant la durée de son déjeuner. Une des bagues de la Vierge avait été volée. Une offrande faite à la Vierge par le maire de Medina del Valle, un homme très important dont le fils de dix-sept ans souffrait d'une maladie en phase terminale. À en croire le comité chargé d'administrer les affaires du sanctuaire, la bague possédait une immense valeur, à la fois en raison de son histoire et de la rareté de ses pierres. On se renvoyait la balle pour déterminer qui était responsable d'avoir laissé perpétrer un vol aussi extraordinaire. Personne ne doutait que le coupable était un professionnel de grand talent et d'une extrême agilité, dans la mesure où la bague avait été subtilisée à une telle hauteur, en plein jour et derrière une enceinte fermée à clé. On soupçonnait une bande organisée, ou bien une opération en interne. Par le passé, il était déjà arrivé que des bijoux aient été dérobés à la Vierge, mais le vol de cette bague si singulière avait pris une importance sans précédent. L'affaire avait éveillé l'intérêt du Vatican (le pape en personne était venu rendre hommage à la Vierge en 1987). La bague en elle-même devait déjà être loin, à Londres, à Paris ou à New York, et avoir été vendue à quelque Arabe fortuné. Pour comble de malheur, le fils de l'alcade était mort quelques jours après qu'il eut fait le don, de sorte que l'offrande avait été faite en vain, même si l'on prétendait que les façons qu'avait la Vierge d'intervenir étaient toujours mystérieuses.

Au bout d'un quart d'heure, la voiture de Rodriguez se gara sur le parking en crachotant, et, une minute plus tard, deux minibus commencèrent à gravir la colline. Rodriguez descendit de voiture et alla rejoindre Hector près du parapet.

— Putain de bordel, dit-il élégamment. Regarde-moi ces misérables autocars... Est-ce que ça va nous rendre riches, je te le demande, hein ?

Depuis peu, son attitude envers Hector avait changé, en raison, semblait-il, des misérables euros que ce dernier avait fini par partager avec lui. Cette fausse amabilité hérissa Hector. Il préférait de loin les insultes – au moins, elles étaient sincères.

— Pourquoi tu me poses la question ? railla-t-il. À t'entendre, je suis l'idiot du village. Comment le saurais-je ?

Rodriguez lui tapota le dos de sa main velue.

— *Venga, venga*, ne sois pas vexé ! Regarde, c'est une belle journée, non ? fit-il en levant un long bras vers le ciel, puis en caressant l'appareil qui pendait autour de son cou. Assez belle pour faire des photos, tu ne crois pas ?

Hector haussa les épaules et lui tourna le dos.

184

Rodriguez revint à la charge.

— Nous sommes associés, mon vieux. Est-ce qu'il ne vaut pas mieux coopérer ? On forme une bonne équipe, *sí* ?

— Non, pas du tout. Qu'est-ce qui te pousse à croire que deux idiots valent mieux qu'un ?

Pour une obscure raison, Rodriguez refusa de se froisser. Il partit d'un grand éclat de rire, comme si Hector venait de lâcher une plaisanterie extraordinaire qu'ils étaient les deux seuls à pouvoir comprendre.

— Écoute, fit-il en prenant Hector par le bras, je voulais te demander une chose... La petite qui travaille pour ta mère, la gitane... Elle me plaît bien. Un savoureux petit lot, si on les aime foncées, ha, ha, ha ! ajouta-t-il d'une voix rauque sur un ton de conspirateur.

Puis il écarta tout grands les bras, histoire de montrer l'étendue de sa générosité en même temps que son souci de ne pas empiéter sur les plates-bandes d'un autre.

— Si tu la baises déjà, je ne m'imposerai pas. Mais si ce n'est pas le cas...

Rodriguez tendit ses paumes ouvertes dans un geste de solidarité machiste.

— ... ou si ça ne te dérange pas de partager, moi non plus.

Hector, qui ne s'était que très rarement montré agressif envers Rodriguez ou n'avait fait preuve de violence à son encontre, sentit son poing se contracter et fut pris d'une envie irrépressible de lui écraser les os du visage. En même temps, surpris, il prit du recul de manière à appréhender ce nouveau

185

phénomène. Au fond de lui, il ressentait une rage sourde. Un sentiment puissant, auquel il savait cependant qu'il ne devait pas céder. Une fois libérée, cette colère échapperait à son contrôle, et bien que frapper Rodriguez eût été un bon exutoire, sa priorité était de protéger Juana de ce sale porc. Elle n'avait que quatorze ans (son âge était un secret entre eux deux), mais Rodriguez s'en ficherait, bien au contraire. Il les aimait jeunes, les garçons comme les filles.

Rodriguez avait dû flairer le danger dans son regard, car il haussa les épaules avec nervosité.

— D'accord, d'accord ! Je ne savais pas que tu y tenais à ce point. Oublie-la. Mon deuxième choix serait la petite dame étrangère, celle qui a la Coccinelle jaune. Tu ne te la tapes quand même pas elle aussi ?

— Immonde pervers, je vais t'arracher les couilles avec un couteau à désosser ! siffla Hector entre ses dents serrées.

Cette fois encore, Rodriguez haussa les épaules et leva les yeux au ciel.

— Tu veux les deux pour toi tout seul ? Eh bien, c'est ce qu'on verra... Ça ne dépend quand même pas que de toi, pas vrai ?

Là-dessus, il partit s'occuper des deux autocars que l'on entendait arriver péniblement au sommet de la route.

Hector le rappela.

— Si tu t'avises seulement de regarder l'une ou l'autre, je te dénonce à la police, sale pédophile tordu qui les prend au berceau ! Mieux, je te tuerai de mes mains, et avec grand plaisir ! Tu entends ce que je te dis ?

Rodriguez lui jeta un regard par-dessus son épaule, saisi cette fois d'une réelle frayeur. Hector paria qu'il ne viendrait plus l'embêter, mais il ne s'en estimait pas pour autant satisfait. Ce type pouvait encore embêter des enfants. Sa place était en prison ; pourquoi personne ne l'y avait-il encore envoyé ?

Le moment était venu pour Hector de jouer son numéro habituel, mais la fureur que lui inspirait Rodriguez le perturbait, le distrayait. Il attendit que le concierge s'organise et aligne les deux autocars comme il le voulait. Non que cela eût la moindre importance – ils avaient l'air tout perdus au milieu de l'immense parking. Hector serra les dents, se courba en deux, puis avança en traînant les pieds.

Je ne sais pas ce que je fais accroupi là avec ces affreuses babioles en faisant semblant d'être un idiot, la seule étiquette qui me convienne vraiment est salopard malade je ne peux pas continuer comme ça. C'est grotesque... on devrait me pendre par les couilles... me cravacher... m'enfermer derrière des barreaux...

Alors qu'il tendait ses statuettes aux touristes, il aperçut la silhouette d'un garçonnet en jean et gilet rouge qui se promenait sur la place en donnant des coups de pied dans les cailloux. Une seconde plus tard, il se rappela qui il était et, affolé, se laissa tomber à genoux. Quelques pèlerins s'arrêtèrent en le regardant avec appréhension ; une femme s'approcha de lui avec sollicitude. Il lui fit signe de s'en aller, se mit en position accroupie et se dirigea vers la rue. Une fois arrivé dans la Calle Daoiz, Hector se redressa et se mit à courir, sans s'arrêter.

C'était comme s'il venait de se réveiller et s'était vu en train de se masturber devant une classe de maternelle. Quel genre d'homme était-il donc ? À quel misérable aveuglement sur lui-même s'était-il laissé aller ? Il n'imaginait pas plus grande honte que d'être vu par Mair Watkins tandis qu'il marchait là voûté comme un vieillard, babillant et souriant en forçant les pèlerins à lui donner de l'argent. Comment ses actes, ses choix pouvaient-ils être à ce point pervertis, comment pouvait-il continuer à s'abaisser de la sorte ?

Dans une ruelle, Hector s'arrêta le temps de reprendre son souffle. Les larmes aux yeux, il attrapa une madone qu'il écrasa dans sa main de toutes ses forces. Elle se ratatina comme une coquille d'œuf, la peinture de mauvaise qualité se craquelant sur le visage de la Vierge tandis que de petits fragments s'enfonçaient dans sa chair. Il replongea la main dans le sac et commença à écraser les statuettes l'une après l'autre, redoublant chaque fois d'énergie, les doigts implacables et déterminés, les muscles tendus par l'effort. Des sons bestiaux s'échappèrent de sa gorge. Du plus profond de son être, quelque chose jaillit. Il avait envie de s'ouvrir la gorge et de hurler, mais il se retint. Il jeta le sac à terre et le piétina. Bientôt toutes les madones à l'Enfant Jésus se retrouvèrent réduites en miettes, comme pulvérisées.

Hector s'éloigna du porche où il s'était abrité avec le sac qu'il venait de fouler et sauta par-dessus la rambarde en fer qui entourait la petite roseraie derrière la mairie. Là, il vida une poubelle remplie de vieux journaux, de tasses en polystyrène et d'autres détritus à brûler. Derrière le monument aux morts, il prépara un bûcher funéraire pour les madones. Déversant dessus le tas de statuettes brisées, il alluma le tout avec son briquet. Le bûcher flamba pendant plusieurs minutes, puis se rétracta et fondit, bientôt réduit à une masse noire toute durcie. Une brise soudaine souleva quelques flocons de cendre qui s'envolèrent au gré du vent.

Après le déjeuner troublant, suivi d'une dispute avec sa mère (au sujet d'Hector, comme d'habitude), Adelaida se mit en route pour la clinique. Elle se promena dans la ville en la regardant d'un œil légèrement différent. Lorsqu'elle passa devant la mairie, elle aperçut de la fumée s'élever derrière le monument aux morts. Voilà qui semble approprié, songea-t-elle avec malice, qu'ils partent donc en fumée… Le matin même, elle avait lu un article dans le journal. Au bout de près de soixante-dix ans, les gens commençaient enfin à se demander pourquoi seuls les combattants franquistes avaient droit à de tels honneurs, alors que des milliers de républicains enterrés dans des fosses au bord des routes partout en Espagne demeuraient dans l'oubli. « Un pacte du silence. » N'étaient-ce pas les mots mêmes qu'avait prononcés Hector ce matin ? Peut-être était-ce dans la nature de la nation de garder le silence, de dissimuler la vérité et d'avaler l'amertume, de laisser non dit et non fait ce qui aurait dû être dit et fait.

La clinique occupait le premier étage d'une vieille demeure dans une petite rue de Torre de Burros. La rue semblait trop exiguë pour un bâtiment d'une telle élégance, derrière lequel se trouvait un grand jardin. Récemment, le Dr Medina, le plus jeune de plusieurs générations de médecins, avait donné ce jardin à la ville afin qu'y soit créé un terrain de jeux pour les enfants. La maison appartenait à la famille Medina depuis des temps immémoriaux. Le rez-de-chaussée était loué à un cabinet d'avocats ; au premier étage, une femme belge excentrique à la sexualité ambiguë et ses deux « apprentis » transformaient des tissus d'occasion en une variété de jolies choses en patchwork qui se vendaient avec un certain succès dans une boutique destinée aux touristes et aux pèlerins. Le bruit de leurs machines à coudre s'entendait distinctement depuis la salle d'attente du Dr Medina.

Lorsqu'elle s'assit pour attendre son tour, Adelaida éprouva un malaise, une sorte de méfiance. Il lui arrivait la même chose chaque fois qu'elle se rendait à la clinique. La première pensée qui lui venait était pour le vieux Dr Medina, qui avait condamné et désapprouvé la naissance d'Hector. En outre, elle savait qu'à l'époque du grand-père de l'actuel Dr Medina, la clinique avait servi de prison, dans laquelle avaient été enfermés les détenus républicains. Entre ces murs, les morts violentes avaient dû être le lot quotidien. Et bien que les murs eussent été repeints dans une nuance coquille d'œuf, et les meubles sombres et lourds remplacés par un mobilier blanc minimaliste, des plantes luxuriantes et un éclairage moderne raffiné, la clinique n'en paraissait pas moins habitée par toutes sortes de fantômes.

Lorsqu'on l'appela dans le bureau spacieux et assez imposant, Adelaida dut se rappeler que le jeune médecin était un homme bienveillant et avait le sens de l'humour, deux qualités dont avait été dépourvu son père. Elle s'était laissé dire que ces deux-là étaient en tel désaccord que le jeune homme avait préféré partir travailler à l'étranger. À présent que son père reposait à deux mètres sous terre, il était rentré reprendre son cabinet. On racontait que son retour n'était pas dû à la mort de son père, mais à une dépression nerveuse à la suite d'une rupture avec un homme. Cependant, les histoires comme celle-ci étaient légion à Torre de Burros, notamment sur les jeunes gens qui partaient sur leurs grands chevaux pour revenir ensuite la queue basse et vaincus par le monde sous ce rocher au sommet duquel régnait la Vierge impérieuse.

Le Dr Medina invita Adelaida à s'asseoir, puis lut les notes de son dossier sur son écran d'ordinateur, ses lunettes perchées au bout du nez. Ses cheveux roux bouclés étaient un peu longs pour un médecin, et sa cravate était ornée d'une profusion de fleurs jaunes minuscules sur un fond bleu azur. La cravate la fit sourire et lui enleva un peu de sa tension. Au bout de quelques minutes, le médecin releva la tête et lui posa la question à laquelle elle s'attendait.

— Alors, ma chère doña Adelaida, je vois que vous n'avez pas répondu aux multiples convocations de l'hôpital vous engageant à commencer de nouvelles séances de chimiothérapie. Je serais intéressé de savoir pour quelle raison vous refusez le traitement que l'on vous propose.

Il n'avait l'air ni furieux ni déçu, mais simplement comme il l'avait dit : intéressé.

— Vous devez savoir à quel point c'est pénible, répondit Adelaida avec prudence.

— En effet, dit-il, attendant la suite.

— Et, à dire vrai, j'ai été encore plus malade après avoir subi une première série.

— Si vous le dites… Expliquez-moi comment.

— Bon sang ! s'exclama Adelaida. Qu'est-ce que vous feriez, vous… si vous étiez malade ?

Le Dr Medina retira ses lunettes et se cala dans son fauteuil. Il semblait réfléchir sérieusement à sa question. Au bout d'un instant, il demanda :

— Vous voulez vraiment le savoir ?

— Absolument.

— Si c'était moi, je vendrais ma maison et ma voiture, la clinique, mes livres et mes meubles, sans en garder un seul, après quoi je m'achèterais une puissante moto, ainsi qu'une grosse quantité de cocaïne et de morphine…

Il se tut une seconde, l'air songeur.

— Je ferais le projet de partir quelque part au bout du monde. Je préparerais un itinéraire vraiment intéressant, limite dangereux. Vous savez, dans des pays où votre vie ne vaut pas deux pesetas. Ce serait sans importance. Je me sentirais libre.

Adelaida le dévisagea, stupéfaite. De toute évidence, il avait déjà réfléchi à la question. Elle se détendit un peu.

— Cette solution vaut pour vous parce que vous êtes seul. Avant de pouvoir faire une chose pareille, j'ai des personnes à charge dont il faudrait que je m'occupe. Dans mon cas, une mobylette devrait suffire, et je marcherais plutôt au gin qu'à la cocaïne... à moins que vous en ayez à me donner.

Elle se mit à rire, s'imaginant dans un grand manteau avec ses cheveux gris flottant au vent, et le médecin rit à son tour. Puis il remit ses lunettes.

— On regarde un peu ?

Adelaida ne voulait pas priver le médecin de son pouvoir ; après tout, il avait fait de son mieux pour l'aider jusque-là. Elle accepta de se laisser examiner et passa derrière le rideau pour retirer ses vêtements, pendant que le médecin allait chercher son infirmière. Dès qu'ils furent tous rassemblés, le médecin examina son sein solitaire. Il avait l'air encore bien, mais c'était ce qui pouvait être tapi en dessous qui était inquiétant.

— Catarina dit que j'ai les poumons pris.

La phrase lui avait échappé, et elle rougit jusqu'aux oreilles.

— Catarina, répéta le médecin.

Visiblement, il avait entendu parler d'elle. Il hocha la tête avec intérêt et promena son stéthoscope sur sa poitrine, puis dans son dos.

— Catarina pourrait avoir raison...

Le médecin recouvrit sa patiente d'un drap, se tourna vers l'infirmière et lui demanda poliment de les laisser. Quand elle referma la porte, il regarda Adelaida.

— Vous sentez-vous suffisamment informée sur votre maladie pour décider de ne pas suivre de chimiothérapie ? lui demanda-t-il, apparemment préoccupé par la progression de son cancer. Posez-moi toutes les questions que vous voudrez, et je vous répondrai franchement.

— Je ne peux pas lutter contre cette maladie et je ne supporte pas le traitement conventionnel, expliqua Adelaida. Catarina me donne une potion très forte, et si ça marche, ça marche. Peu m'importe... Au moins, la douleur est beaucoup plus supportable. Et mon énergie me revient par moments.

Elle trouvait juste de défendre la vieille *bruja*, dans la mesure où sa potion semblait miraculeuse, aussi bien sur le plan mental que physique.

— En fait, il m'arrive souvent de me sentir plutôt... transportée de joie, et même imprudente. J'ai fait...

Adelaida s'interrompit et rougit de nouveau.

— Oui ?

— ... des choses très folles.

— Voilà qui me paraît intéressant, dit le médecin en la regardant d'un air curieux. Souhaitez-vous m'en parler ?

— C'est comme si mes mains faisaient des choses que mon esprit réprouvait... Je n'arrête pas de me surprendre. Quelquefois c'est bien, mais, de temps en temps, c'est carrément scandaleux.

— Est-ce qu'il a un nom ?

— Si seulement ! s'esclaffa Adelaida. Malheureusement, il ne s'agit de rien de ce genre.

— Eh bien, en tout cas, vous vous amusez comme vous le pouvez. Maintenant, au cas où la potion de Catarina ne ferait plus effet, j'ai quelque chose de plus fort à vous donner. Souffrir est inutile. Souvenez-vous-en. La douleur n'a aucune vertu.

Adelaida se rhabilla derrière le rideau. Au moment où elle s'apprêtait à prendre congé du médecin, elle s'attarda devant son bureau. Ses consultations étaient terminées, et elle ne voulait pas le retenir plus longtemps. Néanmoins, elle ne put s'empêcher de lui poser une question.

— Docteur... Est-ce que vous avez conservé les archives de votre père ?

Le jeune médecin, qui n'était plus si jeune bien qu'il ait l'air d'un adolescent, lui fit signe de se rasseoir et dit :

— Oui, la plupart sont encore ici, dans des cartons, au grenier. Pourquoi cette question ?

— Votre père m'a accouchée de mon fils, Hector.

— J'ai entendu parler de votre fils, mais il n'est jamais venu me consulter. Il doit être en excellente santé.

Le médecin tapota le clavier de son ordinateur, ouvrit le dossier d'Hector dans lequel il n'y avait manifestement aucune entrée depuis de longues années. Néanmoins, il observa l'écran un long moment avant de se tourner vers elle.

— Vous savez, je n'ai pas le droit de parler de son dossier médical. Hector est un adulte, et je suis tenu par le secret professionnel.

— Alors... puis-je vous poser une question au sujet de son... problème ?

— Je vous écoute.

— Ma mère est convaincue que son caractère a subi des dommages à cause de générations de croisements consanguins. C'est que, voyez-vous, une de mes amies a promis de le prendre sous son aile... le jour où je ne serai plus là. Et j'aimerais lui donner une idée claire de ce à quoi elle peut s'attendre – sur le long terme. J'ai lu des choses sur l'autisme, les troubles bipolaires, le déficit d'attention, l'hyperactivité et je ne sais quoi encore...

Le Dr Medina se renfonça dans son fauteuil et sourit. Un sourire sans aucune condescendance, bien qu'il ait l'air amusé.

— C'est une manie terrible... de mettre des étiquettes médicales sur un comportement qui n'a rien de conventionnel. Les géants pharmaceutiques en raffolent. Car tout ça fait vendre des pilules. J'ai aperçu votre fils en ville, or il m'a fait l'effet d'un beau spécimen en parfaite santé, quoiqu'un brin excentrique, et un peu trop maigre. Est-ce que c'est un rebelle ? Un fils à sa maman ? Peut-être faut-il qu'il grandisse encore un peu ?

— Il a trente-quatre ans ! lâcha Adelaida. Au nom de la Vierge, quand un homme finit-il de grandir ?

Le médecin continua à sourire d'un air exaspérant.

— Je vous répondrai le jour où j'en serai là.

— C'est uniquement à cause de lui que la mort me fait peur, dit Adelaida.

Le sourire s'effaça. Le Dr Medina posa sur elle un regard qui, bien que bref, la transperça. Elle se rendit compte à quel point il la comprenait. Et la compassion qui émanait de ce regard fugace la toucha au plus profond.

— Il est sans doute sage de préparer son avenir sans vous, mais je parie qu'Hector apprendra très vite à se débrouiller tout seul. Les êtres humains s'adaptent extrêmement bien. Il grandira intelligemment. Dites-lui que, s'il en a envie, je suis là pour parler avec lui en toute confidence, maintenant ou plus tard.

— Je le lui dirai. Merci.

Adelaida, qui aurait voulu embrasser le médecin, lui serra la main avec chaleur. Il la raccompagna à la porte.

— N'oubliez pas… si la douleur empire, appelez-moi. À n'importe quelle heure du jour ou de la nuit.

Lorsqu'elle sortit dans la rue, elle se sentit envahie d'une douce sensation. L'affection soudaine que lui avait inspirée le médecin avait éveillé en elle quelque chose, qui n'était pas dépourvu d'une certaine concupiscence. Elle éclata de rire en imaginant cet homme élancé sur une puissante moto vrombissant à travers des déserts et par-delà des montagnes, penché sur son guidon comme pour défier la mort, pourchassé par des tribus et des bêtes sauvages, et planant tel un cerf-volant après avoir pris un cocktail de drogues. Si seulement elle pouvait en faire autant, chevaucher vers le soleil couchant et laisser ses soucis derrière elle ! Être frivole, imprudente et jeter l'argent par les fenêtres… Se débarrasser de sa robe affreuse et de ses chaussures éculées, revêtir des soies magnifiques… Aller au cinéma, au théâtre, au restaurant… Manger des plats sublimes préparés par de grands chefs et servis par des garçons… Descendre dans des hôtels avec salle de bains privée et regarder la télévision au lit… Boire et fumer à n'en plus pouvoir, lire des romans salaces et faire des mots croisés en parfaite impunité… Dépenser jusqu'au dernier de ses euros durement gagnés, et ensuite, lorsque son corps et son esprit n'en pourraient plus, avaler une pleine poignée de pilules avec une bouteille de Campari et s'allonger en attendant de sombrer dans un paisible et irréversible néant...

Adelaida s'arrêta au coin de la rue, sortit son porte-monnaie et regarda ce qu'elle avait dedans. Il contenait le billet de cent euros qu'Hector lui avait donné le matin – Dieu le bénisse ! –, ainsi que cent autres euros que Carmen lui avait remis l'autre jour en règlement du dernier lot de linge (en liquide, de manière à éviter les impôts – une idée de Carmen).

Quelque part dans un coin de sa tête se profila la source éventuelle d'une fortune, celle-là même qui se languissait, sans être utile à personne, au sommet de l'armoire en pin de sa cuisine. Non, la vendre, s'en servir pour son propre plaisir, ce serait aller trop loin. Bien que gagnée par un remords tenace de la savoir là, sachant que, en théorie, elle avait mal agi, elle n'était bizarrement pas prête à la rapporter de là où elle n'aurait jamais dû bouger. Elle se rendit compte qu'il lui faudrait pour cela l'aide d'un autre mécréant, mais elle repoussa l'idée pour l'instant. Elle se sentait d'humeur à éprouver son degré de délinquance, à voir ce que c'était d'être simplement *mauvaise* après avoir passé sa vie à tenter d'être bonne. Les dénis et le dur labeur ne l'avaient en rien rapprochée de Dieu, elle commençait même à s'interroger sur l'existence d'une telle entité. Il ne l'avait pas empêchée de voler la bague, ni n'avait rien fait pour la punir... du moins, jusqu'à présent.

Adelaida traversa la rue et tourna dans la Calle Daoiz. Au bout se trouvait un nouveau magasin de confection pour dames qui appartenait à un homme dont le nom avait une consonance arabe. Non sans étonnement, elle s'aperçut que ses pas la menaient vers cette boutique. Elle toucha plusieurs vêtements, un peu mal à l'aise, mais le propriétaire se montra accueillant et charmant. Les vêtements vendus là étaient à la mode, très colorés et plutôt chers... et alors ?

Le commerçant lui posa quelques questions polies. Adelaida n'avait aucune idée de la taille qu'il lui fallait, et il y avait des années qu'elle ne s'en souciait plus, d'autant que, par le passé, elle avait eu l'habitude de faire faire ses vêtements chez une couturière locale – le prêt-à-porter n'était arrivé que tardivement à Torre de Burros. Après lui avoir demandé la permission, l'homme s'agenouilla devant elle afin de mesurer son tour de taille et de hanches à l'aide d'un mètre de couturier, puis hocha la tête d'un air satisfait.

Lorsqu'il lui eut montré plusieurs robes qu'il pensait pouvoir lui plaire, il secoua la tête en prenant un regard navré.

— *Señora*, me trouveriez-vous très mal élevé si je vous conseillais un autre style de... lingerie ?

Adelaida redressa vivement la tête, mais le visage attristé du commerçant témoignait de sa préoccupation sincère (quoique sans doute aussi commerciale).

— De quoi voulez-vous parler ?

— Dans votre état, ce soutien-gorge n'est pas ce qu'il y a de mieux, dit-il, ses mains se tortillant en mimant la mortification. Vos atouts ne sont pas à égalité, *señora*. S'ils ont l'air d'être de travers... c'est uniquement à cause de ce soutien-gorge qui ne convient pas.

Environ une heure plus tard, Adelaida était installée confortablement dans un des fauteuils pivotants du *salón de belleza* Marisa, une tasse de café à la main. En se regardant dans le miroir, elle nota que ses seins étaient désormais au même niveau. Elle se sentait contente d'elle d'une manière qui frisait l'indécence, comme si elle s'en sortait par une escroquerie affreusement malsaine. Elle prit une cigarette américaine dans le superbe paquet rangé dans son sac. À ses pieds étaient posés deux sacs en luxueux papier glacé sur lesquels était imprimé Modas Femininas en gros caractères roses.

La voix d'Adelaida se teinta d'une note téméraire lorsqu'elle dit à Marisa (qui, par chance, venait d'avoir un rendez-vous annulé) :

— J'ai un défi pour toi : rends-moi séduisante !

Marisa eut un sourire un brin condescendant.

— Comme Carmen ? suggéra-t-elle, sachant que les deux femmes étaient amies.

— Ah non ! fit Adelaida d'un ton ferme. Je veux avoir l'air moderne. Élégante et moderne. Et recolore-moi en brun. Un brun noisette profond. Comme je l'étais autrefois.

— Avec des mèches ? demanda la coiffeuse, toujours attentive à la vanité des femmes, en commerçante avisée qu'elle était.

Le chignon fut débarrassé de ses épingles puis défait. Adelaida avaient des cheveux longs et fins, avec des pointes fourchues. Une jeune apprentie lui fit un bon shampooing en lui massant voluptueusement le cuir chevelu. Après quoi Marisa sortit ses ciseaux et coupa la chevelure de sa cliente à la hauteur de l'oreille. Une profonde satisfaction envahit Adelaida lorsqu'elle vit ses tresses grises tomber à terre comme les feuilles mortes à l'automne.

10

Après l'arrestation à l'aube de Clemente et de Claudia, Pilar jeta ses affaires dans un balluchon improvisé à l'aide d'une taie d'oreiller. Elle fouilla en vitesse la maison de son oncle et trouva un peu d'argent dans la poche de son manteau. Histoire d'apaiser sa conscience, elle chercha partout d'éventuels papiers, brochures ou autre propagande impie qui risqueraient de les compromettre dans l'intention de les brûler, mais Clemente et Claudia avaient été prudents, car elle ne trouva rien. À sept heures du matin, Pilar se mit en route pour Montelinda avec Adelaida qui se débattait dans ses bras. L'autocar quotidien qui desservait Torre de Burros était son dernier recours. Elle pria pour que don Alfonso Gutiérrez l'accepte chez lui, bien que lui-même et sa famille ne soient pas à l'abri du danger. Clemente lui avait raconté qu'il avait soutenu la « trahison » du colonel Aranda à Oviedo et s'était fait de puissants ennemis, mais il était le seul à pouvoir lui offrir un toit. Et Clemente ne lui avait-il pas dit qu'il ne se passerait maintenant plus guère de temps avant que les nationalistes ne franchissent les cols de montagne vers le sud ?

En descendant de l'autocar, Pilar se mit à la recherche de la maison de don Alfonso. Elle ne s'y était rendue qu'à deux reprises – la dernière fois, c'était pour venir chercher sa mère déjà mourante. La famille avait pressé jusqu'à la dernière goutte d'énergie de mama, l'avait fait travailler jusqu'à ce qu'elle ne puisse plus tenir debout et avait alors appelé au couvent pour qu'on vienne la chercher.

La maison imposante, située en plein sur la place, n'était pas difficile à trouver. Une domestique à l'air effrayé ouvrit la porte, mais, rassurée par cette femme qui portait son enfant, elle appela sa maîtresse. Un instant plus tard, doña Esmeralda écoutait ce que Pilar avait à lui dire. Certes, sa mère avait été une servante fidèle, Esmeralda ne prétendait pas le contraire, mais maintenant qu'elle était morte, leurs obligations s'arrêtaient là. L'idée que la famille se devait de recueillir l'un ou l'autre de ses enfants et petits-enfants était grotesque. Esmeralda était une belle femme d'environ quarante-cinq ans, légèrement empâtée, mais très bien habillée. Son mari, qui possédait des mines et avait reçu une formation de juriste, était à la tête d'une immense fortune.

Alors qu'Esmeralda était sur le point de refermer la porte, Pilar avança la main pour l'en empêcher.

— Pourrais-je parler à votre mari ?

— C'est inutile, répondit Esmeralda avec froideur. Je peux parler en son nom. Ce n'est pas un bon moment pour accueillir des vagabonds.

— Je peux faire le travail de ma mère. Je travaillerai dur en échange d'un toit. Le gîte et le couvert, rien d'autre.

Esmeralda parut hésiter. La mère de Pilar avait été une travailleuse acharnée, dévouée et dotée d'un grand sens du sacrifice.

— Revenez d'ici deux heures, dit-elle. J'en parlerai à mon mari quand il aura terminé de déjeuner.

— Merci, dit Pilar, bien qu'elle fût consternée.

Quelle femme, mère elle-même, enverrait une malheureuse épuisée et son bébé transportant tout ce qu'elle possédait dans un balluchon attendre sur un banc de parc en pleine chaleur ? Néanmoins, Pilar alla sur la place où elle s'assit sous le vieil if. Au pied du vieil arbre, deux petits chiens jouaient dans la poussière, et le spectacle amusa Adelaida, qui se contorsionnait pour échapper à l'étreinte de sa mère. Un bel hôtel, la pension Pelayo, attira le regard de Pilar. Elle n'était jamais allée dans un hôtel, mais pour une fois elle aurait bien voulu. Ne rien devoir à personne, se glisser entre des draps blancs, sombrer dans l'oubli… Tout à coup, elle eut une idée. Il lui suffisait de louer une chambre pour une nuit avec le peu d'argent qu'elle avait volé, et elle trouverait l'oubli, le véritable néant, pour elle-même et Adelaida. Cependant, il n'y aurait pas de néant, car le suicide était un péché, un crime contre le Seigneur et la foi, et qu'était-il réservé à ceux qui commettaient un tel péché ? La foi de Pilar était trop profonde pour qu'elle doutât de l'existence de l'enfer. Sa mort devrait attendre.

Elle était en train de donner le sein à Adelaida sur un lit plus que confortable. La chambre qu'elle occupait dans la maison de don Alfonso était étroite et tout en longueur, mais agréablement meublée. En dépit du chaos et du désordre qui régnaient dans la rue, et qu'elle percevait par la petite fenêtre ouverte, Pilar se sentait relativement à l'abri. Elles étaient étendues l'une contre l'autre, le bébé niché au creux du bras de sa mère. En regardant la petite fille, âgée maintenant de six mois, Pilar reconnaissait que le sentiment maternel qu'elle éprouvait était inné, même s'il ne fallait pas entendre cet adjectif dans son sens ordinaire, tel que le ressentaient les autres femmes. Le bébé l'inquiétait en raison de sa confiance aveugle et de ses exigences. Pilar ne supportait pas ses besoins constants de nourriture et de soins, la façon dont elle se souillait sans retenue. La petite semblait tout prendre comme allant de soi sans rien donner en retour.

Pilar reporta son attention sur les bruits en provenance de l'extérieur. La pluie d'automne était ininterrompue. Des bottes martelaient les pavés mouillés, de l'eau s'engouffrait dans les caniveaux – un bruit métallique et discordant. Des soldats hurlaient des ordres sur un ton brutal, des femmes suppliaient ou pleuraient. Des hommes, abattus et vaincus, parlaient d'une voix basse affolée, s'expliquant, se justifiant ou implorant grâce. Les voix résonnaient entre les murs des maisons. Au loin, on tirait sans arrêt. Le matin même, les nationalistes, les troupes de Franco, avaient fini par prendre Torre de Burros, une victoire remportée avec difficulté compte tenu de la position de la ville. Les forces républicaines affaiblies avaient envoyé une petite unité en vue de la défendre. Ils avaient tenu trois jours, faisant dévaler des bidons remplis d'explosifs à flanc de colline et retenant les attaquants à coups de mortier et de mitraillette. Pour finir, l'aviation de la légion allemande Condor avait été envoyée afin de pilonner la ville. Et bien que cent *six civils eussent été tués au cours des bombardements, les vainqueurs qui parcouraient à présent les rues étaient d'humeur amère, vengeresse.*

Les bruits de la guerre pénétraient dans la chambre par la fenêtre ouverte et se mêlaient aux petits gémissements affamés de l'enfant qui tétait sa mère. Partout flottait une forte odeur de poudre et de fumée. Les maisons touchées par les bombardements continuaient de se consumer. Pour la troisième fois, Pilar entendit quelqu'un crier que la loi martiale avait été instaurée, intimant l'ordre à tout un chacun de rapporter les armes encore en sa possession. Refuser d'obéir était passible de la peine de mort. La voix du porte-parole était entrecoupée par le violent fracas des portes que des soldats enfonçaient à coups de crosse de fusils pour fouiller les maisons une à une. Pilar entendait les cris des hommes et femmes qu'on emmenait de force. Mais c'étaient les voix de ceux qui résistaient qu'elle entendait. Les autres, la plupart, ne protestaient même pas. Ils partaient à la mort dans un silence plein de dignité.

En un sens, Pilar était surprise de ne pas ressentir de pitié. Telle était la volonté de Dieu. Une dure leçon, sans doute, mais une leçon dont Ses ouailles se souviendraient. Et s'il était probable que des gens qu'elle connaissait avaient été tués, sa propre sécurité comme celle de son enfant étaient désormais assurées. La voix de don Alfonso lui parvint du rez-de-chaussée, résonnant avec autorité, alors qu'il menait une discussion tendue avec de jeunes soldats. La maison avait été fouillée à d'innombrables reprises. Don Alfonso avait laissé la porte grande ouverte et accroché un drapeau blanc à une fenêtre afin d'afficher sa loyauté envers les vainqueurs. Il était maintenant irrité et lassé de leurs intrusions. Pilar l'avait entendu expliquer et réexpliquer quel était son statut aux soldats, lesquels finissaient par s'en aller, mais il en venait sans cesse d'autres après ceux-là. Originaires du Sud, ces soldats ne connaissaient pas les habitants de la ville, même si certains étaient munis de listes auxquelles ils se référaient constamment lorsqu'ils vérifiaient les noms et les papiers d'identité.

Quelques semaines plus tôt, quelqu'un avait écrit FALANGISTA en grosses lettres noires sur la porte de la maison. Ils l'avaient découvert un matin en se réveillant. Toute la térébenthine qu'ils y avaient appliquée n'avait pas pu en venir à bout, et la peinture de mauvaise qualité que l'on trouvait ne parvenait pas à les recouvrir complètement, mais à présent ils étaient contents que les lettres soient restées visibles sur le vieux bois. En fin de compte, celui qui avait fait ça leur avait rendu un réel service. Être membre du Parti fasciste national ne mettait plus votre vie en danger ; aujourd'hui, cette appartenance faisait de vous un ami, et non plus un ennemi.

À la tombée de la nuit, la ville replongea dans un silence étrange. Les cris et les tirs avaient cessé ; de temps à autre, Pilar entendait des pas qui couraient à vive allure dans la rue. La maison était trop calme. Doña Esmeralda, la femme d'Alfonso, et leurs deux filles étaient parties séjourner chez des parents à Burgos, une ville tombée plus tôt aux mains des généraux rebelles. Les deux domestiques se terraient depuis plusieurs jours dans la cuisine, le visage blême de peur et tremblant pour leurs proches.

Don Alfonso monta l'escalier de son pas lourd. Pilar devina qu'il était fatigué. Il s'arrêta devant sa porte et

207

attendit quelques secondes avant de frapper. Pilar tenait toujours son bébé affamé au sein, mais, avant qu'elle ait pu le prévenir, don Alfonso entra dans la chambre. Elle se couvrit la poitrine avec son châle.

— C'est fini ? lui demanda-t-elle.

Il s'assit sur une chaise près du lit.

— Non. Ça ne fait que commencer…

— Que peuvent-ils faire de plus ici ?

— Ma chère enfant, la situation va devenir encore plus abominable, tu verras.

— Je pourrai rester ici ? s'enquit Pilar, craignant soudain qu'il ne soit venu la congédier.

Il allait de soi qu'elle serait interrogée sur Carlos, ou même battue, peut-être fusillée. Don Alfonso était sa seule protection.

Celui-ci sembla lire dans ses pensées. Il lui tapota la hanche et s'installa sur le lit à côté d'elle. De sa poche, il sortit une flasque et deux petits verres.

— Buvons un coup pour fêter ça. Le retour d'un peu d'ordre dans nos vies, enfin… En tout cas, maintenant, nous ne risquons plus rien.

Il remplit les deux verres à ras bord et en tendit un à Pilar.

— À notre santé, petite ! Y por la patria.

Pilar n'avait jamais bu d'alcool. L'eau-de-vie lui brûla la gorge.

— Ah non, quelle boisson infecte ! fit-elle en grimaçant. Tenez, buvez-le, dit-elle en lui tendant son verre.

— Non, bois-le, ordonna don Alfonso d'un ton autoritaire. C'est un toast.

Alors, elle obéit.

En quelques secondes, elle nagea en pleine confusion et éclata de rire. Il rit à son tour et lui remplit son verre. Pilar n'en voulait plus, mais il approcha le verre de ses lèvres et la força à boire. Doucement, il retira le châle de ses épaules. Le bébé s'était endormi sur son sein en laissant échapper le téton de sa minuscule bouche. Alfonso l'attrapa à pleines mains. Malgré la torpeur dans laquelle l'avait plongée l'eau-de-vie, Pilar se figea de stupeur.

D'un geste délicat, don Alfonso prit le bébé, qu'il déposa dans le couffin sur le sol, tandis que Pilar s'empressait de reboutonner son corsage. Il se pencha au-dessus d'elle et secoua la tête.

— Ouvre-le, dit-il. Et enlève-le.

Au bout de plusieurs secondes d'un silence gêné, elle fit ce qu'il lui avait ordonné, tout en le suppliant :

— Don Alfonso, ce n'est pas bien... C'est un péché. Il ne faut pas. Pensez à doña Esmeralda et à vos filles... Vous êtes un homme marié. L'adultère est un blasphème contre Dieu et la Vierge.

Il commença à défaire sa ceinture.

— Retire ta jupe et ta culotte, dit-il.

Un bref instant, Pilar décida de lui désobéir. De se lever, de partir en courant et de lui laisser le bébé, mais, dès qu'elle mit un pied par terre, don Alfonso la repoussa, de sorte qu'elle bascula en arrière, prise de vertige.

— Tu veux rester avec moi, non ? Allons, chica, ouvre tes jambes pour moi. Tu l'as déjà fait pour d'autres. Ton bébé en est la preuve.

— Non, jamais ! s'écria Pilar. J'ai été violée...

— Eh bien, cette fois, ce sera plus agréable, je te le garantis. Bon sang, détends-toi un peu ! Toi et moi pouvons nous donner du plaisir.

*Il l'aida à ôter sa jupe. Son sexe en érection ballot-
tait à chacun de ses mouvements. C'était la première
fois que Pilar voyait un sexe d'homme, et cette vision
l'horrifia. Mais, quand il lui écarta les cuisses, elle ne
lui résista pas : elle savait qu'elle n'avait pas le choix.*

*Don Alfonso s'agenouilla entre ses jambes, cracha
sur ses doigts pour humecter le bout de son sexe, puis la
pénétra lentement en poussant un long gémissement. Il
n'était plus tout jeune, mais baiser la fille de sa
servante morte semblait l'exciter au plus haut point.
Jusqu'à lui en faire oublier son âge. Il émettait un
grognement furieux chaque fois qu'il s'enfonçait en
elle, le lit grinçait… Pilar était certaine que les domestiques les entendaient. Pendant tout le temps que cela
dura, le bébé dormit à poings fermés.*

— Ne me retire pas la couverture ! protesta Pilar,
terrifiée.

— *Abuela*, je t'aide à rentrer ? Tu es dehors
depuis des heures.

— Ne me touche pas ! cria-t-elle en tirant la
couverture comme pour se protéger.

Puis elle ouvrit les yeux et aperçut le patio, les
géraniums, et, plus loin, la buanderie. L'homme qui
lui avait parlé n'était pas Alfonso, mais Carlos. Ou
plutôt, il ressemblait à Carlos, sauf qu'il paraissait
plus grand, là, debout, son long corps maigre courbé
au-dessus d'elle dans la lumière du crépuscule. Ses
yeux étaient plus bridés, son visage était déformé, et
ses cheveux avaient poussé. Pilar se recroquevilla de
frayeur lorsqu'il se pencha vers elle en lui prenant la
couverture d'un geste résolu.

— Ils vont t'arrêter... et t'exécuter... Ne t'approche pas de moi, Carlos !

— Qu'est-ce que tu racontes ? fit Hector, inquiet. Il est tard. Le soleil est couché, *abuela*. Rentrons.

Pilar frissonna. Il faisait froid, en effet. À quelle époque de l'année était-on ? Reprenant peu à peu ses esprits, elle se rendit compte que l'homme qui ressemblait à Carlos était en fait Hector, son petit-fils. Elle n'avait pas le choix, elle devait accepter qu'il l'aide à se lever de son fauteuil, seulement ses jambes étaient tout engourdies. Une envie subite d'uriner la fit se raidir, tandis que son cerveau retrouvait sa clarté habituelle.

— Bas les pattes ! aboya-t-elle, une fois levée.

Ses articulations gémirent de douleur lorsqu'elle traversa la cour d'un pas traînant pour aller vers la porte de la maison.

Dans la chaleur de la cuisine, Pilar fut victime d'une seconde apparition – celle d'une femme qu'elle n'avait encore jamais vue, bien qu'elle lui rappelât vaguement sa fille. Sauf qu'au lieu d'être vieille et mal fagotée, on aurait dit une version d'Adelaida en plus jeune, plus mince, avec une façon de bouger différente. Pilar n'avait pas le temps de s'interroger sur cette intrusion dans sa cuisine, mais, au moment où elle partit en titubant vers les toilettes, la femme lui lança :

— *Mama*, tu as passé un long moment à rêvasser. Ce n'est pas bon pour toi de rester assise dehors jusqu'au soir. Tu risques d'attraper froid.

Pilar s'arrêta et la dévisagea. La femme avait des cheveux châtains coupés court et portait une robe rose fuchsia qui retombait en plis soyeux à partir de ses hanches. Son rouge à lèvres était assorti au petit pendentif qui ornait son cou. Pilar reconnut le bijou sur-le-champ : une hirondelle incrustée de minuscules rubis rouge sang. Don Alfonso l'avait donnée à Adelaida, un cadeau de mauvais augure pour une petite fille, juste avant que Pilar ne prenne son enfant et ne quitte sa maison. Elle n'avait pas revu ce pendentif depuis des dizaines d'années. Et le voir là sur cette femme ne lui plut pas du tout.

C'est alors qu'elle aperçut le bras enflé, la main boursouflée, et comprit que la femme devait être Adelaida, sa fille, qui arborait des couleurs clinquantes comme un mannequin dans une vitrine ou une femme en mal de séduction. Il se passait quelque chose dans cette maison. Tout le monde changeait, se métamorphosait, devenait ridicule et insondable. Elle frissonna et se retourna, mais, avant d'avoir pu faire un pas, elle sentit un flot tiède couler le long de sa cuisse. Un juron à l'encontre de la Vierge de Miséricorde s'échappa de ses lèvres, la faisant vaciller de stupéfaction. Pour la première fois, elle prit conscience que son esprit et son corps étaient en train de la lâcher.

Adelaida était assise devant la table chez Catarina. Le chaton avait beaucoup grandi, mais il avait encore le droit de monter sur la table. Un panier coincé entre les genoux, la vieille dame arrachait les feuilles sèches d'une plante broussailleuse. Ses mains écrasaient et pétrissaient les feuilles, qui dégageaient une odeur âcre. Adelaida buvait une potion à lentes gorgées dans une petite tasse en fer-blanc.

— Est-ce que cette nouvelle herbe va me faire changer davantage ? demanda-t-elle. Bientôt, ma mère ne va plus me laisser entrer dans la maison.

Catarina secoua la tête d'un air consterné.

— Vous devez être exceptionnellement sensible aux ingrédients actifs. Regardez-vous… Vous avez changé au point d'en être méconnaissable.

— Je sais. Mon regard dissuade la Vierge de m'accorder sa pitié.

— Allons, reprit Catarina en souriant, vous m'avez plutôt l'air d'une femme qui s'offre du bon temps.

— C'est certain. Sauf que je dépense tout l'argent que nous avons si péniblement gagné.

— C'est à ça que sert l'argent.

Catarina se leva pour aller chercher un petit gâteau. Elle en coupa deux tranches, puis les déposa chacune sur une serviette.

— Mangez ça. Il y a là-dedans un petit quelque chose qui vous relaxera pour la journée et qui, peut-être, épargnera votre porte-monnaie, ne serait-ce que quelques heures.

— Dieu du ciel ! s'exclama Adelaida. Pourquoi ne suis-je pas venue vous voir plus tôt… par exemple, il y a des années ?

— Vous alliez bien. Vous n'en aviez nul besoin.

— Eh bien, c'est là que vous vous trompez, rétorqua Adelaida d'un ton sec.

Catarina se leva de nouveau et jeta les tiges dénudées de la plante dans son poêle à bois. L'odeur âcre s'intensifia.

— Respirez, ma fille ! L'huile que contient cette plante possède des propriétés fabuleuses.

Les yeux remplis de larmes, Adelaida se mit à tousser.

— Je préférerais une cigarette, si ça ne vous dérange pas.

— D'accord, mais asseyez-vous près du poêle.

Catarina attrapa le chaton, qu'elle caressa avec tendresse.

— Votre Hector aurait-il emprunté un peu de ma merveilleuse potion, lui aussi ? Je l'ai aperçu deux fois en ville, et il avait l'air très différent, aussi soigné qu'on peut l'être.

Les deux femmes pouffèrent de rire.

— D'ici peu, on verra votre mère mettre ses chaussures de bal pour aller danser !

— Je voudrais bien voir ça ! fit Adelaida en riant. Je crois qu'elle perd un peu la tête. On dirait qu'elle confond le passé et le présent. L'autre soir, quand elle est rentrée, elle ne m'a pas reconnue.

— Ce n'est guère étonnant.

— Mais elle est toujours aussi contrariante et acariâtre que d'habitude.

Adelaida se leva pour partir. Catarina déposa son nouveau flacon de potion toute fraîche dans un sac.

— Mangez plein de choses rouges et violettes. Du raisin, des baies, des aubergines, des betteraves… mais pas de chair morte. À part ça, amusez-vous, et revenez un jour avant de ne plus avoir de sirop.

Adelaida paya la vieille dame, puis l'embrassa sur les deux joues.

— Merci, Catarina. C'est vous, la vraie Vierge de Miséricorde. Si je le fais savoir autour de moi, tous les pèlerins feront bientôt la queue dans votre rue.

Catarina leva les bras au ciel.

— Doux Jésus, quelle idée !

Adelaida repartit chez elle. Un calme rassurant avait commencé à se propager dans tous ses membres. Sans doute était-ce l'herbe contenue dans le gâteau qui circulait dans son sang. Elle se sentait une envie ridicule de rire pour un rien, et pleine d'insouciance, quoique sans grande énergie. Elle passa devant un petit bar où elle entendit les hommes s'exclamer et crier devant un match de football. Bien que le bruit entamât un peu sa sérénité, elle décida de boire quelque chose en vitesse, le temps de se reposer un peu. Entrer toute seule dans un bar était une chose qu'elle n'avait jamais faite de sa vie, mais, depuis quelque temps, elle appréciait cette nouveauté, tout comme la sensation de sécurité qu'elle éprouvait lorsqu'elle s'aventurait dans ces domaines traditionnellement réservés aux hommes.

Elle écarta le rideau en plastique contre les mouches et descendit les quelques marches qui menaient à l'établissement, dans lequel régnait une fraîcheur de cave. De fait, les vieux garçons ne manquèrent pas de remarquer son entrée, puis dressèrent un sourcil étonné.

— Qu'est-ce que vous avez comme boisson pour dames ? demanda Adelaida au barman pas rasé.

— Un Coca-Cola ? proposa celui-ci en lui jetant un regard soupçonneux.

— C'est pour les enfants ! se vexa-t-elle. Du Martini ?

Le barman déplaça quelques bouteilles poussiéreuses alignées derrière lui sur une étagère et en prit une qui contenait un liquide foncé.

— Ça ira, dit Adelaida en acceptant la dose minuscule qu'il jugea bon de lui servir.

Elle alla s'asseoir dans un coin, à l'écart du bruit. Soudain, elle se sentit lasse. La douleur tapie dans sa poitrine avait beau être tenue à distance par les potions de Catarina, elle n'arrivait pas à l'oublier complètement. Elle se demanda combien de temps il lui restait à vivre. Sa vie telle qu'elle était à présent lui laissait une impression douce-amère. Elle avait fini par comprendre qu'elle était en dépression depuis de longues années, et que, pour la première fois depuis des décennies, elle trouvait du plaisir et du sens à son existence. En même temps, le fait de savoir qu'elle allait bientôt mourir aiguisait ce plaisir. Désormais libérée de ses chaînes, elle n'avait plus à se soucier de ce que les autres pensaient d'elle. Hector n'aurait pas à pâtir de sa réputation (dût-elle en avoir une), son nom pouvant difficilement être davantage couvert de boue. À vrai dire, cela risquait d'inspirer de la sympathie à son égard, voire de faire oublier les taches de son passé. Quant à ce que pensait Pilar, elle ne s'en souciait plus. Sa vie entière avait été guidée et contrôlée par sa mère, mais, dans les dernières semaines de sa vie, elle n'en tiendrait pas compte. Elle agirait comme il lui plairait.

— *Buenas tardes*, Adelaida.

En levant les yeux, elle eut la surprise de voir Rodriguez, le sacristain de l'église, qui, bien que tout petit, se penchait sur elle.

— Qu'est-ce que tu veux ?

Sans lui répondre, il tira une chaise et s'assit. Adelaida sentit les relents du déjeuner fétide qu'il prenait chaque jour chez sa sœur qui était veuve. Et,

216

bien qu'il donnât l'impression de s'être douché récemment, il avait l'air crasseux. Même quand il se rasait, sa barbe repoussait aussitôt, un poil dru qui bouchait chaque pore de sa peau. Des poils noirs frisés dépassaient du col et des poignets de sa chemise. Malgré elle, Adelaida imagina son corps velu et eut un mouvement de recul.

— Je ne t'ai pas demandé de t'asseoir.

— Mais tu vas le faire, rétorqua Rodriguez d'un air menaçant. Dans une seconde, tu me supplieras de ne pas m'en aller.

Adelaida le regarda longuement.

— D'accord. Crache ce que tu as à dire. Qu'est-ce que tu as dans ta manche... à part ce long bras poilu ?

— Ça dépend, répondit-il mystérieusement.

— De quoi ? s'agaça-t-elle en haussant les épaules. Je ne suis pas d'humeur à supporter ces petits jeux.

Rodriguez sortit une photo de la poche de sa chemise et la posa sur la table. Comme il faisait sombre dans le bar, Adelaida avait du mal à voir, mais, lorsqu'elle la regarda de plus près, elle eut un choc. La photo montrait une femme d'âge mûr en train d'enlacer la statue de la Vierge de Miséricorde, le pied sur celui de la sainte, la main sur sa main. Adelaida ferma les yeux un long moment en s'efforçant de réfléchir. Puis elle se tourna vers Rodriguez dont le visage affreux la lorgnait d'un air sournois.

— En quoi ta photo m'intéresserait ? Qu'est-ce que tu veux ?

Rodriguez sortit une autre photo qu'il posa sur la table.

— Pour commencer, elle.

Adelaida se pencha sur la photo. Une jeune femme en train de marcher dans une ruelle qui portait un ballot de linge sur la tête.

— Qui est-ce ?

— Ne fais pas la maligne, lâcha Rodriguez. La petite gitane qui travaille pour toi.

Adelaida écarquilla tout grands les yeux, mais elle n'était pas vraiment surprise. Rodriguez traînait une sale réputation, bien que rien ne l'eût jamais confirmé.

— Ce n'est pas à moi de te la donner, espèce de sale pervers !

— Tu pourrais me l'amener. Juste pour une nuit.

Adelaida éclata de rire, n'en croyant pas ses oreilles.

— Jamais de la vie ! Rien ici-bas ne me ferait pousser une jeune fille dans tes sales griffes ! Alors, vas-y, dénonce-moi à la police ! Tu n'as qu'à leur montrer ça, dit-elle en balayant les photos, qui tombèrent par terre. Vu que dans quelques mois je serai morte, peut-être même dans quelques semaines ou quelques jours, je me fiche pas mal de les passer dans une cellule !

Rodriguez la dévisagea, le regard figé d'étonnement et luisant de malice. Puis il se pencha et ramassa les photos.

— D'accord, d'accord, marmonna-t-il en jetant des coups d'œil alentour. J'accepte trois mille euros. C'est trois fois rien, étant donné que la bague vaut facilement dix fois plus, dit-il en tapotant de son doigt velu la photo où l'on voyait Adelaida.

— Je connais de bien meilleures façons de dépenser une pareille somme ! siffla-t-elle. Et maintenant, fiche le camp avant que j'appelle à l'aide.

— D'accord. Mille euros. Sinon, je glisse la photo dans une enveloppe, j'écris ton nom derrière et je l'envoie à la police.

— Eh bien, fais-le !

Rodriguez était devenu quasiment bleu.

— Et ton vaurien de fils, tu ne te soucies pas de lui ? Il ne pourra pas rester en ville. On le jettera au bas de la falaise, comme il le mérite.

— Je lui en toucherai un mot pour voir ce qu'il pense de ta proposition. Je ne crois pas que ça l'impressionnera beaucoup. Il a l'air doux et inoffensif, mais, quand il se met en rogne, personne ne le tient plus. C'est un cheval fou, comme tu le sais sans doute.

Rodriguez se décomposa d'un coup. Il montra les dents comme un chien.

— Sale pute ! grommela-t-il en serrant les poings comme s'il allait la frapper. Fille de pute ! Tu le regretteras.

Adelaida éclata de rire.

— C'est plutôt toi qui regrettes… Tu as été idiot de garder ça pour toi. Tu serais devenu un héros si tu m'avais prise sur le fait au lieu d'espérer te servir de moi en me réclamant je ne sais quoi. Je suppose qu'un type comme toi pense tout de suite à extorquer les gens et à les faire chanter. Tu n'as décidément rien d'un héros !

Adelaida tapa sur la table en riant de plus belle.

— Si tu me payais un verre, pour m'avoir fait perdre mon temps ? C'était un Martini, je crois.

Rodriguez cracha par terre à ses pieds et se leva d'un bond.

— Alors, donne-moi la putain de bague... Tu ne l'as pas vendue ?

Un bref instant, Adelaida se demanda si ce ne serait pas la meilleure solution. Puisqu'il avait des vues sur Juana, peut-être qu'il la laisserait tranquille si elle lui remettait la bague.

— Pourquoi ne l'as-tu pas volée toi-même ? Tu es pourtant mieux placé que n'importe qui pour le faire !

Rodriguez se gonfla tel un pigeon avec un mélange de fureur et d'indignation.

— Voler la sainte Église catholique ? La Vierge est sous ma garde. Il ne me viendrait pas à l'idée de mordre la main qui me nourrit.

— Hypocrite !

— Si c'est vrai que tu es en train de mourir, j'aurai la fille d'ici peu. Je peux attendre. Et pour ce qui est de la bague... on verra. Toi et moi n'en avons pas terminé.

Rodriguez s'éloigna vers la porte d'un pas pesant, ses longs bras battant contre ses flancs.

— Tu es méprisable, lui lança Adelaida. Un primate !

Qui est méprisable ? songea-t-elle lorsqu'il disparut dans la lumière éclatante de l'après-midi. C'est moi qui ai volé cette maudite bague. Cela devait vouloir dire quelque chose. Peut-être que, quand elle aurait bu un deuxième verre, elle y verrait plus clair.

11

Hector aidait Juana à mettre les draps dans l'essoreuse. Il fallait qu'il fasse attention à ses cheveux et
à ses mains. Bien qu'il ait passé de nombreuses
années à essayer d'accomplir sa part de travail, principalement en apportant et en rapportant le linge,
Juana était déjà beaucoup plus rapide que lui. Ses
gestes à elle étaient fluides, et son rythme était
accordé à celui de ses mélopées gitanes. Malgré son
petit gabarit, elle avait des bras puissants ; les
muscles bougeaient sous sa peau brune alors qu'elle
manipulait le linge pesant. Jusqu'à présent, Hector
s'était vu interdire par Pilar de toucher à l'essoreuse, au prétexte que les hommes ne savaient pas y
faire, mais il avait décidé de passer outre à ses ordres
et d'apprendre tous les aspects du métier.

— Dis-moi ce qu'il faut faire, dit Hector tandis
qu'ils tiraient les deux extrémités d'un dessus-de-lit
mouillé.

Plusieurs glands s'étaient coincés dans les char-
nières. D'un geste vif, il stoppa le mécanisme récalci-
trant, mais il eut beau user de toute sa force, il ne
parvenait pas à tourner les rouleaux à la main.

— Arrête ! cria Juana. Tu es en train d'aggraver
les choses...

Des boucles de cheveux noirs étaient collées sur son front, des taches humides auréolaient ses aisselles. Tout doucement, elle tira sur le tissu et manœuvra le levier en même temps.

— Attends, dit-elle, le visage concentré. Regarde comment je m'y prends.

Une fois les glands dégagés, Juana les lissa de ses mains contre son tablier, comme si elle voulait vérifier qu'ils n'avaient subi aucun dommage. En relevant les yeux, elle lui sourit d'un air triomphant. À force de ruse et de dur labeur, la jeune fille était parvenue à se rendre indispensable. L'*abuela* avait raison : les hommes étaient nuls.

— Qu'est-ce qu'on ferait sans toi ? dit Hector. Jusqu'à ce jour, tu as essoré mille cinq cent soixante-six draps, contre les quatre cent trente et un dont je me suis occupé dans ma vie entière. Tu sais, si on se fonde sur les quinze dernières années, et si l'on prend en considération des facteurs tels que le nouvel hôtel dans la vallée qui a sa propre blanchisserie, le mois prochain, tu n'en essoreras que deux cent quatre-vingt-onze. Côté boulot, ce sera le pire mois de l'année.

— C'est vrai ? s'inquiéta Juana en perdant son sourire. Adelaida pourrait ne plus avoir besoin de moi ?

Le regard soudain vitreux, elle médita sur cette perspective troublante. Peut-être que sa mère lui manquait et qu'elle se demandait ce qu'elle était devenue, pour quelle raison elle n'était jamais revenue la chercher.

Trois mois plus tôt, la mère et la fille étaient arrivées à dos de mule à Torre de Burros. Depuis le haut du parapet, Hector avait observé ce lamentable trio qui avançait à une lenteur mortelle sur la route. Une fois en ville, l'animal avait titubé de porte en porte tandis que la vieille femme réclamait l'aumône en criant d'une voix aiguë. Les ménagères la renvoyaient à coups de hurlements, abreuvant d'insultes les deux gitanes, pendant que les conducteurs klaxonnaient à qui mieux mieux en les exhortant à libérer le passage.

Hector les avait suivies à une distance raisonnable. Voir des gitans mendier sur une mule était rare, et l'animal lui-même éveillait sa curiosité. Il éprouvait beaucoup de sympathie pour ces animaux d'une patience à toute épreuve. Petit garçon, une de ses rares ambitions, après qu'il eut été témoin de leur misère, avait été de créer un refuge où les ânes et les mules à la retraite trouveraient amour et réconfort (une ambition qui n'avait rencontré aucun écho favorable auprès de ses aînés), or cette mule semblait ne plus être très loin du soulagement bienveillant qu'apporte la mort. Ses jambes étaient flageolantes, et ses yeux ternis par la souffrance. Néanmoins, après de longues années passées à travailler, l'animal semblait avoir un instinct pour la charité, et chaque fois qu'un soupçon de gentillesse était perceptible dans la voix d'une ménagère, il appuyait sa croupe contre le mur de la maison pour se soulager de la lourde charge qui pesait sur son dos. Ainsi profitait-il d'un peu de répit le temps que Juana saute à terre pour ramasser les pièces de monnaie. La jeune fille avait visiblement pitié de la bête dont elle tapotait la croupe quand le moment était venu de repartir. La mule avançait péniblement, son maigre derrière écorché par les rugosités de la chaux.

Lorsqu'elles passèrent devant la maison d'Hector, les cris perçants d'appel à la charité résonnèrent entre les murs étroits comme une alarme de voiture détraquée. Pilar, qui avait une méfiance innée à l'égard des gitans, ouvrit une fenêtre à l'étage et déversa un torrent d'insultes sur les deux femmes – accompagnées d'une trombe de crachats. Même la mule comprit qu'il valait mieux filer en vitesse. Pilar, bien qu'extrêmement bigote, avait de temps à autre un éclair de compassion. Elle assistait à la messe chaque fois que ses jambes pouvaient la porter jusqu'à l'église, et c'était après s'être confessée ce jour-là que, prenant la mesure des péchés que ses préjugés lui avaient fait commettre, elle était partie à pied à la recherche des deux femmes, lesquelles, à ce moment-là, étaient déjà en train de quitter la ville. Après avoir parlementé avec la mère et lui avoir donné un peu d'argent, Pilar était rentrée à la maison accompagnée de Juana. Elle avait proposé sans enthousiasme à la fille deux semaines de travail afin de permettre à sa *mama* de faire une pause. Comme on pouvait s'y attendre, la mère de Juana avait oublié sa promesse de revenir au bout de deux semaines, de sorte que les semaines étaient devenues des mois.

— Tire les coins bien à plat, *tonto*, lui lança Juana.

— Hé, ne me traite pas de *tonto* chez moi, *gitana* !

— Alors ne me traite pas de gitane.

— Il n'y a rien de mal à être une gitane, répliqua Hector. Tandis qu'être un idiot, si.

— Il y a quelque chose qui ne va pas, Hector ? demanda Juana avec une innocence enfantine.

— Oui. D'après ma grand-mère, je ne suis pas capable d'assumer les responsabilités les plus élémentaires.

Juana ne releva pas le sarcasme contenu dans sa voix.

— Si tu te maries avec moi, je m'occuperai de toi, dit-elle timidement.

Hector rit un peu trop fort, et elle parut blessée.

— Tu épouseras un beau guitariste de flamenco qui fera de toi une célèbre *cantadora*. Avec la voix que tu as, tu ne vas quand même pas t'occuper d'un *tonto* !

Il prit sa vieille outre de vin accrochée à un clou.

— Tiens, buvons à ton avenir.

Après avoir dévissé le bouchon, Hector inclina l'outre en direction de Juana, qui ouvrit toute grande la bouche. Il visa avec habileté, la distance qui les séparait étant d'un bon mètre. Pendant un instant, elle laissa le jet de vin bien frais couler dans sa gorge, mais elle referma la bouche un peu vite, si bien que le liquide rouge sang lui éclaboussa le menton, ainsi que le drap blanc qu'ils venaient d'essorer et de plier avec soin.

— Merde et merde ! s'emporta Juana.

— Chut, ne jure pas… surtout quand ma grand-mère est dans les parages. Elle a l'oreille d'une finesse incroyable.

Pilar estimait que fraterniser avec la *gitana*, sous quelque forme que ce fût, était du plus mauvais goût, et elle n'aurait pas apprécié de voir se produire ce genre de pitrerie dans sa blanchisserie. Juana continua à se déchaîner contre la calamité qui venait de s'abattre sur le drap. Pour la calmer, Hector entreprit de laver la tache à la main et emporta le drap sous le soleil éclatant de la cour. La chaleur étant exceptionnelle pour une journée d'automne, il s'assit sur le banc en pierre et appuya un moment son dos contre le mur brûlant. À l'aide d'une brosse trempée dans de l'eau de Javel, il s'attaqua à la tache d'un geste énergique. Au bout de quelques minutes, lorsqu'il releva la tête pour soulager la tension de sa nuque, il aperçut Pilar en train de l'observer derrière la fenêtre de sa chambre. Son visage était impassible, et les disques noirs de ses lunettes de soleil ne laissaient rien deviner de son regard. Une minute plus tard, elle arrivait en clopinant dans la cour et se penchait sur le drap qu'Hector avait étalé sur le banc.

— Dis donc... c'est du sang frais que je vois là sur ce drap ?

— Non, *abuela*, c'est du vin.

— Ne me mens pas, Hector. Qu'est-ce que vous étiez en train de faire là-dedans, tous les deux ?

— Le linge, répondit Hector en haussant les épaules sans la regarder. Qu'est-ce qu'on ferait d'autre dans une blanchisserie ?

— Autre chose que laver du linge, à ce que je vois ! Chanter, rire de façon lubrique et commettre des blasphèmes obscènes. Je parie que tu as souillé la pureté de cette gamine gitane... si toutefois elle la possédait encore ! Tu sembles avoir oublié ce que tu as fait à la petite Antonia. Je savais bien que ça se reproduirait, j'ai même prévenu ta mère. Qui plus est, les *gitanos* n'ont aucune fierté.

— *Abuela*, c'est ce que tu imagines qui est une honte, rétorqua Hector en continuant à frotter.

Vive comme l'éclair, Pilar lui assena une claque sur l'oreille.

— Comment oses-tu me parler ainsi ?

— Tes accusations ne me plaisent pas, *abuela*...

Lentement, Hector leva les yeux et regarda sa grand-mère en face.

— Et ne t'avise pas de me frapper encore une fois.

Pilar le fusilla du regard.

— Chenapan ! marmonna-t-elle avant de repartir en claudiquant vers la maison.

Il y avait des années que sa grand-mère ne l'avait pas frappé, pas plus qu'elle ne lui avait reparlé d'Antonia, et le coup qu'elle venait de lui donner lui cuisait la joue, quoique plus d'indignation que de douleur. Il entendait Juana pleurer dans la laverie. Laissant là le drap, il alla la rejoindre et, pour la première fois, elle lui apparut comme une petite enfant. Il la prit par les épaules en essayant de la réconforter.

— Elles vont se débarrasser de moi ! pleurnicha Juana.

— Non, je ne les laisserai pas faire.

— Elles découvriront quel âge j'ai vraiment et me mettront dans un orphelinat...

— Je t'adopterai, déclara Hector avec véhémence, tout en se demandant si une telle chose était possible.

Juana lui tourna le dos.

— Ne me laisse jamais, sanglota-t-elle.

— Je ne te laisserai pas, assura Hector, aussitôt affolé par sa promesse.

Il n'abandonnerait pas la pauvre fille. Il regrettait juste qu'une telle demande ne soit pas sortie de la bouche en forme de bouton de rose de Mair Watkins.

Hector trouva sa mère dans la cuisine, assise dans son nouveau fauteuil. L'acquisition de cet accessoire extravagant n'avait pas été sans provoquer quelques éclats de voix – « un investissement absurde pour un confort inutile ». Les pieds posés sur un tabouret, Adelaida avait le teint d'un rose suspect, comme si elle avait bu à grands traits la bouteille d'*aguardiente* de Pilar. Hector nota que sa mère portait une nouvelle robe, d'un rose fuchsia très flatteur. Ses cheveux, coupés court, à la hauteur du maxillaire, et leur nouvelle couleur la rajeunissaient de plusieurs années. Et sans doute avait-elle donné ce faux sein repoussant à la chèvre de Pichi Echebarria pour son petit déjeuner, comme il le lui avait un jour suggéré, pour s'en acheter un de meilleure qualité. Avec ce changement d'apparence, associé à un mystérieux éclat intérieur, il devenait difficile d'imaginer qu'elle était malade. Peut-être que ce nouveau médicament lui faisait réellement du bien.

— Hector, dit-elle en l'attrapant par la main, j'ai comme l'impression que tu prends la direction de la blanchisserie. Tu te débrouilles très bien. Je suis très fière de toi.

— *Mama*, s'il te plaît, ne me flatte pas. Disons que je m'en occupe. Entre Juana et moi, nous faisons…

— Écoute-moi, mon chéri, le coupa Adelaida. Il faut que je la laisse partir.

— Mais elle n'a nulle part où aller...

— Il faut qu'elle aille retrouver sa mère.

— Peut-être que sa mère finira par venir la chercher. De toute manière, nous avons besoin d'elle.

— Écoute-moi, mon fils, enchaîna Adelaida, qui le tira par le bras pour le faire asseoir sur le tabouret à côté d'elle. Juana est très, très jeune. Et bien que je la soupçonne de l'être encore plus qu'elle ne le dit, je ferme les yeux. Il n'empêche qu'elle devrait être à l'école. Et si on m'accusait d'exploiter une enfant ?

Elle se tut une seconde et le regarda d'un air malheureux.

— Ce qui m'amène à autre chose... Pilar est convaincue que tu... que tu as des relations intimes avec cette petite. Tu sais de quoi je parle, n'est-ce pas ?

— Je sais de quoi tu parles, *mama*, confirma Hector d'un ton furieux. Tu continues à me voir comme une sorte de monstre.

— Non, pas du tout, se défendit Adelaida, un brin hésitante. Mais... est-ce que c'est vrai ? Tu as des relations intimes avec elle ?

— Bien sûr que non ! Pilar cherche une bonne raison de se débarrasser de Juana, tu ne le vois donc pas ? Sa mère ne veut sûrement plus d'elle. Ou peut-être qu'elle est morte. Cette mule était très vieille et crevait de faim. Peut-être que c'est elle qui est morte. Non, je l'interdis. Juana reste ici.

Adelaida le dévisagea avec calme.

— Bon, d'accord, pour quelque temps. Mais fais attention, mon fils. Un jour, tu rencontreras une fille. Je le sais. Alors garde-toi pour celle qui sera la bonne. Tu ne voudrais pas souffrir... Je ne le supporterais pas.

— Oui, *mama*.

Hector hocha la tête, s'efforçant de dissimuler son envie d'éclater de rire. Sa mère pensait-elle vraiment qu'il était puceau ? Il n'y avait toutefois aucune raison d'ébranler la certitude qu'elle avait de son innocence. L'idée lui plaisait. C'était plutôt étrange. Il aurait tant voulu que ce soit la vérité... Il avait envie d'oublier son passé sexuel sordide sans amour et de s'autoriser des rêves de pureté...

— Concernant Juana, je déciderai quoi faire. Ce n'est pas à toi de t'en inquiéter, dit Adelaida en lui caressant la joue.

C'était bien là le problème, songea Hector. Pourquoi sa mère se sentait-elle obligée de le protéger de tout ? Et comme il acceptait facilement qu'on ne lui demande son avis sur rien, avec quelle docilité il endossait le rôle de l'ignorant, du type malchanceux et inefficace...

— Justement, je veux m'en inquiéter. Arrête de toujours vouloir me protéger des difficultés et des problèmes. Si tu comptais davantage sur moi, si tu me faisais confiance, peut-être que je ne serais pas si inutile !

— C'est ça que je fais ? fit Adelaida d'un air triste.

— Oui, c'est ça que tu fais. Pourquoi ?

— Je ne sais pas... Sans doute parce que je ressens un besoin désespéré de t'éviter de souffrir. Tu as connu tellement de souffrances... depuis le jour même où tu as été conçu. Mais je tâcherai de ne plus le faire. Promis.

Adelaida se pencha et prit le visage de son fils entre ses mains, puis, les larmes aux yeux, elle l'embrassa sur les joues plusieurs fois. Bien qu'il soit encore frustré et fâché contre sa mère, Hector la serra dans ses bras, mais leur étreinte fut brève, et ils s'écartèrent l'un de l'autre d'un air coupable. Pilar désapprouvait ce genre de manifestation d'affection entre mère et fils, et sa vigilance était telle qu'ils se sentaient toujours mal à l'aise quand ils s'embrassaient. Hector laissa ses mains sur les épaules de sa mère et la regarda droit dans les yeux.

— À propos du jour où j'ai été conçu… puisque tu abordes le sujet. Une bonne fois pour toutes, dis-moi qui est mon père.

Adelaida n'hésita pas plus d'une seconde. Elle battit des cils, mais, en voyant la façon dont Hector soutenait son regard, elle comprit que, cette fois-ci, il ne la lâcherait pas.

— Il s'appelle Porfirio Pellicer.

— Porfirio Pellicer, répéta Hector, émerveillé.

Son père avait un nom. Immédiatement, une image se présenta à son esprit. Celle d'un homme grand, gentil et plein de fermeté.

— Tu sais où il habite ?

— Il ne faut pas, Hector. Il ne me pardonnerait jamais…

— Pardonnerait jamais quoi, *mama* ? Qu'est-ce qu'il ne te pardonnerait jamais ?

— Il ne sait rien de toi.

— Et pourquoi ?

— J'ai été si bête, Hector. J'aurais dû le lui dire, mais je ne pouvais pas…

— Mais pourquoi ? Tu m'as dit qu'il était marié, mais il n'en était pas moins responsable de m'avoir fait, non ?

Hector la regarda fixement de nouveau ; il attendait une réponse à sa question.

— Où est-ce qu'il habite ? J'ai le droit de le savoir !

— Dieu sait où il vit à présent ! Ne va pas plus loin, Hector. Pour ton bien. Tu en souffrirais.

— Souffrir ? s'écria-t-il. Tu n'arrêtes pas de me répéter ça, mais je souffre déjà ! Je souffre de ne rien savoir et de ne pas avoir de père. Je ne suis pas un vrai homme pour la bonne raison qu'il n'y a jamais eu d'homme pour me guider, pas même un nom ou une photo ! Je me retrouve sans rien, et du coup je ne suis rien. Tu ne le vois pas ?

Hector avait envie de la secouer, mais, quand il vit les larmes rouler sur ses joues, il la relâcha. Adelaida se tassa dans son fauteuil.

— Cherche-le, si tu y tiens, dit-elle dans un sanglot. Pour moi, il est trop tard. Je l'aimais... et maintenant, il est trop tard pour tout.

Dans l'après-midi, une fois le linge prêt à partir dans les deux grands paniers, Hector expliqua à Juana que, dorénavant, il se chargerait d'une plus grande part du travail. Elle était en effet trop jeune pour un travail aussi éreintant, et il se sentait coupable. Soudain, Juana prit un air affligé. La pauvre, elle non plus, elle ne lui faisait pas confiance...

— C'est uniquement parce que je suis plus vieux que toi, précisa Hector, sans paraître toutefois très convaincant. J'ai les bras plus longs.

Les épaules musclées de Juana s'affaissèrent ; son chemisier miteux et sa jupe en jean râpée avaient l'air de haillons. Elle sortit un paquet de Ducados de sa poche et alluma une cigarette avec un briquet bon marché. Hector ressentit vaguement ce que cela représentait d'avoir des enfants, de s'inquiéter de leur bonheur et de leur bien-être (si Porfirio Pellicer avait su qu'il existait, se serait-il inquiété de lui ?). À trente-quatre ans, Hector aurait facilement pu être le père de Juana et caressa l'idée quelques instants, une sorte d'instinct de protection très fort mêlé de tendresse.

— Dis-moi, tu n'irais pas parler à des inconnus ?

— Quoi ?

— Si quelqu'un s'approche de toi dans la rue, pars en courant. Promets-le-moi.

Juana sourit, l'air ravi.

— Oui, Hector.

— Et tu ne devrais pas fumer autant.

— Pourquoi ? demanda-t-elle, intriguée.

— C'est mauvais pour les petites filles. Et puis... regarde.

Il fit un grand sourire pour lui montrer ses dents jaunies par le tabac. Il avait beau les brosser, les taches ne partaient pas, bien qu'il eût diminué de façon radicale sa consommation de cigarettes. Récemment, ses dents et son haleine avaient pris une importance sans précédent. Embrasser impliquait les deux, les dents et l'haleine.

— Tu n'as qu'à les frotter avec de la *lejía*, lui conseilla Juana. Ça les blanchira. C'est ma tante qui me l'a appris. Comme elle est prostituée à Málaga, elle doit garder de belles dents blanches. Pour le boulot, tu comprends.

Alors, s'approchant d'Hector, elle tira sur sa lèvre inférieure qu'elle prit entre son pouce et son index.

— Quand tu reviendras tout à l'heure, je te les nettoierai. Tu verras comme tu seras beau. Comme un vrai gitan !

Hector lui sourit. Il n'avait rien à lui apprendre, c'était même plutôt le contraire... Il hissa un des paniers étiquetés *Pensión Pelayo* sur ses épaules et s'éloigna vers la grille.

Mair reposa son stylo et regarda Hector qui se tenait debout derrière le bureau de la réception, en train de faire la comptabilité comme on la faisait il y a cinquante ans. Sa tête était penchée au-dessus du registre. Son visage, presque sévère à force de concentration, avait quelque chose de sculptural. Comme si ses traits anguleux taillés à coups de serpe étaient coulés dans le bronze. Ses longs cils battaient à mesure qu'il examinait les colonnes de chiffres devant lui. Sa mise semblait plus soignée, il était habillé de façon plus conventionnelle qu'elle ne l'avait vu jusqu'à présent – un gilet en laine marron-chocolat sur un jean noir et une chemise blanche. Il ne ressemblait plus du tout à l'homme qu'elle avait rencontré sur le parvis de l'église quatre semaines auparavant. Son abondante chevelure, lissée et attachée en catogan, dégageait son visage et cascadait sur son dos. Lorsqu'il leva les yeux et lui sourit, ses

dents, qui avaient été un peu jaunies par la nico-
tine, étaient devenues d'une blancheur surprenante.
Mair lui rendit son sourire en se trémoussant sur sa
chaise. S'il avait su qu'elle s'apprêtait à le déshabiller
d'un regard furtif en lui retirant ses vêtements un à
un...

Elle qui croyait ses appétits charnels endormis – à
force de déceptions, principalement – et qui se trouvait plus sage, plus posée, plus prudente... Pourtant, la proximité de la longue silhouette élancée
d'Hector, la vision de ses larges épaules, de ses
hanches étroites et de ses jambes interminables lui
donnaient les mains moites. Elle avait envie de
s'envelopper dans sa crinière noire, de sentir ses
cheveux effleurer ses seins nus et lui caresser le
dos... Et bien qu'elle sût qu'une telle liaison ne
donnerait lieu qu'à d'indicibles complications – tous
deux étaient manifestement trop vulnérables pour
avoir une simple aventure –, elle se sentait de plus
en plus attirée par son charme plein de modestie, tel
un poisson au bout d'une ligne.

Mair rapprocha sa chaise de la table, baissa les
yeux et essaya de se concentrer. Elle se demanda
avec malice pour quelle raison elle s'était installée au
milieu du va-et-vient de la réception plutôt que de
rester au calme dans sa chambre. Carmen ne
semblait rien trouver à redire au fait qu'elle eût
réquisitionné une table et troublât l'ambiance
médiévale de la salle avec son ordinateur. Elle était
dans ce pays étranger et mystérieux, et pourtant,
mener une existence vide lui semblait aussi approprié que n'importe où. Les fantômes de ses ancêtres
se trouvaient aussi bien ici qu'ailleurs, et son

obsession à apprendre l'espagnol donnait un sens à son séjour – lequel ne semblait pas près d'arriver à son terme en dépit du caractère insaisissable de Geraint. *Grand-père, où es-tu ?* écrivit-elle en haut de son carnet. *Montre-toi. Vite. Je suis en train de m'éprendre à nouveau…*

Mâchouillant son stylo, elle se rappela qu'elle avait un travail qu'il lui faudrait bientôt reprendre, quand bien même elle s'était plus ou moins fait virer du cabinet quand elle avait insisté pour prendre un congé sabbatique de quatre mois. Un congé sans salaire, que diable ! L'idée qu'elle devrait repartir un jour ou l'autre ne plaisait pas à Hector, qui manifestait son intérêt pour elle en voulant savoir jusqu'à quand elle serait en mesure de prolonger son séjour. D'après lui, il y avait une importante quantité de bétail dans les Asturies. La majorité des produits laitiers consommés en Espagne provenait de cette région (c'était vrai, elle l'avait vérifié, ces fromages étaient même réputés). Il lui avait demandé pourquoi elle ne pouvait pas soulager les taureaux espagnols de leur sperme et enfoncer son bras dans les vaches espagnoles. Hector semblait chercher à gagner du temps, rassembler son courage en vue d'autre chose. Comme il était différent de cette brute de Bernard…

Bernard, son petit ami depuis belle lurette et le dernier en date, s'était révélé un célibataire invétéré. Il s'était acheté une Ferrari avec l'héritage de son père au lieu de concrétiser le projet qu'ils avaient fait d'acheter une maison ensemble. Ce qu'il lui proposait, en revanche, c'était de l'aider à financer une cure de Botox pour effacer ses rides et repulper ses lèvres (de nos jours, toutes les femmes ne le faisaient-elles pas ?) si cela la rendait plus heureuse, ou lui en donnait l'air. Le jour de son trentième anniversaire, il lui avait offert une paire de bottes en cuir noir avec des talons aussi fins que des brochettes, un abonnement d'un an à un salon de bronzage et une luxueuse croisière pour deux. C'était assez généreux, sauf que, après avoir vécu trois ans et demi avec elle, il n'avait toujours aucune idée de la femme qu'elle était. Et elle, de son côté, n'avait pas été tout à fait franche avec lui. Il n'était pas son homme idéal, n'avait rien du genre humble, idéaliste et passionné qui l'attirait. Au contraire...

À la vérité, c'étaient finalement leurs véhicules qui les avaient séparés. La nouvelle Ferrari argent et sa vieille Coccinelle jaune se lançaient des regards furieux dans l'allée devant chez lui. Le jour où il l'avait priée de garer son « mode de transport embarrassant » dans la rue, ou mieux, au bout de la rue, elle avait compris que leur liaison était une erreur et y avait mis un terme. Depuis, huit mois avaient passé, et elle s'était dit qu'elle commençait à apprécier sa vie de célibataire, jusqu'à ce que, tout dernièrement...

Mair leva les yeux, mais Hector avait disparu.

Elle retoucha quelque peu la traduction en espagnol de son poème préféré. Carmen, qui parlait un castillan magnifique et un anglais passable, était toujours partante pour l'aider. Elle demandait à Manolo de lui apporter café sur café, accompagné de petits biscuits saupoudrés de sucre glace qui collait autour de la bouche. Carmen considérait la caféine et le sucre comme des compléments essentiels à tout travail sérieux. Elle tenait cette information vitale de son fils, Victor, qui avait été un brillant étudiant à l'université, avant de se tuer dans un accident de moto à l'âge de vingt-trois ans. Mair avait remarqué qu'il lui arrivait souvent de se tromper et d'appeler Hector « Victor ». Celui-ci ne semblait guère s'en formaliser et ne la reprenait jamais.

Brusquement, Hector réapparut et la surprit alors qu'elle tenait son stylo coincé entre son nez et sa lèvre supérieure.

— On tient son stylo à la main, pas dans le nez, dit-il d'un air sombre en secouant la tête. En t'y prenant comme ça, tu ne deviendras jamais un poète espagnol digne de ce nom.

Il s'assit à côté d'elle. Sans dire un mot, ils se regardèrent dans les yeux, mais, au moment où il prit son menton dans sa main en approchant son visage, la porte s'ouvrit sur le maire, le *señor* Covarrubias, qui entra en trombe dans la salle.

— Ah, *señorita* Watkins ! Je vous cherchais, dit-il au bout de quelques secondes en se pavanant.

Compte tenu de la période de l'année, son beau visage arborait un mystérieux bronzage, et il portait un jean fraîchement repassé avec les plis marqués sur le devant.

— J'ai travaillé pour vous, et je crois que vous serez contente d'apprendre que j'ai trouvé des photos qui pourraient vous être d'un grand intérêt.

Le cœur de Mair fit un bond. Elle se leva.

— C'est formidable, *señor* Covarrubias ! Je vous en prie, asseyez-vous, dit-elle en tirant une chaise.

Covarrubias hésita, jeta un regard à Hector avec un mépris appuyé et dit à Mair :

— Puis-je vous emmener au bar *Metropol* ? Nous pourrions regarder les photos en privé en buvant un verre tranquillement.

Une impasse embarrassante. Mair aurait accepté n'importe quoi pour obtenir des informations sur Geraint, mais elle imaginait sans mal ce qu'en penserait Hector.

— Pourquoi pas ici, *señor* Covarrubias... Mon ami Hector m'a aidée, et je voudrais qu'il...

— Appelez-moi Placido, je vous en prie, dit le maire en lui coupant la parole. Vous n'avez pas du travail ? ajouta-t-il en se tournant vers Hector.

Ce dernier ne répondit pas et se contenta de regarder Mair, attendant ses instructions.

— Comme je vous le disais, reprit-elle, Hector a été d'une aide inestimable dans mes recherches. Si ça ne vous dérange pas...

Ils formaient un bien curieux trio, assis là avec Mair au milieu. Covarrubias sortit une enveloppe qui contenait une vingtaine de photos aux couleurs passées, sur lesquelles on voyait des groupes d'hommes souriants vêtus d'uniformes ou de vêtements ordinaires, les manches de chemise roulées, une cigarette au bec.

— Qui sont ces gens ? demanda-t-elle à Placido.

— De soi-disant guérilleros, répondit-il avec un léger dédain. Un groupe d'hommes qui, au lieu de s'engager, ont choisi de faire des coups en traître. Tous des gars de Torre de Burros, qui parcouraient les collines en dressant des embuscades et faisaient exploser des édifices dans le vain espoir de stopper l'avancée de l'armée nationaliste.

Mair scruta les visages un à un, sans exception. Sur une des photos, un homme grand, mince et unijambiste s'appuyait sur un fusil en guise de béquille. Debout, tout seul, il regardait l'objectif devant ce qui semblait être une forêt. Mair lui trouva une certaine ressemblance avec Geraint, sauf que ce n'était pas possible. Aucun homme handicapé n'aurait pu se battre dans une guerre. Sur l'avant-dernière photo, on voyait un homme plutôt grand dont les traits ressemblaient vraiment beaucoup à ceux de Geraint. Il était appuyé contre un âne lourdement chargé, un bras passé affectueusement autour du cou de l'animal. Il avait mis son autre main dans sa poche, et il plissait les yeux face au soleil éblouissant, le visage légèrement déformé par une grimace. À côté de lui, en train de le regarder en riant, se tenait une femme. Elle était habillée comme un homme, mais ses cheveux indisciplinés formaient une sorte de halo.

Tout excitée, Mair sortit ses propres photos afin de les comparer. Hector et le maire rapprochèrent leurs têtes de la sienne, et tous les trois cherchèrent à voir s'il s'agissait bien du même homme. Ils convinrent que c'était probable. Un court instant, ils se retrouvèrent unis par un sentiment de triomphe, mais, quand Mair posa sa main sur celle d'Hector, le maire dit :

— *Chico*, va me chercher un café, tu veux ? Et quelque chose pour la jeune dame.

— Hector n'est pas serveur, lui dit Mair d'un ton sec. Pas plus qu'il n'est un enfant.

— Je vais chercher un café pour le monsieur, dit Hector en se levant. Tu en veux un aussi, *my love* ?

Mair essaya de dissimuler son sourire. À sa décharge, Covarrubias ignora l'affront, ainsi que le mot tendre. Dès qu'Hector fut parti vers le bar, il lui tapota le genou et dit :

— Si vous voulez un double de cette photo, je vous le ferai faire. Peut-être voudrez-vous venir la chercher chez moi… ou bien nous pourrions nous retrouver quelque part ?

— Où les avez-vous trouvées ?

— Mon cousin collectionne des photos de la guerre. Une chance pour nous, non ?

— Et que sait-il au sujet de ces gens ?

Le maire se cala contre le dossier de sa chaise.

— Pas grand-chose. Il m'a seulement dit qu'il pensait que la femme qu'on voit sur cette photo était Aldebarra. Une responsable communiste locale qui a grimpé les échelons assez haut au sein du parti.

— Vous avez été très gentil.

Le maire la regarda de ses yeux d'un noisette intense, et Mair se demanda si elle aurait trouvé cet homme séduisant si Hector ne l'avait pas subjuguée à ce point. Avec une quinzaine de kilos en moins, il aurait fait un spécimen d'homme splendide. À ceci près qu'il était trop arrogant, trop suffisant et, à vrai dire, pas très différent de Bernard.

— Vous savez, Franco a fait énormément pour l'Espagne. Sans sa poigne, le pays se serait effondré. La République était fragile, fondée sur de nobles idéaux mais impossibles à mettre en œuvre. Je comprends que vous vouliez en savoir plus sur votre grand-père, mais n'allez pas vous embrouiller les idées pour ce qui est de la politique. Donnons-nous rendez-vous, et je vous expliquerai ça un peu mieux.

241

Mair lui décocha un sourire charmant.

— Il existe d'innombrables ouvrages sur la guerre civile espagnole, plus que sur toute autre guerre, y compris la Seconde Guerre mondiale, et j'en ai déjà lu vingt-trois. Pour l'instant... Mais je vous remercie quand même, dit-elle avant de marquer une pause. Je viendrai chercher cette photo. J'apprécie sincèrement que vous vous soyez donné tout ce mal.

Covarrubias prit la mouche avec grâce et se leva.

— Nous pourrions dîner ensemble. Je veux toujours vous emmener dans ce restaurant de fruits de mer dont je vous ai parlé l'autre jour. Le meilleur de la région.

Mair ne pouvait pas lui reprocher de ne pas être persévérant...

— Nous verrons, dit-elle, se demandant où se trouvait ce restaurant et si elle arriverait à convaincre Hector de l'y emmener.

Placido lui fit la bise sur les deux joues. Au moment où il franchissait la porte, Hector entrait avec deux tasses.

— Ah, du café pour deux ! s'exclama Mair. Assieds-toi, *my love*.

— Où en étions-nous ? fit Hector en lui décochant un sourire entendu.

Toutefois, quelque chose avait assombri l'humeur de Mair. La photo... Peut-être la dernière qui avait été prise de Geraint. Regardant encore une fois ses propres photos étalées sur la table, elle scruta le visage si familier. Le sourire, les yeux qui plongeaient dans les siens... Le temps était une chose étrange. Elle pouvait tendre la main et le toucher, elle pouvait l'entendre parler, mais, aussi proche qu'il lui ait semblé, il s'était écoulé des années, des dizaines d'années. Aussi fort qu'elle l'eût désiré, jamais aucune prière, ni aucun hasard fabuleux, ni aucun voyage par-delà les limites du temps ne pourrait la faire revenir en arrière. Si elle s'était bercée du vague espoir ridicule que Geraint était encore vivant, ici, en France, au pays de Galles ou ailleurs, elle excluait désormais cette hypothèse. Son grand-père était mort, point. Retrouver une tombe, ne serait-ce qu'une trace ou un souvenir... Un tel projet paraissait naïf et impossible, une pure utopie.

12

Doña Esmeralda et les filles déballaient leurs bagages. Une voiture les avait ramenées à Torre de Burros, escortée par deux véhicules de la Guardia civil. Don Alfonso avait demandé à la cuisinière de préparer une paella gigantesque et acheté une caisse de champagne français. La maison bourdonnait d'éclats de voix et de rires, des sons qui paraissaient étranges après tous les coups de feu, les ordres éructés, les gémissements et les pleurs qui avaient résonné dans les rues au cours des dernières semaines. Pilar était attentive au moindre bruit provenant de l'extérieur. Elle était contente que la ville soit tombée aux mains des troupes de Franco, même si elle regrettait que les soldats se comportent avec autant de brutalité. Les représailles étaient plus impitoyables qu'elle ne les avait imaginées. Était-il vraiment indispensable de purger la ville avec une telle rigueur ?

Elle avait été invitée à partager la paella, mais, dès la fin du repas, Pilar s'était retirée avec les autres domestiques. Elle entendait les deux filles bavarder au rez-de-chaussée. Don Alfonso et doña Esmeralda étaient enfermés dans leur chambre, en toute intimité. De temps à autre lui parvenait une voix tendue depuis la chambre située en dessous de la sienne, or celle-ci n'évoquait rien de la passion qu'elle aurait préféré y percevoir. Avec le retour de la maîtresse de maison, elle avait espéré que son rôle de remplaçante prendrait fin.

Pilar était assise tranquillement, en train de nourrir Adelaida. Le bébé, âgé de huit mois, perdait tout intérêt pour la tétée. Elle avait encore faim, mais elle protestait et le faisait savoir en bourrant sa mère de coups avec ses petites jambes potelées, le front plissé de colère.

Quelqu'un frappa un coup discret à la porte. Pilar se figea comme une statue. La seule personne qui venait dans sa chambre était don Alfonso. Pourtant, ça ne pouvait pas être le cas à l'instant. La porte s'ouvrit, et Rosa, la fille qui aidait à la cuisine, se faufila dans la chambre. Son visage avait un air pincé, anxieux. La fille avait à peu près le même âge que Pilar, mais il était impossible de faire vraiment connaissance avec elle. Elle gardait la tête baissée et exécutait son travail, s'esquivant chez elle dès qu'elle en avait le temps. Son père avait été fusillé en compagnie de soixante autres hommes, sur la Plaza de Las Cruces, et elle devait craindre pour sa vie. Ils fusillaient aussi des femmes, sans faire aucune différence.

Rosa s'approcha, se pencha vers Pilar et dit dans un murmure affolé :

— J'ai reçu un message de ton frère. Il a besoin de ton aide.

Pilar la dévisagea. Dieu de miséricorde ! Cette fille était en contact avec Carlos, avec les guérilleros ! Le risque qu'elle prenait rien qu'en venant lui répéter cela...

— Il a des ennuis ? chuchota Pilar. Il est blessé ?

245

— Oui… enfin, non, se reprit la fille, le teint blême. Un de ses camarades a été grièvement blessé. Il a besoin de médicaments. Tu pourras prendre la clé du dispensaire à don Alfonso plus facilement que moi. Carlos m'a donné une liste de ce qu'il lui faut. Et comme tu as soigné des gens au couvent, il a pensé que tu l'aiderais.

Pilar en resta bouche bée. On risquait la mort – non, la mort était certaine – si jamais on se faisait prendre à aider les guérilleros ! En ville, des dizaines de gens avaient déjà été traînés devant le peloton d'exécution pour avoir mené des activités clandestines.

— Rosa, dit-elle tout bas, tu ne devrais pas me raconter tout ça. Carlos est mon frère, mais il est notre ennemi. Ne le sais-tu donc pas ? Tu travailles pourtant ici, pour don Alfonso. C'est lui ton protecteur.

Rosa prit une expression que Pilar ne sut comment interpréter. Puis elle dit :

— Je n'arrive pas à croire que tu parles de cette façon. N'as-tu aucune idée de ce qui se passe ? Il faut que tu sois aveugle. C'est une guerre de classes, Pilar. Tu es de notre côté. Tu n'es rien de plus ici qu'une servante… non, même pas une servante, une esclave ! Imagines-tu que nous ne sommes pas au courant ? Tu devrais te révolter et te battre, au moins intérieurement. Tu devrais te battre comme le fait ton frère.

Pilar demeura immobile en réfléchissant à ce que la fille venait de dire. Rosa avait raison, la façon qu'elle avait de s'identifier aux fascistes, à des assassins de femmes et d'enfants, était indéfendable. Pourtant, jamais elle n'oublierait ce qu'elle avait subi, jamais elle ne se rangerait du côté de ceux qui profanaient les églises et massacraient les prêtres. Quelle que soit l'épreuve qu'on lui inflige, jamais elle ne renoncerait à sa foi.

— S'il s'agissait de Carlos, je n'hésiterais pas une seconde, mais je ne ferai rien pour ses camarades... Deux d'entre eux m'ont violée, ajouta-t-elle en montrant Adelaida qui s'était endormie dans ses bras.

— Cet homme est un étranger. Je doute fort qu'il ait été l'un de tes agresseurs. Il a quelque chose d'un gentleman.

Pilar la regarda fixement. Un étranger ?

— Alors ? insista Rosa d'une voix pressante. Tu sais, ton frère meurt d'envie de te voir. Tu ne peux quand même pas lui refuser ça ? Il est en danger, tu risques de ne plus jamais le revoir.

Elle mit la liste sous le nez de Pilar, qui reconnut la belle écriture de son frère.

— Est-ce que tu viendras, ce soir ?

Pilar hésita. Il y avait un an et demi qu'elle n'avait pas revu Carlos. Concepción l'avait désavouée. Clemente et Claudia étaient certainement morts. Il ne lui restait plus que lui.

Pilar tenait sa fille par la main. Adelaida apprenait à marcher. Ses petites jambes arquées étaient un peu chancelantes, mais elle aimait bien se promener et se moquait pas mal des bosses et des égratignures qu'elle se faisait en tombant. C'était une enfant têtue qui refusait qu'on la porte ou qu'on la tienne. Pilar et sa fille avançaient lentement, mais elles étaient entraînées par la foule qui se dirigeait vers la place bras dessus bras dessous en riant et en chantant. Certains entonnaient : « Cara al sol... » et titubaient d'ivresse, qu'ils aient bu un coup ou non ; même les femmes participaient à cette comédie. D'autres marchaient les mains dans les poches, calmement, en fixant le sol.

De nombreuses personnes s'étaient déjà rassemblées sur la place, où deux longues tables avaient été dressées sous le vieil if. La nourriture disposée sur les tables paraissait vulnérable sous les immenses branches. Partout le danger rôdait. La voix de la foule était trop forte pour être joyeuse, trop aiguë pour être en colère, trop soûle pour être vraiment meurtrière, mais la peur et l'excitation vibraient dans l'air. Quelques personnes se contentaient de regarder. Leur silence était aussi méprisant que les réjouissances de ceux qui prenaient ce rassemblement pour une fête étaient tapageuses. Sans l'hystérie révélatrice de certains, et son absence poignante chez d'autres, il aurait pu s'agir d'une banale fiesta municipale.

Tout au long de l'après-midi, les chasseurs étaient rentrés en ville, ramenant les cadavres dans des camions à poubelles, ou même sur des brouettes. La chasse à l'homme avait été un réel succès.

Delia, une femme de ménage qui travaillait parfois dans la maison de don Alfonso, arrêta Pilar en lui demandant si elle savait exactement ce qu'elle emmenait voir sa petite fille. Elle lui raconta qu'un des nombreux villageois qui avaient apporté de la nourriture et des munitions aux guérilleros avait été torturé et contraint de révéler leur cache dans les montagnes. Leur camp, misérable, avait été localisé et cerné. À l'issue d'une brève fusillade, les renégats avaient été délogés et abattus alors qu'ils prenaient la fuite. C'était un sport auquel les aspirants étaient nombreux ; les volontaires ne manquaient pas. Malgré tout, plusieurs hommes dont l'affiliation paraissait suspecte avaient été obligés de se joindre à la chasse et s'étaient vu remettre des armes. L'homme qui avait « chanté » avait dû prendre la tête de la colonne, bien qu'il eût les deux poignets fracturés. Par la suite, lui aussi avait dû courir et avait été abattu alors qu'il zigzaguait au milieu des broussailles, ses mains pendant de façon bizarre au bout de ses os brisés. Pilar tapota Delia sur l'épaule en la suppliant d'arrêter de pleurer. Se trahir ne servirait à rien.

— C'est censé être une fête, Delia. Si tu ne peux pas l'accepter, mieux vaut rentrer chez toi, lui dit Pilar d'un air grave.

Dans son for intérieur, l'idée de devoir se ranger du côté des chasseurs lui répugnait, mais don Alfonso tiquait au seul mot de guérillero, affirmant qu'ils n'étaient que des *bandoleros* meurtriers, des hommes prêts à tout, des hors-la-loi et des voyous.

Les cadavres étaient alignés au bord de la place. Maîtrisant sa frayeur de son mieux, Pilar se sentait comme attirée vers ces hommes abattus. Elle alla se placer au bout de la file qui passait lentement devant les morts. Il y avait là quatorze hommes, sales et émaciés, qui ne ressemblaient en rien à des guérilleros ; ils n'étaient que des fugitifs affamés. Leurs visages barbus étaient creusés, les yeux de certains, grands ouverts, fixaient le ciel qui s'assombrissait. Leurs mains étaient noueuses et calleuses, leurs ongles déchiquetés.

Pilar examina les visages plusieurs fois de suite et adressa une prière de remerciement sincère à la Vierge de Miséricorde. Carlos ne figurait pas parmi ces hommes. Au milieu des corps pitoyables, un seul ressortait. Ses cheveux étaient blonds, et son visage était rasé. Il lui manquait la moitié de la jambe droite, mais cette blessure ne lui avait pas été infligée au moment de sa capture. La jambe de son pantalon, soigneusement repliée au-dessus du moignon, était cousue à la va-vite au niveau de la hanche. Pilar fixa l'homme un long moment. Lorsqu'elle s'en approcha, elle vit qu'il s'agissait du dynamiteur, Geronimo, ce mineur fou originaire d'un pays du Nord qui était venu se jeter dans ce cauchemar de son plein gré. Bien qu'elle ne l'eût rencontré que deux fois, la première par cette nuit terrible qui remontait à six mois, le voir étendu là lui donna un coup au cœur. Puisque l'étranger avait été capturé, où était Carlos ?

Elle se rappelait très bien ce jour où la chance s'était retournée contre ces imbéciles que les troupes de Franco pourchassaient (le jour où, pour la première fois, elle avait laissé don Alfonso venir dans son lit). Les hommes, qui avaient déjà tout risqué, avaient disparu tels des animaux traqués dans les hautes collines couvertes de forêt au sud de Torre de Burros. Bon nombre avaient été faits prisonniers, et la plupart abattus sur place. Les autres avaient continué à se battre dans les collines, mais les plus malins avaient réussi à passer en France, par la terre ou par la mer.

Pilar regarda l'étranger étendu avec les autres à même le sol. Il avait beau avoir été un ennemi, elle éprouva un pincement de regret en le voyant mort. Il avait déjà vécu un enfer. Lors d'une mission qui avait mal tourné, les explosifs qu'il transportait lui avaient arraché la moitié d'une jambe. Elle se souvenait des paroles qu'il avait prononcées lorsqu'elle s'était agenouillée près de lui dans la grange d'un hórreo

250

abandonné, et de ce qu'il lui avait confié en criant alors qu'il délirait. Elle avait ressenti quelque chose à son égard. Peut-être était-ce uniquement parce qu'il avait du cran, la capacité de supporter une douleur d'une telle intensité.

Le manque de mobilité de Geronimo avait dû le gêner dans sa fuite, à moins qu'il n'ait pas eu envie d'abandonner ses camarades espagnols, quand bien même ils savaient qu'ils seraient exécutés. À moins que, comme eux, il ne se soit senti obligé de continuer à lutter en raison de ses convictions. Étendu là dans la mort, sur la terre battue, le corps du dynamiteur ne présentait aucune blessure ; malgré son handicap, il avait l'air plus propre et plus frais que ses compagnons. Son visage viril paraissait presque paisible, et ses yeux bleu saphir avaient un regard contemplatif, comme s'ils reflétaient une vie vécue pleinement jusqu'à son terme.

Certaines personnes semblèrent reconnaître Geronimo et murmurèrent en aparté, mais peut-être ne faisaient-elles que des commentaires sur sa blondeur. Aucune brigade internationale n'était venue se battre dans la région, en tout cas, aucune en faveur des républicains. Lentement, la file avança. Chacun espérait qu'aucun de ses amis ou parents n'était présent parmi les morts. La petite Adelaida trébucha sur la botte d'un des cadavres et s'étala sur ses jambes. Pilar la tira par un bras. L'enfant enfouit son visage contre l'épaule de sa mère et fondit en larmes, le seul bruit dans la parade silencieuse des spectateurs.

Tandis qu'elles étaient là, les derniers chasseurs redescendaient des collines. Ils avaient capturé Alberto Molina, le commandant d'une division communiste bien connu. Il avait épousé sa femme dans les tranchées, et l'avait emmenée avec leur bébé lorsqu'il s'était réfugié dans les montagnes. Les chasseurs qui les avaient découverts cachés dans une cabane les avaient abattus tous les trois. La famille était maintenant jetée sans cérémonie au bout de la rangée, l'enfant à l'extrémité, tel un point à la fin d'une phrase macabre.

Adelaida, qui s'était calmée, continuait à se cacher le visage. Une femme murmura à l'oreille de Pilar :

— Laisse ta fille regarder ce que tu as fait, sale bourgeoise !

Pilar dégagea son bras.

— Je suis la fille d'un mineur, tu le sais très bien.

— Fasciste par choix, sinon par naissance ! rétorqua la femme. Je sais où tu habites.

— Qu'est-ce que tu veux ? Tu me crois responsable de ça ?

La femme leva le poing et l'approcha de la joue de Pilar.

— Je vais te garder à l'œil, histoire de voir à quel râtelier tu manges !

Pilar tourna le dos à la harpie malveillante et s'efforça de retenir Adelaida qui hurlait en signe de protestation, ou d'horreur, elle n'aurait su le dire. Une femme âgée se précipita vers elles en criant. Elle se laissa tomber à genoux devant le cadavre du bébé et commença à se lamenter.

— ¡ Dios mío, qué barbaridad ! Quelle barbarie !

Le policier de la Guardia civil qui avait été posté là pour monter la garde détourna le regard. L'air troublé. Il semblait partagé entre la honte qu'il ressentait et l'envie de faire taire la femme d'une façon ou d'une autre. Issu d'une famille de la ville, il avait lui-même plusieurs enfants en bas âge. Espérant que quelqu'un s'occuperait d'elle, il croisa les bras en regardant droit devant lui, comme s'il restait sourd à ses insultes. Deux civils furent chargés d'embarquer la femme en pleurs. Pilar entendit le mot *abuela* murmuré à plusieurs reprises parmi la foule. La vieille femme s'était trahie. Pilar frissonna en se demandant si les « représailles » s'étendraient à une femme de cet âge. Nul doute qu'elle avait déjà été interrogée et battue, comme tous ceux qui étaient ne fût-ce que de loin liés à Molina et à sa jeune femme, mais de là à fusiller une femme sanglotant de chagrin sur la mort des êtres qui lui étaient chers...

Adelaida blottie dans ses bras, Pilar se hâta de quitter la place, courant plus ou moins jusqu'à la maison de son protecteur, de son amant. Elle entendait encore la vieille femme hurler tandis qu'on l'emmenait : « ¡ Asesinos ! Cochons de fascistes ! Je conchie vos mères, ordures que vous êtes ! Vous vous prenez pour des libérateurs ? Je maudis vos putains de mères, espèces de porcs, ¡ hijos de puta ! »

Quelques secondes plus tard, Pilar entendit le coup de feu qui coupa court aux insultes de la vieille femme en plein milieu d'une phrase. Sur la place, les cris et les rires avaient cessé. Hormis un chien qui aboyait, le silence était total.

Tous les après-midi, des femmes faisaient la queue devant le centre de détention, portant chacune un colis, un panier ou un sac. Bien que les règles changeassent d'un jour sur l'autre, on les autorisait encore à apporter de quoi manger aux prisonniers. Pilar se voyait favorisée du fait qu'elle était jeune et plutôt séduisante, même si cela voulait dire que les gardes la retenaient plus longtemps. Plus tard, beaucoup plus tard – lorsque Pilar n'eut plus aucune raison de continuer à venir là –, les familles se verraient interdire de nourrir les prisonniers, mais, pour le moment, la chose semblait naturelle.

La prison de fortune occupait un bâtiment d'une élégance incongrue au centre de Torre de Burros. L'immeuble, qui appartenait à la famille Medina, abritait normalement une clinique médicale. En dehors de l'école, il n'existait pas d'autre bâtiment approprié, de sorte que le Dr Medina, un célèbre et fervent phalangiste, avait proposé ses bureaux à l'armée et transféré temporairement son cabinet dans une pièce de sa maison.

Les fenêtres de l'immeuble avaient été obstruées par des planches en pin entre lesquelles filtraient de minces rais de lumière. L'odeur de la résine embaumait, donnant à l'endroit une étrange atmosphère d'optimisme en parfaite contradiction avec l'usage auquel il était destiné. Il y avait sept pièces – désormais sept cellules – qui contenaient six prisonniers chacune ou plus. La prison n'était pas assez grande. Ils avaient besoin de plus de place pour enfermer les républicains capturés, raison pour laquelle les détenus étaient expédiés avec plus de rapidité qu'auparavant.

Carlos avait été arrêté. La majorité de sa bande ayant été débusquée et exterminée, il était revenu se cacher dans la maison d'un ami, dans l'espoir sans doute de trouver un moyen de franchir la frontière une fois la frénésie des arrestations retombée. Mais quelqu'un avait eu vent de l'endroit où il se terrait et était allé « chanter ». Parmi les membres de la

Guardia civil qui l'avaient amené, un ou deux le connaissaient et s'étaient rappelé qu'il avait été électricien. Et quand on l'avait mis à l'épreuve, Carlos avait très bien su comment arranger les fils dans la cave de manière à faire fonctionner les équipements électriques dans la salle d'interrogatoire. Même si, à en croire don Alfonso, il avait fallu des heures pénibles avant de le convaincre d'accepter d'effectuer cette tâche. Don Alfonso informait Pilar sur son frère, mais, pour chaque renseignement ou faveur qu'il lui accordait, il réclamait son dû. Pilar avait même appris à en tirer plaisir, car don Alfonso avait des faiblesses et des prédilections qui lui permettaient d'exercer sur lui un certain pouvoir. Le fait qu'Esmeralda et les filles soient revenues rendait leur liaison beaucoup plus difficile et furtive, ce qui n'allait pas sans avantages. Leurs rencontres, plus aussi fréquentes, devaient avoir lieu dans son bureau, tard dans la soirée. Parfois, il bravait la chance et venait la rejoindre dans sa chambre au milieu de la nuit. La dépendance qui existait entre eux, de même que le secret qui les liait, avait rendu don Alfonso d'autant plus attaché à Pilar. Elle arrivait plus ou moins à le manœuvrer en se refusant à lui de temps à autre, et à lui arracher quelques privilèges, ou parfois même de l'argent, en se livrant à ses fantasmes préférés. Néanmoins, il n'appréciait pas qu'elle ait un lien familial avec Carlos, le seul renégat rouge de sa famille, et Pilar savait pertinemment qu'il aurait préféré voir le cadavre de son frère enseveli dans une fosse en pleine forêt. Il lui disait que c'était une très mauvaise idée d'apporter des provisions à son frère.

— Ce n'est pas comme s'il risquait de mourir de faim, grogna don Alfonso. Garde tes distances avec lui, *ne sois pas stupide. Ta nourriture, ou plutôt devrais-je dire la mienne, ne changera rien à son sort.*

— Vous ne pouvez pas m'empêcher de voir mon frère, rétorqua Pilar avec défiance.

Don Alfonso lui serra très fort le bras.

— Si tu avais un peu de bon sens, tu le renierais.

Il avait raison, Pilar le savait – elle mettait en péril sa propre sécurité. Cependant, ce frère qu'elle aimait et détestait à la fois croupissait en prison sans rien à manger, et quantité d'autres sœurs, mères et filles ne tenaient pas compte du danger que représentait leur lien avec un prisonnier. Elle espérait pouvoir se fondre discrètement parmi les femmes qui faisaient la queue devant la porte d'entrée ; après tout, elles n'étaient que des victimes de leurs faiblesses féminines : la compassion aveugle, l'ignorance et la loyauté irrationnelle.

Les autres femmes lui lançaient des regards suspicieux. Elles avaient beau partager le même sombre pressentiment, Pilar n'était pas des leurs. Bien qu'elle soit fille de mineur, tout le monde savait où elle vivait, qui était son protecteur. Pilar n'était pas du genre à désirer la camaraderie des femmes, mais lorsqu'elle était là, dans cette file sinistre, elle aurait préféré qu'elles lui parlent et partager leur angoisse, au lieu de se retrouver isolée en raison de leur hostilité. Alors qu'elles discutaient entre elles à voix basse, elle attendait toute seule au milieu de la file, aux prises avec Adelaida cramponnée à son bras, en s'efforçant de conserver sa dignité tout en tremblant intérieurement de peur.

Tout portait à croire que le séjour de Carlos en prison serait bref. Elle le savait parce que l'un des beaux-frères de don Alfonso était un des paseadores, ceux qui accompagnaient les prisonniers vers leur dernier voyage. La rotation était rapide dans la mesure où de plus en plus d'ennemis étaient capturés. Même des hommes de la ville, apparemment innocents, étaient arrêtés chez eux et jetés au cachot. Les *paseadores* débarquaient la nuit pour rassembler les victimes désignées.

Jour après jour, Pilar apportait de la nourriture. Les gardiens ne semblaient pas s'en formaliser ; dans une symbiose perverse, non seulement ils profitaient autant que les prisonniers des petits plats préparés à la maison, mais ils savouraient le pouvoir qu'ils exerçaient sur les femmes. Pilar amenait la petite Adelaida, qui lui servait de tampon contre les attentions déplacées. Un des gardiens en particulier, Daniel Bolanos, passait toujours un temps exagéré à fouiller le contenu de son panier. L'œil salace que Daniel posait sur elle l'inquiétait et l'agaçait à la fois. Lui-même était un paysan, un homme d'un petit hameau au sud de Torre de Burros, mais son expression dédaigneuse masquait ses origines paysannes. Bien qu'elle préférât ne pas y penser, l'alliance de Daniel avec les fascistes était aussi incongrue et obstinée que la sienne.

— Pose le panier sur la table, lui dit-il quand elle arriva enfin à la réception.

Pendant qu'il sortait la nourriture (cherchant des armes à l'intérieur des pains, et des munitions dans la soupe qu'il touillait avant de lécher la cuillère), Pilar bavarda à tort et à travers, mettant en avant sa ferveur catholique et mentionnant le nom de don Alfonso le plus souvent possible. Le jeune homme ne lui prêtait aucune attention. Visiblement, il s'estimait supérieur à elle sur le plan de la morale et des idées.

257

Pilar savait que le frère du gardien avait lui-même été emmené en « promenade » tout récemment. L'autosatisfaction hautaine qu'il affichait l'exaspérait, mais elle se devait de rester prudente.

— Allons, qu'est-ce que tu crois que j'irais mettre dans la soupe ? Des fusils ? le réprimanda Pilar, s'efforçant de le faire rire, bien qu'elle n'ait jamais eu le goût de la plaisanterie.

— Sache que ton frère ne terminera pas ses figues, dit le jeune Daniel, une lueur furtive dans ses yeux verts, en piquant une figue sèche qu'il fourra dans sa bouche. Ce soir, poursuivit-il en prenant le temps de mâcher lentement et en baissant la voix d'un air de conspirateur, il va y avoir plus d'un paseo.

Il avança sa main pour tapoter le bébé d'un geste maladroit, effleurant le sein de Pilar au passage comme par inadvertance.

— Efface ce sourire satisfait de ton visage, petit imbécile ! siffla Pilar, outrée. Tu parles de ça comme s'il s'agissait d'une balade dans le parc !

Le gardien laissa échapper un ricanement, mais son regard prit un air mauvais.

— Dans quel camp es-tu, ma sœur ?

— Tu fais partie des volontaires ? contra Pilar avec colère. Tu t'es porté volontaire, quand on a emmené ton frère se promener ?

Ils se dévisagèrent un instant.

— Mon frère n'est qu'un gamin, murmura Pilar. Tout comme l'était le tien.

Daniel fit semblant de n'avoir rien entendu et regarda attentivement l'intérieur de son panier. Son pâle visage enfantin avait pris une nuance plus grave. Brusquement, il repoussa le panier vers elle, sans rien y prendre, et sortit de la pièce. Une porte à l'intérieur du bâtiment se referma en claquant. Pilar ne savait pas si elle devait patienter ou s'en aller. La femme qui attendait son tour dans la file frappa un coup discret à la porte. La même chose se produisait chaque fois, Pilar était retenue plus longtemps que les autres, et on lui en voulait pour cela aussi.

Après ce que le gardien lui avait dit, elle ne ferma pas l'œil de la nuit. Elle avait beau essayer d'éviter d'y penser et d'imaginer la chose, elle savait qu'il était peu probable que son frère soit épargné. Peut-être était-il déjà mort, ou en train d'affronter la mort à cette seconde même. S'il restait une chance de le revoir, ne serait-ce que pour regarder son visage une dernière fois, lui prodiguer des paroles de réconfort... Don Alfonso lui avait expliqué que, dans certaines circonstances, il était possible de déposer une demande, et qu'une permission spéciale de rendre visite à un détenu était parfois accordée... Notamment si les lettres de créance du visiteur étaient jugées honorables, puis rigoureuse-ment vérifiées et approuvées, et si le motif de la visite était justifié. Don Alfonso l'avait découragée de faire une telle demande. Pourtant, cette nuit-là, dans le silence désolé de sa chambre, elle eut le sentiment qu'il fallait qu'elle voie Carlos. Et qu'elle devait faire quelque chose, ne serait-ce que pour tenter de plaider sa cause.

Le lendemain, après avoir passé une heure dans un couloir sombre, elle obtint une audience auprès du directeur de la prison, uniquement parce qu'il devait un minimum de respect à Pilar, dans la mesure où elle vivait chez don Alfonso.

— *Ma chère enfant*, dit le directeur en retournant s'asseoir derrière son bureau et en balançant son stylo entre ses deux index. *Pourquoi êtes-vous venue ici ?* soupira-t-il avec une patience feinte sans pour autant attendre de réponse.

L'homme était grand, son visage squelettique, pourtant ses traits n'étaient pas dépourvus de chaleur.

— *Écoutez, ces allées et venues ne vous rendent guère service. Vous comprenez ce que je vous dis, n'est-ce pas ?*

— *Oui*, señor *Perez*, répondit Pilar d'un ton plein de déférence.

Elle remonta Adelaida sur sa hanche avec un geste de détermination lasse. Le directeur tambourinait sur son bureau du bout de son stylo, comme s'il attendait, espérant qu'elle suivrait son conseil et s'en irait. Il était évident qu'il avait déjà écouté trop de femmes venues plaider la cause de leurs hommes.

Pilar se redressa pour dire ce qu'elle avait préparé.

— *S'il vous plaît*, señor *Perez, écoutez ce que j'ai à vous dire. Carlos est jeune et impressionnable. Vous ne pouvez quand même pas condamner tous les jeunes gens qui se sont laissé convaincre par cette propagande irrévérencieuse…*

Pilar se pencha en avant, approchant Adelaida (pour une fois sage comme une image) du directeur.

— *Ces garçons sont les pères du futur*, reprit-elle, *des hommes qui ont de la détermination et de la force. Ils sont d'une certaine manière les meilleurs des hommes, car ils croient en quelque chose, même s'ils ont été très mal avisés de faire ce qu'ils ont fait !*

Les sourcils du directeur se froncèrent d'un air réprobateur, mais Pilar poursuivit.

— Vous savez bien que Carlos s'est laissé influencer par de mauvais éléments... Il n'est pas un de ces communistes impies. Il s'est seulement fait des illusions sur la République, qui, après tout, était un gouvernement légitime, élu de façon démocratique...

Elle était essoufflée par son discours passionné, qui donnait l'impression d'être aussi répété qu'il l'avait été, et plutôt guindé.

Le señor Perez inclina un instant la tête. Le visage grave et douloureux.

— Pilar, ce serait beaucoup mieux pour votre frère Carlos si personne ne pleurait pour qu'on le relâche. Il n'a rien d'un innocent, ma chère Pilar, et il n'est plus si jeune.

Pilar savait qu'elle ne pouvait pas discuter. Carlos avait vingt-deux ans, il était raisonnable pour son âge et, en effet, loin d'être innocent. Déjà à l'adolescence il avait manifesté des tendances radicales. Nul doute qu'il avait tué nombre de gens au cours des campagnes militaires qui avaient eu lieu dans les environs. Comme venait de le dire le señor Perez, peut-être valait-il mieux qu'elle ne prenne pas sa défense.

Adelaida s'agita dans ses bras, exigeant qu'on la pose par terre.

— Très bien, conclut le directeur. Si vous devez absolument le voir, un gardien va le conduire à la réception. Mais n'oubliez pas que vous faites cela pour vous, pas pour lui.

Pilar hocha la tête, mal à l'aise. Le señor Perez n'avait pas été convaincu par ses arguments.

L'apparence de Carlos la stupéfia. Ils ne s'étaient pas revus depuis huit mois, depuis ce soir épouvantable où il lui avait demandé d'apporter de la morphine et des médicaments pour l'étranger, et il avait changé de façon saisissante. Du temps où il se battait du côté des vainqueurs, Carlos avait été un garçon robuste, rayonnant de santé et bien de sa personne ; à présent qu'il était prisonnier, il était amaigri et blanc comme un linge. Ses cheveux noirs épais en broussaille grisonnaient sur les tempes. Son long visage étroit paraissait encore plus anguleux, les mâchoires et les pommettes émaciées jusqu'à l'os.

Carlos la dévisagea, l'air surpris lui aussi. Pilar savait qu'elle avait maigri et que le rose délicat de sa peau avait foncé ; mais surtout, son expression n'était plus la même. L'éclat de ferveur enfantine qu'elle avait eu jadis, et dont son frère se souvenait sans doute, avait été gommé par les malheurs qui l'avaient frappée, sa bouche était pincée en un rictus implacable qui ne ressemblait que rarement à un sourire. Tout le charme qu'elle avait eu étant jeune fille avait disparu, laissant place au fardeau et à l'amertume d'une femme usée.

Carlos ne se précipita pas pour l'embrasser. Peut-être qu'il n'avait pas le droit de la toucher ou craignait de s'attirer des ennuis. Après avoir lancé un regard au gardien, qui cette fois n'était pas Daniel mais un homme obèse enclin à la somnolence, son frère s'approcha de l'autre côté de la petite table.

— Quelle jolie petite fille ! s'extasia-t-il, prenant soudain conscience de la présence d'Adelaida, qui attendait debout sagement près de sa mère en la tenant par la main.

Carlos avait toujours été ému par les bébés.

— Mon Dieu, je ne savais pas que tu avais un enfant ! J'espère que son père est digne d'elle, dit-il en *tendant la main pour caresser la joue de l'enfant. Je le connais ?*

— Oui, naturellement. C'est l'un des deux « camarades » que tu as amenés cette nuit-là au couvent pour me violer.

Carlos la dévisagea un long moment, bouche bée.

— Tu veux dire que... Je les tuerai, murmura-t-il. Si jamais je sors d'ici, je leur trancherai la gorge !

— Pourquoi ne me donnes-tu pas plutôt leurs noms, rétorqua Pilar. Je demanderai à don Alfonso de les faire exécuter... si ce n'est pas déjà fait.

Cherchant à la mettre en garde, Carlos tourna les yeux de façon imperceptible vers le gardien. L'homme s'était redressé, leur prêtant une soudaine attention.

— Merci pour tout le pain que tu m'as apporté, dit Carlos d'une voix plus forte. Ici, on nous sert une sorte de ragoût, deux fois par jour. Avec des lentilles, des oignons et des bouts de viande impossibles à identifier. Du lapin, je crois. En tout cas, dit-il en tendant sa main pour prendre la sienne, je ne meurs pas de faim !

Sa remarque fit rire le gardien, qui devait trouver amusant qu'un homme condamné à une mort certaine se soucie de ce qu'il mangeait.

Pilar fronça les yeux.

— Et toutes les autres choses que je t'ai apportées ? La soupe, les figues, la morcilla *? fit-elle en jetant un regard vers le gardien. Tu es si maigre, lâcha-t-elle en pleurant à moitié. Tu es malade ?*

— Je crois que c'est le scorbut. Après tous ces mois sans manger de fruits ou de légumes... Mes gencives se ramollissent et mes dents sont branlantes. C'est une sensation atroce.

Il ouvrit la bouche en faisant bouger une de ses dents de devant avec son pouce, puis ils jetèrent un coup d'œil au gardien, qui semblait avoir perdu tout intérêt pour leur conversation et s'était replongé dans son journal.

— Je te jure que je n'en savais rien, dit tout bas Carlos. Je savais que deux d'entre eux étaient retournés au couvent – ils avaient décidé de revenir sur leurs pas pour prendre quelque chose dans la chapelle, un candélabre en argent, je crois. Sincèrement, Pilar, je pensais qu'ils m'avaient cru... quand j'ai dit que tu étais ma sœur.

— Pour te croire, ils t'ont cru ! Raison de plus pour me déchirer, siffla Pilar entre ses dents serrées. Tu parles de camarades ! Ils ont pris grand plaisir à violer ta sœur qui était vierge. Ils ont fait du bon boulot... grâce à une longue pratique, sans doute !

Carlos était abasourdi par ce qu'elle venait de dire.

— Pilar, pour le bien de l'enfant, ne sois pas amère. Tu es vivante. Il existera toujours des éléments dépravés, quel que soit le camp auquel on appartienne. Certains hommes sont simplement mauvais, nombre d'entre eux t'auraient tuée après t'avoir violée. J'ai vu des choses que j'aurais préféré ne...

— S'il te plaît, leurs noms, dit posément Pilar.

— Non. C'est une affaire qui doit se régler en interne. De plus, je ne me rappelle plus bien qui était là.

— Pour l'amour de la Vierge ! Parce que tu imagines que tu vas pouvoir les punir ?

Elle se tut et détourna les yeux. Tous deux savaient pertinemment ce qu'elle voulait dire.

— J'ai vu le cadavre de l'étranger, reprit Pilar. Tu savais qu'il était mort, non ?

Carlos acquiesça en silence.

— Pourquoi diable es-tu revenu à Torre de Burros ?
Il détourna le regard.

— Je n'avais nulle part d'autre où aller…

Son frère s'interrompit et se tordit les mains, un geste pathétique qu'elle ne lui avait encore jamais vu.

— Et puis, il y avait toi, bien sûr… et Concepción. Je voulais m'assurer que vous alliez bien.

— ¡ Por Dios ! murmura Pilar. Tu as fait exactement le contraire ! Concepción va bien, autant que je sache, même si elle nous a reniés tous les deux. Ton manque de bon sens me stupéfie !

Le visage de Carlos se décomposa de consternation.

— Mais… et don Alfonso ? Si tu as sa confiance, il te protégera. Il t'est redevable à cause de notre mère.

— Il m'est redevable ? fit Pilar en riant d'un air moqueur. Non, c'est moi qui lui suis redevable. Redevable pratiquement chaque jour de ma vie !

Elle s'apprêtait à lui révéler la vérité, l'horrible vérité sur la façon dont elle vivait, ce qu'elle était devenue, et tout cela à cause de ses choix à lui, lorsque, tout à coup, Carlos se mordit la main. Il avait compris. Poussant un cri comme un animal blessé, il fit le tour de la table pour la prendre dans ses bras et la serra contre lui.

— Pilar, ma chère sœur… Au nom de tous les hommes… je te demande pardon.

Puis il prit son visage entre ses mains et lui plaqua un baiser sur la bouche. Un baiser rageur et passionné, un baiser de mort.

13

Pilar était assise dans la cuisine devant un seau rempli de patates. Au souvenir du baiser de son frère, elle se figea d'horreur. La pomme de terre qu'elle tenait dans la main tomba par terre et roula sous la table. Juana se précipita pour la ramasser. Elle la rinça à l'eau du robinet avant de la tendre à Pilar.

— Mets-la dans le seau, dit Pilar, qui n'aurait jamais pris le risque que sa main touche celle de la *gitana*.

— *Sí, señora*, dit Juana en faisant une petite révérence.

La gitane était devenue d'une docilité horripilante. Pilar aurait aimé qu'elle s'en aille, mais elle savait qu'Adelaida n'était pas capable d'effectuer le travail indispensable, or elle préférait encore que la *gitana* s'en charge plutôt que voir Hector, un homme, subvenir à leurs besoins.

Il ne restait plus que huit pommes de terre, que Pilar se dépêcha d'éplucher. Elle avait les nerfs à vif. Ces derniers temps, elle évitait les activités qui lui faisaient perdre le fil de ses pensées. Elle avait le sentiment que des portes s'ouvraient pour lui révéler les vérités odieuses de sa vie, comme si de la vase en suintait et empoisonnait ses pensées de tous les jours. Et quelle que fût son énergie à y résister, elle ne parvenait plus à endiguer le flux de ses souvenirs.

Depuis longtemps, Pilar savait qu'il lui avait fallu oublier ce qui était arrivé à son frère, sans quoi elle n'aurait pas pu continuer à vivre. Néanmoins, même si Carlos avait été tué dans des conditions abominables, elle s'était accrochée à sa position fasciste. Il avait tout de même été de ceux qui avaient tenté de détruire Dieu et le pays... Et de quelle manière ! Dans un couvent des Asturies, ses amis avaient violé une religieuse avec un crucifix en lui déchirant les entrailles. Le prêtre d'une ville voisine avait été pendu par le cou à un crochet à la devanture d'une boucherie. Et si ces outrages demeuraient exceptionnels dans leur cruauté, ils avaient bel et bien eu lieu. À cette époque comme aujourd'hui, elle avait prié pour que Carlos n'ait pas participé à ces horreurs, mais, aussi bien qu'elle ait cru connaître son frère, il l'avait dit lui-même : des hommes qui avaient des mères, des femmes et des enfants étaient devenus des violeurs, des tortionnaires et des bourreaux. Qui aurait pu lui reprocher d'être partiale ? Elle s'était dévouée à l'Église et avait soutenu l'*Acción católica*. Ce qui jouerait sans doute en faveur de sa rédemption.

Par la fenêtre, Pilar aperçut Hector, le fils impur dénaturé de sa fille engendrée malgré elle, en train d'étendre les draps dans la cour. La volonté croissante qu'il manifestait à se rendre utile l'inquiétait autant qu'elle l'exaspérait. Au fil des années, il avait fait diverses tentatives en vue de gagner de l'argent, et nul doute que certaines de ses activités avaient été plutôt louches, mais Pilar avait toujours essayé de l'empêcher de s'intéresser à la blanchisserie. Elle ne pouvait pas se permettre de prendre un tel risque. Aucun homme sur cette terre n'exercerait son pouvoir sur elle, que ce soit sur sa personne, ses biens ou son affaire. Aucun homme ne prendrait part (pour finir par en prendre le contrôle) à ce qu'elle avait créé en travaillant si dur. Cette décision, elle l'avait prise il y a plus d'un demi-siècle, et elle s'y tenait fermement depuis. Mais, ces derniers temps, personne ne semblait plus suivre ses instructions ni même se soucier de ses désirs. Hector et la gitane géraient l'affaire comme si c'était la leur. Pilar regrettait amèrement qu'Adelaida n'ait pas accepté de mettre le garçon dans une école spécialisée ou une institution, où on aurait pu le former à faire quelque chose de constructif. L'obsession bizarre d'Hector pour les chiffres le rendait encore plus étrange sans rien lui apporter d'utile. Ici, à Torre de Burros, le contrôler était impossible. Il allait et venait à sa guise, et Dieu seul savait à qui il parlait et ce qu'il racontait ! Au fond d'elle, Pilar savait que ses propres péchés étaient à l'origine de son goût pour le secret et la dissimulation, mais en fin de compte n'était-ce pas Hector qu'elle protégeait ?

Dehors, Hector travaillait avec rapidité, étendant les draps en rangées régulières en fonction de leur taille. Ses longs cheveux noirs qui flottaient librement sur son dos décharné scintillaient au soleil. Ces cheveux agaçaient Pilar. Elle se serait volontiers faufilée une nuit dans sa chambre pour les lui couper avec ses ciseaux à couture, mais il était trop vigilant pour se laisser surprendre. Ce garçon donnait l'impression de ne jamais dormir ; ses yeux fuyants de chat semblaient guetter en permanence.

Pilar se tourna vers Juana debout devant l'évier et vit que, bien qu'elle eût les mains occupées, elle aussi observait Hector par la fenêtre. Ses yeux noirs étaient intenses et vifs, ses lèvres entrouvertes.

— Arrête de le fixer comme ça ! ordonna Pilar. C'est obscène !

— J'aime bien le regarder. Il est tellement beau.

— Honte à toi ! Sale petite dévergondée ! Je sais très bien ce que tu mijotes… Tu penses que les deux vieilles mégères vont mourir bientôt et qu'après ça tu seras la dame du château. Pas vrai ?

— *No, señora*, répondit calmement Juana.

Et sans prendre la peine de détourner son regard d'Hector, elle continua à l'admirer, la bouche ouverte.

Pilar était outrée. Comment cette misérable osait-elle la provoquer ainsi ?

— Il n'est pas beau, il est dangereux, grommela-t-elle. Mais, parce qu'il est aussi idiot, tu t'es servie de lui pour parvenir à tes fins. Je le sais. Tu espères sans doute tomber enceinte pour profiter de ce qu'il possède. Eh bien, sache pour ton information qu'il n'a rien.

— Je suis trop jeune pour avoir des idées de ce genre, *señora*, rétorqua Juana, sans quitter des yeux la silhouette élancée qui s'activait au soleil. Je ne suis pas aussi fourbe que vous avez l'air de le penser, et aucun homme ne m'a encore jamais touchée.

Pilar partit d'un grand éclat de rire sardonique. La gitane n'avait-elle pas dix-sept ans ?

— Les gitans se reproduisent comme la vermine… et cela dès la puberté !

— C'est horrible de dire une chose pareille. Pourquoi est-ce que vous m'insultez sans arrêt en me traitant de tous les noms ? demanda Juana, qui se retourna et regarda Pilar dans les yeux. Pourquoi est-ce que vous êtes aussi cruelle… et aussi malheureuse ?

Pilar resta un instant sans voix. La gitane avait raison ; elle était cruelle, malheureuse et avait un sale caractère. Ce qui faisait son chagrin et sa honte. Et cela affectait chacune de ses paroles, chacun de ses actes. Toutefois, elle avait beau se savoir désagréable, c'était plus fort qu'elle. Et il semblait n'exister aucun moyen de dissimuler sa laideur intérieure à la fille ; c'était comme si elle voyait à travers sa peau. Peut-être était-ce vrai que les gitans possédaient le don de double vue du diable… Peut-être que Juana avait pu observer ses rêves abominables, vu les hommes lui grimper dessus tour à tour au couvent ou entendu les mots cochons qu'elle soufflait dans l'oreille de don Alfonso pour l'aider à jouir… D'un seul coup, Pilar fut prise de panique.

— Tu ferais mieux d'aller emballer le peu d'affaires que tu possèdes, *gitana* ! Tu es renvoyée. À la seconde même.

— Je ne partirai pas, déclara la fille d'un air de défi en mettant les mains sur ses hanches osseuses. Vous ne pouvez pas m'y obliger.

— Ça suffit ! hurla Pilar, la voix chevrotante. Je n'ai pas assez de force pour te jeter dehors, mais ma fille s'en chargera dès qu'elle rentrera. Tu ferais aussi bien de t'épargner cette honte. Va-t'en tout de suite… et vite !

Juana ne bougea pas et laissa ses mains retomber le long de son corps.

— Adelaida est gentille, et elle a bon cœur… Je vais attendre de voir ce qu'elle en dit.

Plusieurs secondes s'écoulèrent, le temps que Pilar se ressaisisse suffisamment pour trouver comment faire peur à la fille et la faire déguerpir avant le retour d'Adelaida. Tremblante de rage, elle eut de la peine à recouvrer sa voix.

— Espèce de sale renarde… je lui dirai que tu m'as balancé une patate à la figure ! s'écria Pilar, se doutant bien qu'elle avait l'air hystérique et ridicule.

Dans sa colère, elle se sentit honteuse, mais sa peur, tout autant que sa fierté, alimentait son envie irrationnelle de harceler la fille.

Juana ne répondit pas. Elle tira une chaise devant la haute armoire où était rangée la belle vaisselle. Puis elle grimpa dessus, tendit le bras en l'air et passa la main derrière la corniche en bois sculpté. Après quoi elle sauta par terre et s'approcha de Pilar. Dans sa main se trouvait un petit paquet en papier blanc attaché par une ficelle. Elle la dénoua, ouvrit le papier et lui montra un objet qu'elle tenait entre son pouce et son index.

— Vous savez ce que c'est ? demanda-t-elle tranquillement.

Pilar le voyait très bien. Il s'agissait d'une bague ornée d'une grosse pierre rouge et de petits diamants.

— ¡ Dios mío ! s'étrangla-t-elle. Tu as volé sa bague à quelqu'un…

271

— Pas moi, *señora*. Votre fille. C'est la bague de la Vierge.

Le cœur de Pilar s'affola, lui coupant le souffle.

— Espèce de catin perverse ! hurla-t-elle en pointant son doigt tordu vers la fille. C'est une abomination... C'est *toi* qui as volé cette bague, et tu essaies maintenant de me faire chanter. Comme si ma fille était capable d'un tel crime ! C'est un blasphème. On va t'arrêter...

Sa colère était telle qu'elle se sentit faiblir, comme si tout son sang avait reflué d'un coup vers la source de sa colère.

— J'ai vu Adelaida la mettre là. Elle ne sait pas que je l'ai vue et je ne dirai rien à personne, à condition que vous arrêtiez de m'injurier. Et voilà ! Puisque vous me croyez si sournoise, autant que je le sois ! Vous ne pensez pas ?

En se levant, Pilar renversa le seau sans le faire exprès. Les huit pommes de terre qui restaient à éplucher roulèrent sur le sol.

— Si j'avais un bâton, je te battrais jusqu'à ce que tu en perdes connaissance ! lança-t-elle d'une voix stridente. Tu ferais bien de prendre une longueur d'avance, parce que la police va venir t'arrêter.

— Vous feriez mieux de ne rien dire à la police, lui conseilla Juana en remettant la bague avec soin dans le papier. Le jour où la bague a été volée, je n'ai pas quitté la maison. Hector pourra vous le dire. On a lavé tous les tapis des chambres de la pension Pelayo. Ça nous a pris toute la journée.

— Je vois... Tu étais avec Hector ? Quel meilleur alibi ?

— Vous le savez bien, puisque vous étiez là vous aussi. Vous ne nous avez pas quittés des yeux une seule seconde.

Juana monta sur la chaise et reposa le paquet derrière la corniche de l'armoire en bois sculpté. Pilar était toujours debout, les jambes tremblantes. De crainte de tomber, elle préféra se rasseoir. Tandis qu'elle imaginait toutes sortes de choses, elle se rappelait très bien ce jour-là. En effet, ces deux mécréants avaient travaillé dans la cour toute la journée. Elle avait gardé un œil sur eux, en permanence. Néanmoins, l'un d'eux aurait pu s'éclipser quelques instants. Hector était parfaitement capable d'un tel acte, il avait un côté dépravé, c'était certain (elle se rappelait très bien l'histoire du soutien-gorge quand il avait huit ou dix ans), seulement, si elle appelait la police, il risquerait d'être impliqué. De quoi jeter l'opprobre sur toute la famille. Pilar décida de vérifier quel jour la bague avait été volée, pour être absolument sûre, mais plus elle y repensait, plus elle était convaincue que c'était bien ce jour-là. Le soir du vol, cette pipelette indiscrète de Pichi Echebarria était accourue lui annoncer la nouvelle et avait dû se frayer un chemin au milieu des tapis en train de sécher dans la cour.

Plusieurs minutes venaient de s'écouler en silence. Après avoir remis la chaise en place, Juana était retournée finir la vaisselle. Elle essora un chiffon et essuya la table. Son visage était impassible, serein. Elle n'avait pas l'air du tout d'une fille qui se sent coupable, mais il était vrai que les gitans n'avaient aucune conscience. La délinquance était dans la nature de ces gens-là ; tout le monde le savait.

On frappa à la porte qui donnait sur la rue. Juana alla ouvrir. José Vallarta, l'homme qui travaillait comme éboueur municipal et dont la femme était morte récemment, se tenait sur le seuil, l'air tout ratatiné et perdu, une valise en cuir usé à la main.

— C'est mon linge, dit-il d'un ton d'excuse en soulevant sa casquette. Vous pouvez le prendre ?

— Bien sûr, répondit Juana, qui le déchargea de la lourde valise. Pour jeudi. Ça vous va ?

— Mais oui, c'est gentil, très gentil, merci, merci bien, dit-il en soulevant de nouveau sa casquette pour saluer Pilar.

Juana referma la porte et traîna la valise vers la porte de la cour.

— Depuis quand est-ce qu'on lave des *vêtements* ? demanda Pilar en colère, bien qu'elle fût épuisée.

Elle n'avait plus assez de force pour continuer à accuser la fille. Vaincue par son impotence, et le culot de la *gitana*, elle sortit de la cuisine en boitillant. Dans un coin de sa tête, il y avait aussi une sorte de peur, comme un vilain chancre qui grossissait. Comment cette bague était-elle entrée dans sa maison ? Que la *gitana* l'eût volée ou non, maintenant qu'elle la savait là, elle allait sûrement s'emparer du butin et filer avec. En montant l'escalier vers sa chambre, Pilar espéra que c'était ainsi que les choses se passeraient. Peut-être n'aurait-elle plus à s'en soucier. Une fois débarrassée de cette bonne dépravée et du trésor dérobé, elle n'y penserait plus. Elle oublierait cette histoire, l'effacerait de sa mémoire.

274

Arrivée dans sa chambre, Pilar jeta un coup d'œil à travers une fente du volet. Là, dans la cour, elle aperçut la *gitana* en train de rire aux éclats avec Hector pendant qu'ils étendaient tous les deux un immense drap.

Depuis de longues semaines un cauchemar tourmentait Hector, et à l'aube, une fois de plus, il le réveilla. Il se levait de son lit et, les pieds touchant à peine le sol, il volait au-dessus de la ville en suivant le chemin pentu qui descendait vers le fort au fond de la vallée – un chemin étroit et pierreux, parsemé de marches ici et là. Il courait vers la forêt le long du sentier d'une ferme et à travers champs, puis passait devant une série de granges en pierre au toit de chaume. Un chien était enfermé dans l'un de ces *hórreos*. L'animal, qui entendait résonner le bruit de ses semelles sur la boue glacée, laissait échapper des aboiements furieux du fond de sa prison. Soudain, dans une autre grange, une lumière s'éteignait. Puis il entendait des voix d'hommes – l'un d'eux gémissait, de plaisir ou de douleur. Pilar se trouvait elle aussi dans cette grange, il en était certain, du coup il s'enfuyait, ne voulant pas savoir ce qu'ils faisaient là.

La brume enveloppait tout. Une fois dans la forêt, il se dirigeait vers sa grotte secrète. Il croyait sentir quelque chose bouger juste derrière lui, un souffle duveteux, froid et désagréable, mais il n'y avait pas le moindre bruit. Il s'arrêtait pour s'assurer que personne ne le suivait. L'oreille aux aguets, il avait l'impression de percevoir un son, comme un chœur de soupirs. Peut-être était-ce le bruissement du vent dans les feuilles mortes des arbres. Cependant, en scrutant la brume, au loin parmi les arbres, il apercevait des gens, une procession de silhouettes blanches qui avançaient vers lui. À pas lents. Quelle était donc cette étrange parade à l'aube ? Peut-être une veillée, ou une secte s'adonnant à quelque sinistre cérémonie. Ces gens, revêtus de suaires gris, étaient encore à bonne distance. Recroquevillé derrière des buissons, il les regardait s'approcher. Ils avançaient péniblement, lentement, un pas après l'autre, comme s'ils évoluaient eux-mêmes dans un rêve. Quand ils furent plus près, il constata que le cortège était composé de deux rangées. Et qu'ils portaient quelque chose.

Aussitôt il reculait d'épouvante, le cœur battant très fort. C'était une *guestia*, une procession nocturne des âmes des morts. Ils transportaient une civière sur laquelle gisait une personne mourante. Était-ce Adelaida, sa mère adorée, qui était étendue là immobile ? Ou bien Pilar ? Mais non, puisqu'elle était avec les hommes dans l'*hórreo*… Paniqué, il attendait que le cortège s'approche davantage pour distinguer le visage du mourant. Et bien qu'il n'eût jamais cru aux pouvoirs de la Vierge de Miséricorde, à ce moment-là, dans son rêve, il lui adressait une prière.

Les sons qui s'échappaient des gorges en putréfaction se faisaient plus rêches et plus forts tandis qu'ils respiraient tous à l'unisson, entre murmures et soupirs. Lorsque la procession s'approchait de lui, il voyait les chairs pourrissantes pendre tels des lambeaux de leurs bras et de leurs visages, puis tomber par terre tandis que les âmes des morts avançaient en titubant sous le poids de leur fardeau. Il se dégageait du cortège une odeur pestilentielle de chair pourrie et un froid intense qui le glaçait jusqu'aux os.

Ce fut dans cet état qu'Hector se réveilla, transi et la peur au ventre. Il n'avait jamais cru aux *guestias*, pas plus qu'à aucune des vieilles légendes avec lesquelles Pilar s'était employée à l'effrayer. Pourtant, le rêve était d'une clarté si effrayante qu'il se surprit à espérer qu'il annonçait la mort de Pilar, et non celle d'Adelaida.

Bien qu'il fît encore nuit, Hector se leva et s'habilla sans faire de bruit. Il se lava, se brossa les cheveux et se lava les dents devant le lavabo dans sa chambre. Se faufilant en silence dans la cour, il ouvrit la porte du pigeonnier. Il ne restait plus que huit pigeons, tous à la retraite, qui se mirent à pousser des gloussements assoupis en l'entendant entrer. Hector roucoula à son tour afin de les rassurer. Cherchant sous les avant-toits les nombreuses liasses de billets qu'il avait cachées là, il en sortit une, qu'il mit dans sa poche. Hector n'avait pas d'idée précise de ce qu'il comptait faire de cet argent, et il ne chercha pas à analyser ses intentions, même si, dans un coin de sa conscience, flottait l'idée de quelque chose plus ou moins lié à un endroit à lui, un endroit qui garantirait le confort et l'intimité... une chambre d'hôtel, par exemple.

Une fois dehors, Hector jeta un regard vers la fenêtre de Pilar, mais les volets étaient fermés. Les lueurs de l'aube projetaient un doux rose pommelé dans le ciel, et le silence était complet, en dehors du canari d'Adelaida qui entonnait son chant matinal.

277

Sur la place endormie, il entendit s'entrechoquer les moules et les plateaux dans la boulangerie de la Calle Daoiz d'où s'échappait une bonne odeur de pain en train de cuire. Au milieu de la fontaine, le couple de marbre semblait se délecter de l'intimité que leur offrait le lever du jour. Leur étreinte était plus ardente, leur passion plus palpable, comme s'ils s'éveillaient à la vie lorsque personne n'était là pour les observer.

Sans intention précise, Hector ramassa une poignée de cailloux au pied du vieil if. Puis il s'approcha de la pension Pelayo et s'arrêta au-dessous de la fenêtre de Mair Watkins. Elle dormait au dernier étage dans une petite chambre que Carmen lui avait louée pour une somme très modique. Il commença à jeter les cailloux sur sa fenêtre – et il visait bien ! Lancer des pierres sur des choses inanimées l'avait occupé avec bonheur une grande partie de son enfance.

Il ne fallut guère de temps avant qu'une tête échevelée apparaisse derrière la vitre. Hector lui fit signe de descendre le rejoindre. Sans ouvrir la fenêtre, Mair leva la main, les cinq doigts tendus, puis disparut de sa vue. Qu'allait-elle penser du fait qu'il la réveille ainsi à l'aube ? Hector était inquiet parce qu'ils n'avaient pas eu de réelle conversation depuis le soir où elle s'était assise sur ses genoux et avait pleuré sur l'inanité de sa vie. Ces derniers jours, Mair avait eu les traits tirés et l'air distraite, et il avait le sentiment que leur intimité naissante était arrivée dans une impasse. L'autre jour, il aurait pu l'embrasser, si seulement il n'y avait pas eu ce gros petit dandy parfumé de Covarrubias. Il n'était pas loin de penser que toute cette histoire n'était encore qu'un de ses fantasmes tant il avait développé une fixation romantique sur cette femme. Mais bon, avoir des fantasmes absurdes était une des composantes de son caractère. Récemment, il en était venu à comprendre qu'il était coincé dans une phase adolescente ridicule, où la vraie vie se déroulait dans un film aussi flou qu'éphémère dans sa tête. Un constat qui n'avait rien d'enthousiasmant.

Cinq minutes plus tard, Mair arriva sur la place, les yeux bouffis et le teint pâle. Le bas de son jean qui flottait sur ses hanches traînait par terre. Elle avait jeté un immense gilet sur ses épaules, et ses cheveux d'ordinaire disciplinés se dressaient de façon fantaisiste en formant des épis dans tous les sens. Il aurait aimé la prendre dans ses bras, mais elle n'avait pas l'air disposée à une telle familiarité.

Sans demander à Hector ce qu'il voulait, ni pourquoi il l'avait tirée de son lit à une heure aussi indue, Mair sortit des clés de sa poche et les agita sous son nez.

— Prenons la voiture, dit-elle.

Hector la suivit vers le garage situé derrière l'hôtel. Une fois au volant, Mair conduisit lentement, le bruit du moteur qui pétaradait dans la ville assoupie lui arrachant une grimace.

— Où va-t-on ? demanda Hector, qui se rendit compte tout à coup que la situation s'était inversée.

N'était-ce pas *lui* qui avait voulu l'emmener quelque part, l'entraîner vers le fort pour une séance de baisers passionnés, ou même plus loin ailleurs pour bien davantage ?

Mair se tourna vers lui et se fendit d'un sourire malicieux. Sa morosité semblant soudain évaporée, elle avait un petit air coquin, l'air d'une fille prête à faire des bêtises...

— Au couvent ! répondit-elle gaiement, comme si les ruines infestées de fantômes étaient une boutique de bonbons.

Ils passèrent devant l'église, puis elle descendit la route de la colline en prenant les virages à la corde.

— Non, n'allons pas là-bas ! implora Hector. Ce n'est pas une bonne idée. Si on allait plutôt prendre un café avec des *churros* au bar *El Refugio*, en bas de la route ? J'ai plein de sous.

Il tapa sur sa poche dans laquelle il sentit la liasse de billets. Il surprit Mair en train de regarder sa poche elle aussi et se demanda si elle soupçonnait ce qu'il avait en tête.

— Oh, pourquoi ne pas faire les deux ?

— D'accord, tant pis... D'ailleurs, il est trop tôt pour les *churros*, dit-il, capitulant aussitôt devant son enthousiasme. On a tout notre temps.

Ils roulèrent dans un silence agréable vers le couvent qui se trouvait à une vingtaine de minutes de route. Mair alluma la radio et commença à siffler sur une chanson pop anglaise, chantant les paroles de temps à autre tout en battant le rythme sur sa cuisse. Hector lui envia son assurance et regretta de ne pas pouvoir se comporter de façon aussi extra-vertie sans faire de gros efforts. Il n'y avait chez elle rien d'affecté, et elle semblait indifférente à ce que les gens pensaient d'elle. Elle arrêtait le premier venu dans la rue pour lui poser une question et persévérait en espagnol sans se soucier de faire des fautes. Comme ce devait être libérateur de se sentir aussi libre, de ne pas être entravé par des inhibitions ! Mair venait d'un monde différent, c'était une femme brillante qui avait un métier, une femme qui avait des responsabilités et gagnait un salaire correct, qui se montrait efficace et compétente. Qu'aurait-elle eu à cacher ?

Hector lui indiqua un petit chemin. Au bout d'environ deux kilomètres, ils arrivèrent en cahotant devant un mur en pierre. Il y avait une grande grille, mais elle était fermée par une chaîne et un cadenas. Un écriteau, fendu et délavé par le soleil, était accroché sur la grille : *Peligro – entrada prohibida.*

Ils se garèrent et descendirent de voiture. Le soleil se levait derrière le mur. Les collines basses et ondoyantes qui entouraient le couvent étaient magnifiques dans la lumière matinale. L'automne était particulièrement doux, mais la fraîcheur du matin était piquante.

Ils firent le tour du mur d'enceinte et, comme ils ne trouvèrent aucune brèche par où se faufiler, ils revinrent devant la grille. Le front plissé d'un air déterminé, Mair posa ses deux mains sur les épaules d'Hector en levant un pied. Troublé une seconde par son geste, il comprit cependant très vite et joignit les mains de manière à lui faire la courte échelle. Il la hissa en l'air ; légère comme une plume, elle enjamba facilement le haut de la grille. Il fit de même, quoique avec un peu moins d'élégance.

Là devant eux se dressait la ruine à propos de laquelle Hector avait entendu tant d'histoires sinistres. De forme rectangulaire, percé de fenêtres hautes et étroites, le bâtiment ressemblait à une prison. Les vitres et les portes avaient depuis long-temps disparu. Une des extrémités de l'édifice s'était écroulée comme si elle avait été bombardée. Au milieu de la toiture effondrée en plusieurs endroits avait poussé un majestueux eucalyptus.

Mair avança d'un pas décidé vers l'entrée princi-pale, une immense arche encore munie des gonds auxquels avaient dû être accrochés deux lourds battants de porte. Immédiatement, Hector détesta l'endroit, qui lui évoquait la tyrannie, la cruauté. Le froid et l'épouvante dans lesquels l'avait plongé son rêve l'envahirent de nouveau. Il avait l'impression que quelque chose d'horrible s'était passé ici même, et que cette chose avait soudain un rapport avec lui. Mair se méprit sur son hésitation et dut croire qu'il avait peur des fantômes. En voyant son expression figée, elle rit doucement, mais le son se réverbéra en un écho creux qui rebondit contre les murs. Puis elle revint sur ses pas et le prit par la main avec tant de fermeté que son assurance eut raison de ses réti-cences.

Échangeant un regard plein de hardiesse, ils passèrent sous l'arche qui débouchait dans un vaste hall. Leur arrivée dérangea un grand nombre d'hirondelles. L'affolement des oiseaux provoqua une turbulence dans l'air vicié, soulevant des tour-billons de poussière entre les rais de lumière. Ils baissèrent la tête et cherchèrent par où commencer leur exploration. Partout il y avait des couloirs, jonchés de chiffons, de vieux papiers, de monceaux de terre ou de pierres. Prudemment, ils s'engagèrent dans l'un de ces passages obscurs et jetèrent un œil dans les salles vides qui s'ouvraient de chaque côté. Certaines contenaient des meubles brisés, des lits étroits et des écritoires. Dans une pièce de plus grande dimension trônait un bureau imposant. Curieusement, celui-ci semblait avoir été épargné. Juste en face était accroché un petit crucifix noir, tout seul au milieu du mur recouvert de chaux grise, constellé de taches d'humidité et de moisissures verdâtres. Voyant une grosse cloche en cuivre pendue à une poutre, Hector trouva étrange que personne ne l'ait décrochée ou volée pour vendre le métal au poids.

Mair rompit le charme.

— C'est donc ici que vivait ta grand-mère, dit-elle d'une voix forte qui résonna dans le couloir. Elle a renoncé à être…

Ses mains s'agitèrent dans le vide tandis qu'elle cherchait le mot espagnol pour religieuse.

— … à travailler ici ?

— Oui, elle a dû abandonner l'idée de devenir *monja*.

— Parce qu'elle a rencontré quelqu'un et qu'elle s'est mariée, c'est ça ?

— Non, elle ne s'est jamais mariée.

Mair parut intriguée.

— Mais… et ton grand-père ?

— Je ne sais rien de lui. Mon *abuela* refuse d'en parler.

— Pourquoi ne me l'as-tu pas dit ? s'exclama-t-elle en le serrant dans ses bras. Moi qui te parle sans cesse de mon grand-père, soupira-t-elle. Raconte-moi.

— Il n'y a rien à raconter.

Hector s'efforça d'imaginer Pilar lorsqu'elle était jeune femme, nue dans les bras d'un homme, en train de faire l'amour. Non, une telle image était trop dérangeante, et même inconcevable. Tout comme l'était l'idée qu'elle ait marché dans ces couloirs, vêtue d'un long habit noir, ses cheveux coupés court entièrement recouverts par un voile. Non que Pilar ne fût pas une bonne catholique, mais elle était virulente, avait toujours un avis sur tout et paraissait beaucoup trop indépendante pour avoir pu devenir une religieuse docile. Peut-être avait-elle été plus douce dans sa jeunesse...

Mair lui reprit la main pour le faire avancer.

— On dirait que ta grand-mère sait beaucoup de choses, dit-elle avec froideur.

Elle avait raison, et il devait encore lui révéler que Pilar en connaissait au moins une sur *son* grand-père. Une jambe arrachée. Pourquoi ne l'avait-il pas dit à Mair ? Parce qu'un détail aussi épouvantable risquait de lui faire de la peine ? Parce que Pilar pourrait refuser d'en dire davantage ? Ou bien parce que lui-même faisait en sorte de prolonger la présence de Mair à Torre de Burros ? Il avait loupé une excellente occasion l'autre jour quand Covarrubias leur avait montré les photos. Il avait attendu en pensant lui en parler plus tard, car il ne voulait pas le faire devant le maire. Et ensuite, comme par hasard, il avait oublié. Il était un assistant lamentable, qui retenait les informations au lieu de les transmettre, malhonnête et sournois (ce qui ne démentait pas l'opinion que tout le monde avait de lui). Mair était pourtant du genre à préférer la vérité.

Il prit la résolution de trouver le bon moment pour lui en parler – mais pas maintenant.

Le bâtiment était un vrai labyrinthe. Quand ils arrivèrent au pied d'un escalier étroit, Mair voulut l'entraîner à l'étage, mais les marches en bois avaient l'air pourries.

— Je t'interdis formellement de monter, dit Hector. Ç'a l'air dangereux.

Il la tira en arrière, mais Mair protesta, décidée à pousser plus loin l'aventure. Cependant Hector la retint en riant de son audace – la petite diablesse était volontaire, fonceuse, avec un côté inconscient. Sans un mot, ils luttèrent quelques instants ; mais elle avait beau être têtue, Hector était nettement plus fort. Pour finir, il la souleva en travers de son épaule et l'emmena au bout du couloir où il apercevait la lumière du jour. Elle planta ses doigts sous ses aisselles, mais il n'était pas chatouilleux. Attrapant ses cheveux à pleines mains, elle tira très fort dessus, mais son cuir chevelu était insensible à la douleur. Ils riaient comme des enfants, et leurs rires résonnaient de façon étrange à l'intérieur du sinistre bâtiment. Finalement, Hector la reposa par terre et lui prit la tête entre ses deux mains en lui mordant le bout du nez. Mair cessa de rire, et ils s'embrassèrent, des baisers tendres et convenables. J'embrasse une femme, songea Hector, je l'embrasse vraiment. C'était une chose qui l'attristait depuis des années : il n'avait jamais embrassé personne comme il faut. Et bien qu'il n'ait pas le culot de fourrer sa langue dans la bouche de Mair, la chasteté de son approche dans ce domaine semblait lui plaire.

Ils continuèrent d'avancer, passèrent sous une arche étroite et se retrouvèrent devant un mur en partie démoli. Lorsqu'ils grimpèrent au sommet du monticule de gravats envahi de broussailles, Hector sauta de l'autre côté, puis rattrapa Mair quand elle se jeta dans ses bras.

Il respira une grande bouffée d'air frais.

— J'en ai assez vu. Viens, le café et les *churros* nous attendent.

— D'accord, dit-elle, semblant avoir elle aussi satisfait sa curiosité.

Alors qu'ils étaient sur le point d'escalader de nouveau la grille, Mair retint Hector par le bras et tendit la main. Tout près du mur du fond, dans ce qui ressemblait à un ancien potager, se trouvait un abri en pierre.

— Qu'est-ce que c'est ? demanda-t-elle. Allons jeter un petit coup d'œil...

La cabane, de forme trapue et coiffée d'un grand toit de pierres plates, semblait intacte, à l'exception d'une fenêtre cassée. De vieux arbres fruitiers aux troncs noueux l'entouraient. La porte, bien que fermée, ne fut pas difficile à forcer. L'intérieur était vide, hormis un épais rideau de toiles d'araignée et quelques ballots de paille. La fenêtre dépourvue de vitres laissait entrer la lumière sur des décennies de poussière. Quelque chose de sombre pendu à un crochet sur le mur attira l'attention d'Hector. Ce n'était qu'une grande pelle noircie, toute rouillée et très vieille. Pour une raison inexplicable, la voir là le fit frissonner.

— Venons vivre ici ! lança Mair en riant et en sautant sur le foin.

Hector détacha son regard de la pelle et la vit assise là, en train de le fixer de ses yeux immenses et malicieux.

— Dis-moi, pourquoi est-ce qu'un bel homme comme toi n'a pas de femme ?

— Ça ne te regarde pas, petite diablesse ! répondit-il en s'approchant. Mais je m'en félicite. Sans quoi je ne serais pas ici avec toi.

Mair retira sa grosse laine polaire, qu'elle balança sur le tas de foin. Puis elle s'allongea sur le dos en ayant l'air de l'attendre. Son minuscule tee-shirt était remonté, laissant entrevoir son ventre lisse et blanc. À voir la façon dont elle le regardait, ses intentions ne faisaient aucun doute.

Hector savait que c'était de la folie, le meilleur moyen pour être certain de souffrir. Bientôt Mair le quitterait, et faire cela rendrait la chose encore pire. Néanmoins, il se pencha au-dessus d'elle. Alors qu'il caressait son ventre et sa taille, puis glissait le bout de ses doigts sous la ceinture de son jean, elle se mit à respirer plus vite tandis que de petits bruits s'échappaient de sa gorge. Lui aussi tremblait – de peur ou de désir, il n'aurait su le dire. L'exquise sensation de sa peau nue sous ses mains aurait pu lui suffire, mais non, elle voulait davantage. Elle dénuda sa poitrine et guida ses mains sur ses seins. De petits seins soyeux, comme deux moitiés de pêche, aux pointes dressées et roses. Quand il en effleura une de ses lèvres, elle murmura son prénom. C'était vraiment lui qu'elle voulait, cette fois il en était sûr ; c'était son prénom qu'elle murmurait pendant qu'elle lui emmêlait les cheveux et s'arc-boutait sous sa bouche.

Hector aurait pu passer la journée entière à explorer chaque centimètre de son corps menu, mais elle lui fit passer sa chemise par-dessus la tête et l'attira contre elle. Se drapant la tête et les épaules de sa chevelure comme d'une cape, mi-haletante, mi-rieuse, elle dit dans la pénombre :

— Personne ne peut nous voir, alors embrasse-moi de façon scandaleuse !

Ce qu'il fit, et rien n'aurait pu être plus tendre que ce baiser. Son ventre sous le sien, la pression de ses seins nus sur sa peau et son souffle brûlant eurent raison de ses dernières incertitudes et de sa maladresse. À son tour, il perdit patience. Cette femme, il la voulait, comme il n'avait encore jamais rien voulu de sa vie.

14

Adelaida était consternée et surprise par le peu de travail d'investigation qu'il lui avait fallu mener. À vrai dire, elle était même un peu déçue par la facilité avec laquelle elle avait retrouvé son amoureux d'il y avait si longtemps. Un simple coup de fil avait suffi. Après qu'elle eut mentionné le nom et la ville à une opératrice du service des renseignements téléphoniques, la voix désincarnée d'une machine avait pris le relais et martelé le numéro sans autre préambule, d'une façon si soudaine qu'elle s'était retrouvée prise au dépourvu, n'ayant ni papier ni crayon sous la main. L'histoire aurait eu davantage d'allure si elle avait dû expliquer son cas, si on l'avait renvoyée ailleurs, ou encore si on lui avait répondu platement que, non, il n'existait aucun abonné à ce nom.

Il se trouvait que Porfirio vivait à Montelinda. Il était donc resté, ou revenu, dans la ville où il était né. À l'âge de vingt-huit ans déjà, Porfirio était un homme stable et digne de confiance, aussi loyal envers sa mère, qui était veuve, que dévoué à son travail de comptable dans une brasserie locale. Le connaissant, il était probable qu'il y travaillait encore. Certes, il avait été passionné, grand et plutôt beau garçon, et tout chez lui l'avait émerveillée. Il possédait un tranquille sens de l'humour qui la faisait rire, mais aujourd'hui, à soixante-deux ans... qu'allait-elle trouver ? Bien qu'il fût plus jeune qu'elle d'environ deux ans, il avait dû pas mal vieillir. Il ne serait jamais gros, c'était certain, mais il pourrait très bien être chauve, avoir des taches de vieillesse et de la couperose, un nez rougeaud et spongieux à force d'avoir trop bu, et une de ces bedaines peu séduisantes qui débordaient par-dessus la ceinture. Quoi qu'il en soit, même jeune il avait été quelqu'un de sérieux et mature.

Les longues années passées à se perdre en conjectures cessèrent à ce moment précis. Adelaida décrocha le téléphone et composa le numéro en se demandant pourquoi il lui avait fallu une maladie grave pour arriver à se débarrasser de sa honte et trouver le courage de parler au père de son fils. Toutefois, sa véritable honte était de ne l'avoir pas fait. Qu'est-ce qui lui avait pris de se montrer aussi docile et aussi molle en acceptant de se plier à la volonté intransigeante de Pilar ? Adelaida ne voulait pas se complaire dans le dégoût de soi, et elle s'était promis d'aborder le peu qui lui restait à vivre avec plus d'indulgence, mais elle ne se sentit pas moins assaillie par une foule d'émotions à l'instant où son doigt enfonça les touches du téléphone. En outre, elle éprouvait une certaine culpabilité d'avoir mis Hector au courant. Depuis qu'elle lui avait révélé le nom de son père, il tournait en rond, anxieux et préoccupé, s'armant sans doute de courage afin d'entreprendre une démarche si longtemps attendue. Dans l'idéal, elle aurait dû le laisser approcher Porfirio, lui donner le droit de chercher son père et de le découvrir par lui-même, sauf que ça n'aurait pas été juste envers Porfirio. Elle avait l'impression qu'il fallait qu'elle le prévienne ; compte tenu du choc qui l'attendait, elle lui devait bien ça !

Le téléphone sonna deux fois. Bien qu'il soit encore tôt dans la matinée, une femme à la voix douce et ensommeillée décrocha en disant simplement :

— ¿ Si ?

— *Buenos días*, dit Adelaida avec un léger trémolo. Don Porfirio est-il là ?

— *Si*, dit de nouveau la voix, sans montrer plus de curiosité pour la femme qui appelait chez elle.

— Bonjour, fit une voix masculine grave, forte malgré son âge. Qui est à l'appareil ?

Adelaida, qui ne s'était pas préparée à une question aussi directe, n'eut d'autre choix que de répondre :

— Adelaida Martinez.

Il y eut un long silence. Elle attendit dans un suspense insoutenable qu'il dise quelque chose. Ce qu'il fit.

— Dieu du ciel !

— Tu te souviens de moi, Porfirio ?

— Si je me *souviens* de toi ?

— Comment vas-tu ?

— Pas mal, merci.

— Je sais que c'est... bizarre, et je regrette de t'appeler comme ça à l'improviste, mais il faut que je te parle de quelque chose. C'est important.

— Vraiment ? Après tant d'années, dit-il d'une voix tremblante empreinte d'une légère suspicion.

— Oui, vraiment. Est-ce qu'on pourrait se voir ? Ça ne prendra pas longtemps, je ne voudrais te déranger d'aucune façon. Dis-moi où et quand, et j'y serai.

— Eh bien...

Après une longue pause, il dit plus bas :

— Tu connais le restaurant *El Camino*, sur la route qui va de Montelinda à...

— Oui, oui, je connais, le coupa Adelaida. À vrai dire, je n'y ai jamais mangé, ajouta-t-elle inutilement. Demain après-midi ?

Cette fois encore, Porfirio demeura coi. Elle s'apprêtait à le relancer quand il dit :

— Si c'est si important, pourquoi pas aujourd'hui ?

Adelaida jeta un regard à sa montre. Neuf heures moins dix. Elle avait tout son temps.

— D'accord. À deux heures ?

— Non, à deux heures, je rentre déjeuner chez moi, dit Porfirio d'un ton un peu guindé. À onze heures.

— Seigneur ! C'est dans deux heures et demie...

— De quoi qu'il s'agisse, inutile de le remettre à plus tard.

— Bien.

Et la conversation s'arrêta là. Adelaida reposa le combiné d'une main tremblante. Comme ç'avait été simple ! Au cours de ces trente-quatre dernières années, elle aurait pu faire ça à n'importe quel moment. Juste comme ça. Il lui avait fallu une minute, deux tout au plus. Elle fila prendre une douche. Juana était dans la salle de bains, en train de faire le ménage. L'odeur de l'eau de Javel était pénétrante. L'odorat d'Adelaida s'était aiguisé de façon inquiétante, remarquant toutes sortes d'effluves dont elle se serait volontiers passée, ainsi qu'une foule d'autres très agréables comme ceux des oranges, des fleurs ou des diverses sortes de pain cuit dans des boulangeries distantes de plusieurs pâtés de maisons.

— Ne t'embête pas avec ça ! dit-elle à Juana, pressée de la faire sortir. Si tu prenais une journée de congé ? Histoire de te détendre, de regarder la télévision…

Tout à coup, elle repensa à Pilar, qui jamais ne laisserait la pauvre fille regarder la télévision.

— Non, tu devrais plutôt sortir, aller faire du shopping, chez le coiffeur ou autre chose… Tu as de l'argent ?

Juana se déroba à l'étreinte d'Adelaida qui la tenait par le coude. Elle voulait finir de laver le sol et parla avec lenteur pour se donner du temps.

— Je pourrais aller chez don José, si ça ne vous ennuie pas. Il m'a demandé si j'accepterais de faire du ménage chez lui. Vous pensez que c'est convenable ? Avec sa femme à peine refroidie…

— Bien sûr que oui… Tu fais ce que tu veux, ma chère. Fais comme il te plaît. Moi qui ne l'ai jamais fait, regarde où j'en suis !

Elle tapota le bras de Juana pour la forme en essayant de la pousser hors de la salle de bains.

— Écoute-moi. Pourquoi ne ferais-tu pas quelque chose de distrayant, pour une fois ? Tu devrais rencontrer des jeunes gens…

Laissant sa phrase en suspens, Adelaida se maudit dans son for intérieur. Juana était née vieille, elle le savait. L'idée qu'elle puisse aller en discothèque, ou flirter avec des garçons dans un café, était ridicule. Son petit visage pincé était trop mat et trop grave pour se mêler à des adolescents capricieux aux joues roses. Son corps maigre, aux muscles noueux et engoncés dans ces vêtements qui lui allaient mal, n'offrait aucune ressemblance avec ceux des jeunes arrogants d'aujourd'hui, habillés de vêtements griffés et pendus à leurs téléphones portables. Adelaida prit la décision d'emmener la jeune fille faire du shopping très bientôt, ou de demander à Hector de s'en charger, de façon à l'aider à s'émanciper, ne fût-ce qu'en apparence. Elle tapota Juana sur la joue et la poussa gentiment hors de la salle de bains avec sa serpillière, son seau et le reste.

— Vas-y. Mais surtout, ne t'approche pas de ce Rodriguez, la créature simiesque qui travaille à l'église. S'il t'arrête dans la rue ou cherche à te parler, fuis-le. Promets-le-moi. C'est un vrai diable !

Une heure plus tard, Adelaida se regarda dans le miroir de son armoire. Elle était fantastique, quasi méconnaissable. La femme grise et vieux jeu prématurément vieillie avait laissé place à l'image même de la sophistication et de l'élégance, un peu fatiguée, certes, mais dont les yeux brillaient dangereusement. La veille, après une intuition heureuse quoique inconsciente, elle avait fait reteindre ses racines. Et bien qu'elle ait encore perdu du poids, curieusement, elle n'avait pas l'air plus hagarde. Son ami Hussein lui avait conseillé une nouvelle tenue, un tailleur-pantalon bleu ciel. En pure laine, mais léger comme l'air, il tombait avec sensualité sur un chemisier en soie blanche aux boutons ouverts jusqu'au décolleté. Elle vaporisa un peu de Chanel N° 5 sur sa nuque et ses poignets. Ressentant un mélange d'excitation et d'appréhension, elle se réprimanda d'être aussi vaniteuse, tout en s'avouant qu'elle tenait à ce que Porfirio soit agréablement surpris par son élégance.

Lorsqu'elle croisa Hector dans la cuisine, Adelaida fut ramenée brusquement à la réalité. Tous ces préparatifs narcissiques... alors qu'elle était sur le point de trahir son propre fils, le seul être sur cette terre qu'elle aimait vraiment ! Elle se demanda s'il lui pardonnerait le fait qu'elle ait retrouvé Porfirio avant lui. Même à l'instant, animée des meilleures intentions, c'était comme si elle rabaissait les efforts qu'il faisait en vue de s'émanciper. Ce n'était en rien voulu, juste une réaction ancrée au plus profond d'elle qui résultait de longues années passées à le surprotéger.

Histoire d'aggraver encore un peu sa culpabilité, Hector siffla d'un air admiratif.

— ¡ *Mamma mia !* Il doit y avoir un homme là-dessous.

Elle lui donna une tape avec un torchon.

— Quelle impertinence !

Hector ne lui en lança pas moins un regard en biais qu'elle feignit d'ignorer. Alors qu'elle venait de s'asseoir à la table pour écrire un mot à Pilar, il s'approcha par-derrière et referma ses bras sur elle en murmurant d'un ton enflammé à son oreille :

— Je ne peux pas garder ça pour moi, *mama*. Il m'arrive quelque chose de merveilleux. Je suis amoureux. Passionnément.

Adelaida fit volte-face pour regarder son fils. Voilà un genre de confidence qu'elle avait pensé ne jamais entendre de sa bouche. *Amoureux. Passionnément.* Son visage était en effet d'une teinte un peu différente, légèrement plus rouge, ses dents étaient étincelantes, et ses yeux plus grands, comme figés d'étonnement. Tout son être semblait irradier d'une lumière, de cette beauté singulière qui était la sienne et qui, en même temps, avait quelque chose de scandaleux, pour ne pas dire fou. Devant elle se tenait un homme à qui on avait fait l'amour, qu'on avait *baisé comme il faut*, ainsi qu'auraient dit les jeunes. Elle le vit à la seconde même grâce à la nouvelle sensibilité qu'elle avait acquise depuis peu, cette perception curieuse sortie de derrière quelque porte restée jusqu'alors fermée au fond d'elle.

— Hector, c'est merveilleux ! Je ne peux que deviner qui est l'objet de cette passion. J'espère que c'est réciproque.

Adelaida avait laissé cette dernière remarque lui échapper, avouant du même coup sa peur que son fils ne soit pas assez mature, voire digne d'un véritable amour. Une fois encore, elle se sentit écrasée de honte.

— Elle a de la chance, ajouta-t-elle pour compenser sa remarque désagréable.

— Non, c'est moi qui ai de la chance, et tu le sais bien, rétorqua Hector, nullement offensé, avec un pragmatisme qui la surprit. Enfin, si cette relation peut avoir un avenir, ce dont je doute.

— Profite de l'instant présent, lui conseilla Adelaida. Tu es encore jeune. C'est juste que tu commences tard... il y en aura d'autres.

Décidément, elle n'arrivait pas à dire ce qu'il fallait ; mieux valait qu'elle se taise. Aussi le serrat-elle dans ses bras, désireuse de lui montrer qu'elle était contente et approuvait cette amourette, car c'était sûrement de cela qu'il s'agissait. Du moins de la part de la *veterinaria*, une femme du monde qui avait du temps à perdre. Une fille peu banale, captivante et sexy dans son genre non sophistiqué. Mais comprenait-elle ce qu'elle risquait de faire à Hector, savait-elle ce qu'elle laisserait derrière elle ? Car elle s'en irait, bien sûr. Pauvre Hector... son fils malchanceux. Encore une blessure qu'il lui faudrait s'efforcer de guérir. Elle imaginait déjà sa douleur muette, l'expression absente de son visage.

— Et toi... si je peux me permettre ? demanda Hector, le regard brillant d'une lueur complice. Où vas-tu de si bon matin vêtue avec autant d'élégance ?

— Euh... moi ? Je vais retrouver une amie à... à Villahermosa.

— Tu as une amie à Villahermosa ? fit-il en plissant les yeux, un sourire au coin des lèvres. Comment elle s'appelle ?

— Peu importe, s'impatienta Adelaida.

— Et tu y vas comment ?

— En taxi.

Un bref instant, Hector parut sur le point de lui proposer de l'accompagner ; il adorait Villahermosa, mais, heureusement, ses responsabilités à la pension Pelayo – et ses clientes – l'occupaient trop ces jours-ci.

— Amuse-toi bien, *mama*. Tu le mérites, dit-il avant de l'embrasser sur les deux joues.

Adelaida avait l'impression d'être une fraudeuse, pire, une poseuse, avec ses vêtements voyants et son parfum hors de prix. La seule chose qu'elle pouvait invoquer pour sa défense, c'est qu'elle était sur le point de s'amender, d'essayer de réparer les choses, de s'ouvrir et de dire la vérité telle qu'elle était. Peut-être même parlerait-elle à Hector de cette rencontre avec son père, à moins qu'elle ne laisse Porfirio décider lui-même comment il voulait lui être présenté. Ce qui était certain, c'était qu'il ne serait plus possible d'attendre d'Hector qu'il garde le silence et s'abstienne de poser des questions. Savoir était son droit, un droit qu'il exerçait d'ailleurs en prenant de plus en plus les choses en main.

— *Mama*, j'ai trouvé un numéro de téléphone, dit-il soudain, comme s'il avait lu dans ses pensées. À Montelinda. Mon Dieu, j'espère que c'est le bon ! J'appellerai ce Porfirio Pellicer d'ici peu. Dans un jour ou deux. Une fois que je serai plus ou moins redescendu sur terre.

Adelaida contempla le bout de ses chaussures, s'appliquant à cacher sa duplicité derrière un sourire rayonnant.

— Bonne idée, Hector. Attends un jour ou deux. Profite de ton amou… de ton histoire d'amour.

— Peut-être qu'on devrait commencer par en discuter un peu, reprit-il, hésitant. J'imagine que ça va être un choc pour le pauvre homme… Tu crois qu'il pourrait me rejeter ?

Adelaida eut alors une idée.

— Préfères-tu que je lui parle d'abord ?

— Non, répondit Hector d'un ton ferme. C'est une chose que je dois absolument faire moi-même.

Mortifiée, Adelaida eut envie de rentrer sous terre. Au diable tout ça !

Vingt minutes plus tard, Adelaida était installée à l'arrière d'un taxi. Le trajet prit près d'une demi-heure, mais elle ne regarda pas une seule fois le compteur. L'argent avait perdu toute valeur à ses yeux. Il était fait pour être dépensé, que ce soit dans un but utile ou frivole ; et elle le dépensait librement dans tous les sens.

— On y mange bien, observa le chauffeur de taxi. Le restaurant ouvre à une heure et demie pile, mais ils servent des tapas toute la journée. Goûtez la petite friture… Remarquez, ça baigne dans l'ail. Ils en mettent dans la pâte à frire.

Malgré une calvitie naissante, l'homme, âgé d'une quarantaine d'années, était séduisant, avec un genre de visage qui inspirait d'instinct confiance.

— *Gracias*. Je n'y manquerai pas.

— Ils vendent aussi de l'huile d'olive maison. Ils la gardent sous le comptoir. Il faut la demander. Huit euros le litre, précisa-t-il en claquant des doigts d'un geste indigné, mais ma femme en achète quand même. C'est une connaisseuse.

Cependant, Adelaida ne s'intéressait pas du tout à l'huile, elle n'aimait même pas les olives. Elle se pencha en avant et parla à voix basse :

— Puis-je vous demander votre avis sur quelque chose, en toute confidence ?

Le chauffeur lui jeta un regard dans le rétroviseur.

— Absolument. À votre service, *señora*.

— Que diriez-vous à un homme… qui ne sait pas qu'il a un fils adulte ? En tant qu'homme, de quelle façon aimeriez-vous apprendre une information aussi monumentale ?

Le chauffeur de taxi ne parut nullement dérouté par sa question.

— Qu'on me le dise franchement. C'est la seule façon. Un homme préfère qu'on lui annonce les nouvelles sans détour ni fioritures. Il faut faire confiance à son courage. « *Tu as un fils adulte.* » C'est tout.

— Vraiment ? *Gracias.*

Ils retombèrent dans un silence songeur, mais Adelaida était sûre que le chauffeur de taxi retournait la question dans sa tête et ne tarderait pas à lui délivrer de nouveaux trésors de sagesse.

— Vous avez des enfants ? demanda-t-elle.

— Non, et je le regrette.

— Connaissez-vous mon fils Hector ? Il lavait les taxis à la station, l'année dernière, histoire de… gagner de l'argent de poche.

— Ah oui, Hector, le gars bizarre avec les cheveux longs !

— Qu'est-ce qu'il a de bizarre ?

— Je ne sais pas trop. Vous êtes sa mère, c'est vous qui pouvez le dire.

— Il est juste un peu solitaire… Vous l'aimeriez bien, si vous le connaissiez.

— Si vous le dites ! fit le chauffeur de taxi, cachant mal qu'il était un tantinet sceptique. Il a quelques années de moins que moi, mais je me souviens de lui à l'école. C'était un as en mathématiques, non ? Toujours en train de transformer les chiffres en couleurs et en formes… Tout le monde se moquait de lui, et il se faisait souvent embêter. Je crois me rappeler qu'il s'était attiré de graves ennuis… Après ça, les mômes l'évitaient.

— Je sais, murmura Adelaida. C'était probablement ma faute.

Le chauffeur s'engagea sur le parking du *Camino*, ralentit et s'arrêta. Il se retourna pour regarder sa cliente pendant qu'elle cherchait l'argent éparpillé au fond de son sac.

— Ce ne sont pas mes affaires, mais c'est le père d'Hector que vous venez retrouver ici ? C'est pour ça que vous m'avez posé cette question ?

Adelaida faillit nier, mais elle ne trouva pas de raison de mentir.

— Oui, mais gardez-le pour vous.

— Bien entendu. Vous voulez que je vous attende ?

— Non, en revanche, donnez-moi votre nom et votre numéro de téléphone, je vous appellerai. Ça risque de prendre du temps.

— C'est vrai, convint le chauffeur de taxi en hochant sagement la tête. Bonne chance, *señora*.

Il lui remit une carte très gaie sur laquelle son prénom, Francisco, et son numéro étaient imprimés en lettres de couleurs fluorescentes.

Adelaida le paya, et après qu'il lui eut promis, sans qu'elle ait rien demandé, que cette conversation resterait confidentielle, puis lui avoir rappelé que l'huile d'olive, bien que chère, était exceptionnelle, Francisco redémarra dans un nuage de poussière. Adelaida regarda sa montre. Onze heures moins cinq. D'un pas résolu, elle entra dans le restaurant.

L'intérieur donnait l'impression d'être immense. Devant le bar, très long et situé près de l'entrée, le sol était jonché de serviettes en papier, de morceaux de pain, de mégots de cigarettes et de noyaux d'olives après une matinée entière pendant laquelle des hommes, sans doute des camionneurs, s'étaient arrêtés là pour manger, boire et fumer afin de tromper la monotonie de la route. Derrière le bar, dans une salle qui n'était pas encore allumée, se trouvait le restaurant. Adelaida semblait être la seule cliente, en dehors de trois grosses dames, vêtues de tee-shirts jaunes identiques décorés d'un logo tape-à-l'œil sur la poitrine, en train de manger un en-cas à une petite table. Elle prit place sur un tabouret de bar et commanda une margarita. Mais comme le barman ignorait ce que c'était – il s'excusa d'être nouveau dans le métier – elle opta pour un Campari. Au moment où elle portait le verre à ses lèvres, elle vit un homme très grand entrer dans le bar. Elle le reconnut aussitôt pour la bonne raison que sa silhouette et son maintien ressemblaient de façon troublante à ceux d'Hector. Il était aussi grand, peut-être même plus, et tout aussi maigre. Hormis cette expression sombre si singulière, son visage présentait peu de ressemblance avec celui de son fils, et, en même temps, il avait quelque chose d'extrêmement familier.

Dès qu'il l'aperçut, Porfirio se figea sur place, puis s'avança vers elle en hésitant et en ondulant tel un brin d'herbe dans le vent. Adelaida descendit du tabouret. Pourquoi, elle n'en savait trop rien, toujours est-il qu'un moment de confusion s'ensuivit. Leurs regards étaient rivés l'un à l'autre, mais aucun d'eux ne savait comment se dire bonjour. Finalement, Porfirio se pencha pour l'embrasser sur la joue, tandis qu'elle lui prenait la main et la serrait. Un sourire narquois éclaira le visage plutôt enclin à l'austérité.

— Tu es superbe, dit-il, l'air sincère.

— C'est un phénomène récent, rétorqua Adelaida, ce qui, et à juste titre, laissa Porfirio un peu perplexe. Je veux dire... c'est un nouvel ensemble, et puis j'ai coupé mes cheveux... Toi aussi tu es superbe, ajouta-t-elle en l'observant.

Il n'avait ni les taches ni les imperfections qu'elle avait imaginées. Ses cheveux encore épais grisonnaient, et son visage était un peu creusé au niveau des joues, mais pas trop ridé.

— Tu bois quelque chose, je vois...

Porfirio fit signe au barman et commanda une bière.

— J'étais... impatiente de te retrouver. Tu n'as pas beaucoup changé.

Il fixa une pellicule sur sa veste en tweed sans réagir. Son visage bienveillant avait un air plus sombre, mais elle devinait la gentillesse qu'il dissimulait. Porfirio avait été un homme adorable, et il l'était probablement resté. Son regard était chaleureux, un peu comme celui d'un chien, comme s'il avait passé des années sous la domination d'une femme exigeante, une femme qu'il s'était efforcé de satisfaire sans jamais vraiment y parvenir. Quelle que fût sa vie, il ne serait pas ravi de ce qu'elle s'apprêtait à lui dire.

— Alors, à quoi devons-nous ce rendez-vous ? la pressa-t-il.

— Est-ce que tu as des fils, Porfirio ?

— Non. Pourquoi ? Je n'ai qu'une fille. Dont je suis très fier. Elle est étudiante en médecine.

Adelaida espéra que le chauffeur de taxi avait dit juste sur la façon d'annoncer ce qu'elle avait à dire. De toute manière, elle ne voyait pas comment faire autrement, et elle ne pouvait plus reculer.

— Porfirio, ce que je suis venue te dire ici, c'est que tu en as un. Tu as un fils.

Porfirio parut troublé. Il la regarda fixement.

— Je suis désolée. J'aurais dû te prévenir il y a des années, des dizaines d'années. Mais tu t'es marié très vite, et je t'avais déjà assez fait souffrir. Ta femme aurait...

Il l'interrompit en levant la main, comme un agent de la circulation.

— De quoi est-ce que tu parles ?

— Je parle de mon fils Hector. De notre fils. À toi et à moi.

Le long corps de Porfirio se tassa sur le tabouret, ses yeux se fermèrent et son visage perdit toutes ses couleurs.

— Je ne te crois pas. J'ai entendu dire que tu avais eu un fils, d'un autre homme.

— Non, il n'y a eu que toi.

— Oh, je t'en prie ! fit-il avec un geste d'impatience. Dans ce cas, pourquoi as-tu rompu nos fiançailles ? J'aurais été fou de joie, tu le sais bien. Non, Adelaida, je ne sais pas pourquoi tu fais cela, mais j'ai beau être stupide, je ne suis pas crédule à ce point.

D'un seul coup, Porfirio eut l'air beaucoup plus vieux. Il se détourna pour cacher sa stupéfaction.

— Je n'ai aucun motif, aucune raison de te faire du mal ou de te mentir, plaida Adelaida. Comme Hector est sur le point de prendre contact avec toi, je voulais seulement te prévenir pour que tu y sois préparé. Il a trente-quatre ans, je n'ai pas pu lui cacher la vérité plus longtemps. Et je ne peux pas l'empêcher de vouloir connaître son père. Tu peux le comprendre, non ? Quand tu... si tu acceptes de le rencontrer, son allure, ses gestes, ses mains, dit-elle en regardant celles de Porfirio d'un air étonné, je sais que tu seras vite convaincu.

Il appela le barman et commanda un cognac. Puis il regarda le verre d'Adelaida.

— Et un autre de ces machins rouges, ajouta-t-il.

Ils burent dans un silence concentré, comme s'ils avalaient un médicament. Porfirio regardait ailleurs en ruminant ses pensées – elle le voyait à la crispation de sa mâchoire, à la tension de ses tempes. Exactement comme dans son souvenir.

— Tu as rencontré quelqu'un d'autre, n'est-ce pas plutôt ça, la vérité ? dit-il finalement. Je crois deviner ce qui s'est passé. Tu es tombée enceinte et tu as cru que l'autre homme était le père. Du coup, tu as fait ce qu'il fallait faire et tu m'as congédié, façon de parler, mais maintenant que ton fils veut savoir, tu as préféré lui dire que c'était moi son père. Sans doute parce que tu n'as pas retrouvé l'autre type...

Porfirio la regarda en face, comme s'il s'attendait à voir une fêlure apparaître sur son visage.

— Après que j'ai épousé Eduarda, j'ai entendu dire que tu étais seule. J'ai supposé que l'autre histoire n'avait pas marché. Mais rien n'indiquait que ton fils était le mien. Si ç'avait été le cas, qu'est-ce qui t'aurait empêchée de te marier avec moi ? Tu n'arriveras pas à me convaincre, Adelaida. Ça n'a pas de sens. Rien de tout ça n'a de sens.

— J'ai fait une chose terrible, Porfirio. Je suis allée avorter en catimini, mais ça n'a pas marché.

Elle prit une serviette en papier sur le bar et tamponna son mascara qui menaçait de couler.

— Après cette horrible expérience, j'ai fait une sorte de dépression nerveuse, je crois. Je n'arrivais pas à te dire la vérité, pour la bonne raison que je t'avais déjà trahi et que je t'avais menti.

— Pourquoi voulais-tu avorter ? demanda-t-il, intrigué. Toi et moi, nous nous aimions, du moins je le croyais. On n'arrêtait pas de parler de fonder une famille. Aurais-tu oublié ?

— Aurais-tu oublié, contra Adelaida d'un ton vif, que nous étions parents. Que le contexte... les mauvais gènes...

Immédiatement, elle s'en voulut d'avoir prononcé ces mots. Autant étaler en plein jour son échec passé, ce qu'il avait de pathétique et de destructeur !

— Ah oui, ta maudite mère ! se contenta de dire Porfirio.

Le barman manifestait un certain intérêt pour leur conversation tout en faisant semblant de laver des verres. Ils se réfugièrent dans le silence. Une petite assiette de câpres apparut devant eux, ainsi que quelques morceaux de fromage local piqués de cure-dents.

— Je suis malade, avoua brusquement Adelaida. En dehors du fait que ton fils veut te rencontrer, j'espérais que peut-être tu t'intéresserais à Hector.

Ma mère aura bientôt quatre-vingt-dix ans, et, à part une vieille amie, il n'y a personne sur qui je puisse compter. Hector n'est pas marié et a peu d'amis. Il est très seul.

— Je vois.

Porfirio ne la croyait toujours pas. D'un seul coup, elle se sentit prise de colère, et puis elle commençait à être ivre. Elle fut à deux doigts de sortir sa nouvelle prothèse mammaire en silicone pour lui montrer de quoi elle était malade. Il n'avait quand même pas pu ne pas remarquer sa main enflée.

— Parler est inutile. Ce n'est pas la peine que je cherche à te convaincre. Voir Hector te suffira, sinon, une analyse sanguine te le confirmera.

Elle fit la grimace.

— Non, écoute-moi. Il ne s'agit pas de… Hector n'attend rien, il veut juste te connaître.

Porfirio sembla regretter son sarcasme.

— Oh, Seigneur, quel merdier ! Je suis désolé que tu sois malade, *mi amor*, je le suis sincèrement.

Il l'avait appelée « mon amour ». La colère d'Adelaida s'évapora telles des gouttes d'eau dans une poêle brûlante. Elle savait qu'il y avait un risque qu'elle se mette à larmoyer, mais elle s'en fichait.

— Je t'aimais, lui dit-elle. Énormément. Mais j'avais l'impression d'avoir souillé cet amour. De l'avoir trahi. Ce que j'avais fait m'écœurait. Je n'étais plus moi-même. Peut-être à cause des hormones pendant la grossesse, peut-être à cause de ma *maudite* mère… J'ai tout détruit, mais surtout, j'ai fait du mal à Hector.

— Hector, répéta lentement Porfirio, comme pour s'entraîner à prononcer son prénom. C'est comme ça qu'il s'appelle ?

Doucement, Adelaida posa sa main, la bonne, sur son bras.

— Au moment où j'ai retrouvé mes esprits, il était trop tard. Je suis allée voir ta mère, mais, étant donné qu'elle était de mèche avec Pilar pour nous séparer, elle m'a très vite informée que tu venais de te marier. Elle avait l'air extrêmement soulagée et m'a conseillé de garder mes distances dans des termes très clairs. Et je l'ai fait. Il m'était impossible de t'imposer la ruine que j'étais devenue avec, en plus, un bébé. Tu peux sûrement le comprendre.

Porfirio avait la larme à l'œil lui aussi. Il prit son portefeuille dans sa poche arrière. Il en sortit une petite photo. Les couleurs étaient passées, les coins écornés. Quand il la lui tendit, son cœur se serra de se revoir jeune, avec son joli visage, en train de sourire d'un air charmant sur ce bout de papier tout abîmé.

— Elle est restée dans mon portefeuille pendant toutes ces années, là, dans cette poche secrète, tu vois ?

Il lui montra la fente dissimulée dans le cuir usé.

— Je la sors de temps en temps et je la regarde.

C'en était trop pour Adelaida, qui éclata en sanglots. Porfirio regarda ailleurs, mais le mouvement de ses épaules témoignait des efforts qu'il faisait pour se maîtriser. Et tout à coup, elle se souvint. Elle attrapa son sac d'où elle sortit deux photos d'Hector qu'elle gardait toujours sur elle. La première, quand il était enfant, le visage mangé par ses yeux sombres et inquiets. La seconde, à l'âge adulte, le regard intense et indéchiffrable.

Porfirio les lui prit des mains et les examina un long moment, rendu muet par le fait de se reconnaître, en même temps que par le chagrin.

15

— Bénissez-moi, mon père, parce que j'ai péché.

Le prêtre, un homme grand et distingué d'une trentaine d'années, était nouveau à Torre de Burros. Après divers incidents récents (notamment le vol de la bague), les hautes autorités de l'Église avaient jugé bon d'intervenir et de procéder à un remaniement général. Cet homme jouissait apparemment d'une grande autorité, ce dont il ne faisait nullement secret. Pilar se sentit immédiatement libérée par le fait qu'il ne la connaissait pas, et pourtant, ses manières onctueuses et sa voix assurée l'intimidaient. En même temps, il n'aurait pas obtenu ce poste important s'il n'avait pas eu les qualités requises, ce qui en soi inspirait plutôt confiance. Si seulement il savait ce qu'elle transportait avec elle… Il y aurait eu matière à une conférence entière sur le péché !

Pilar était venue se confesser en toute franchise, mais le prêtre semblait manifester plus qu'un vague intérêt pour ses méfaits, or elle n'était pas disposée à s'étendre là-dessus d'aucune façon, ni même capable de le faire.

— Parler de vos transgressions plus en détail pourrait vous aider, dit le prêtre derrière la cloison du confessionnal d'une voix basse et désincarnée, en même temps que virile, chaude et résolue.

Pilar marmonna quelque chose pour lui laisser imaginer qu'elle lui livrait des détails sur ses erreurs et ses méfaits, mais le prêtre ne se laissa pas prendre. Elle l'entendit quasiment sourire.

— Vous ne croyez pas au secret de la confession ? demanda-t-il posément.

— Bien sûr que si ! siffla Pilar, outrée.

— Est-ce que cela vous aiderait de vous confesser face à face, dans un dispositif moins formel ?

— Dieu du ciel, non !

— Cela se fait fréquemment, de nos jours.

— Je n'ai jamais entendu parler d'une telle chose ! s'énerva Pilar. S'il vous plaît, mon père, pourrions-nous… pourrais-je simplement recevoir l'absolution ?

— Bien entendu, du moment que vous vous repentez. Mais souvenez-vous, *señora*, que vous pouvez toujours venir me parler. À votre âge, vous devriez songer à… enfin, vous comprenez ce que je veux dire… Parler peut parfois soulager.

— Merci, mon père. Je m'en souviendrai.

Allez, termine ! avait-elle envie de lui crier. *Je suis vieille, bourrée d'arthrite, ma vessie est défaillante et je veux rentrer chez moi !*

— Et faites confiance à la Vierge, ajouta le prêtre avec désinvolture, un peu sur le ton d'une pub télévisée pour une assurance vie. Ce que nous avons là est très spécial. Nous sommes vraiment bénis.

Pilar récita l'acte de contrition, puis il lui donna une pénitence et l'exhorta à ne plus pécher. Elle sortit de l'église sans adresser un regard à la Vierge, empêchée par cette culpabilité constante dont elle semblait ne pas pouvoir se débarrasser, ne fût-ce qu'un instant.

Elle repartit vers la maison, à pas lents et précautionneux, ses articulations craquant à qui mieux mieux. La canne qu'Adelaida lui avait achetée dernièrement était restée accrochée dans la cuisine. Pilar ne s'abaisserait pas à recourir à cet accessoire réservé aux faibles. En chemin, elle repensa à ce que le prêtre lui avait dit. Sans doute était-il un peu trop mielleux à son goût, mais elle savait qu'il avait raison. Elle était très vieille, il pouvait lui arriver n'importe quoi. Il fallait bien qu'elle meure un jour, or la mort pouvait survenir de façon soudaine. Et si elle ne recevait pas les derniers sacrements ? D'une façon ou d'une autre, elle devait en passer par là. Révéler toutes ses transgressions abominables et obtenir l'absolution, chercher un compromis convenable avec Dieu. Si elle n'avait pas été aussi handicapée par son âge, elle aurait pu se rendre dans une autre communauté, une autre église, afin d'en terminer avec tout ça dans un cadre plus anonyme.

Arrivée au milieu de la Soberania Nacional (Dieu merci, une rue qu'ils n'avaient pas rebaptisée après la mort de Franco !), Pilar aperçut Pichi Echebarria, la dernière personne qu'elle avait envie de voir, qui arrivait à toute vitesse de sa démarche en crabe. Pilar envisagea de traverser la rue, mais les voitures roulaient pare-chocs contre pare-chocs, et, d'ailleurs, Pichi l'avait repérée. Malgré la distance, Pilar comprit qu'elle avait quelque chose à lui dire, rien qu'à cette façon qu'elle avait de respirer avant de lui tendre une embuscade.

— *Buenos días*, doña Pilar. Est-ce que je peux… ?

— Pardonnez-moi, je n'ai pas le temps de m'arrêter, l'interrompit Pilar avec agacement. Je dois vite rentrer chez moi prendre mon médicament.

— Oh, alors, je ne vous retiens pas ! Est-ce que ce serait le même médicament miracle que celui que prend Adelaida ?

Pilar avança de quelques pas en boitillant puis se figea.

— Que voulez-vous dire ?

— On m'a raconté qu'Adelaida prenait un traitement extraordinaire et assez… inhabituel. Vous savez bien… celui que lui donne la *bruja*, Catarina.

— C'est grotesque ! Où avez-vous entendu ça ?

— Oh, ma foi, je ne saurais trop vous dire, répondit Pichi, qui haussa les épaules en feignant l'indifférence. C'est juste que plein de gens racontent qu'elle a changé et qu'elle est allée chez Catarina pas mal de fois. Ça m'étonne que vous ne soyez pas au courant…

Ce fut uniquement parce que Pilar était profondément troublée par les changements qui se produisaient sous son toit qu'elle daigna écouter ces ragots détestables. Pichi leva puis abaissa ses gros doigts boudinés en dressant la liste de ce qu'on racontait en ville. L'air complice, elle se rapprocha pour lui confier que, avant même d'avoir eu vent du puissant remède à base d'herbes, tout le monde était certain qu'Adelaida avait une liaison, et les langues allaient bon train pour savoir quel était le vieux débauché, quoique, qui pouvait affirmer qu'il était vieux… Adelaida faisait preuve d'un tel allant que sa satisfaction frisait l'indécence.

— Qui ne voudrait pas d'un jeune amant ? rigola Pichi, allant même jusqu'à pousser Pilar du coude.

Pilar en avait assez entendu. Elle aurait voulu gifler cette petite commère triomphante en pleine figure.

— Bah, ce ne sont que des bêtises ! fut tout ce qu'elle trouva à dire.

— Bien sûr, certains prétendent que c'est la maladie qui la pousse à agir avec ce brin de folie. Que ça lui est monté à la tête. Elle est devenue si peu modeste dans son apparence... parfois si éhontée, si péremptoire. Elle flirte avec les commerçants, fume dans la rue, sent l'alcool... Vous-même devez vous inquiéter, doña Pilar.

— À présent, écoutez-moi. Tout ça n'est que calomnie et malveillance. Je suis surprise que vous vous abaissiez à les colporter.

Doña Pichi ne releva pas. Elle s'approcha encore.

— Vous savez, ils sont nombreux à courir chez Catarina pour lui demander le même stimulant. Est-ce qu'il ne nous faudrait pas à tous un peu de ce genre de « tonique » ? gloussa-t-elle sans aucune honte.

— Adelaida ne s'abaisserait pas à...

— Nous sommes tous intrigués.

— Alors pourquoi n'allez-vous pas vous en procurer vous-même ? siffla Pilar. Quoi que ce soit, en prendre ne vous ferait pas de mal ! Vous avez l'air d'un épouvantail avec votre bouche qui dégouline. Vous n'avez rien de mieux à faire que d'interpeller les gens convenables dans la rue pour leur faire part de vos potins sordides ?

Pilar s'éloigna en claudiquant, mais doña Pichi, vite remise de ses insultes, lui lança :

— À propos d'allure provocante, gardez donc un œil sur votre Hector ! Il semblerait que cette jeune étrangère l'utilise sans aucune vergogne, ils ont même...

Pilar se boucha les oreilles pour ne plus rien entendre.

Quand elle arriva chez elle, tout était silencieux. Hector était sorti. Son amourette avec la fille coiffée comme un jeune coq et à l'allure de garçon manqué le poussait à s'investir davantage dans son emploi douteux à la pension Pelayo. La gitane avait pris sa journée de congé. Elle la passait à faire le ménage chez l'éboueur municipal, don José. Ce matin, elle avait affirmé qu'Adelaida avait encouragé ce comportement inconvenant. Dieu seul savait quel autre « service » elle lui rendait... Un homme qui venait de perdre sa femme !

Adelaida était absente, comme presque tous les jours ces temps-ci, mais, ce matin, elle avait laissé un mot sur la table : « *Maman, je serai partie toute la journée. Juana a laissé du ragoût sur la cuisinière pour ton déjeuner.* »

— Partie toute la journée... Qu'est-ce que ça veut dire ? Partie où ?

Les insinuations de Pichi lui revinrent à l'esprit. Était-il possible qu'Adelaida ait une histoire avec un homme ? Certainement pas. Était-elle devenue alcoolique et passait-elle ses journées dans les bars ? Avec ces Campari et ces margaritas qu'elle buvait tout le temps... Et était-elle effectivement allée voir la vieille sorcière dans son taudis ? Aucune de ces options n'était vraiment préférable aux autres. Aussi dégoûtée qu'elle fût par les changements constatés chez sa fille, Pilar n'y trouvait pas d'explication.

Cela dit, qu'elle dispose de la maison pour elle seule était capital. Car Pilar savait qu'elle avait une chose à faire. Elle s'assit devant la table de la cuisine en prenant un petit verre et sa bouteille d'*aguardiente*. Pour la tâche qu'elle avait en tête, il fallait d'abord qu'elle se calme, qu'elle trouve un bon équilibre nerveux, ayant besoin à la fois de rassembler son courage et de soulager ses douleurs, sans pour autant avoir la tremblote. Après avoir réfléchi à son plan une vingtaine de minutes, elle alla dans le garde-manger d'où elle rapporta l'escabeau en aluminium. Il était léger et relativement facile à déplier. Elle le plaça devant l'armoire en bois, prit le temps de respirer plusieurs fois à fond pour se ressaisir et se concentrer, puis monta trois des six marches. La canne que lui avait achetée Adelaida était accrochée à son bras. Elle n'osa pas aller plus haut et, tout en se tenant à l'escabeau de la main gauche, elle tendit la canne qu'elle essaya de passer sur le haut de l'armoire. Cependant, la corniche en bois la gênait. Il fallait grimper plus haut. Les mâchoires serrées, elle monta encore deux marches. Mais, quand elle passa la canne d'un geste maladroit au sommet, elle ne sentit rien. Monter encore lui permettrait de passer la main sur le dessus de l'armoire. Elle devait le faire. Se hissant tant bien que mal pour attraper le rebord de la corniche, elle se mit à trembler et resta pendue là. Puis elle tendit la main et trouva le petit paquet. Pilar s'étonna qu'il soit encore là. Elle était convaincue que la *gitana* l'avait pris. Quant à l'impudence de cette fille… qui restait ici dans la maison comme si de rien n'était… Impossible de dire ce que cela signifiait.

Pilar glissa le paquet dans la poche de son gilet et commença à redescendre. La tension dans ses bras et ses jambes la faisait trembler. La descente lui parut interminable, et elle savait que, si elle regardait en bas, elle serait prise de vertige ; elle avait toujours eu la hantise des hauteurs. Finalement, marche après marche, elle descendit. Cette entreprise l'avait épuisée. Elle se sentait très faible et son cœur battait à une vitesse inhabituelle.

Repliant l'escabeau, elle l'emportait vers le garde-manger lorsque, d'un seul coup, une pluie d'étincelles explosa dans sa tête. Ses pensées se ralentirent, puis s'arrêtèrent, pourtant elle voyait les étoiles s'échapper d'un noyau jaune en flammes. Au-delà des étoiles, tout était noir. C'est alors qu'elle s'écroula par terre et entendit quelque chose craquer, comme un bout de bois mouillé qui crépite dans un feu de cheminée.

Pilar resta étendue là, incapable de bouger. Pendant quelques instants, elle perdit connaissance. Puis elle se réveilla, mais presque aussitôt l'obscurité l'attira de nouveau. Elle résista, persuadée que c'était la mort. La punition que lui envoyait Dieu pour s'être moquée de sa domestique. Si seulement elle avait obéi au prêtre si sage… Il avait dû sentir que sa fin était proche, et elle-même l'avait hâtée par ses mensonges et son irrévérence. D'une voix faible, elle appela le prêtre.

— Mon père, je vous en prie…

Dans l'obscurité, quelqu'un voulait lui prendre sa couverture, mais elle résista.

— Lève-toi, fit une voix d'homme.

Une main puissante la saisit par le cou.

— Debout ! grommela don Alfonso.

— Qu'est-ce qu'il y a ? murmura Pilar. Non, pas maintenant !

— Habille-toi. Tu viens avec moi.

Quelque chose dans son ton l'alerta. Il était sérieux, et peut-être était-elle allée trop loin. Elle lui avait résisté depuis plus d'une semaine. Récemment, dans la fièvre d'une étreinte, il l'avait interrogée sur le viol qu'elle avait subi, exigeant qu'elle lui en fasse un compte rendu détaillé. Malade de rage devant ce désir pervers de la titiller, elle n'en avait pas moins été contrainte de tout lui raconter. Après l'acte sexuel, alors qu'il rebouclait sa ceinture, elle lui avait dit imprudemment qu'il se devait désormais de la venger de ce viol. À peine avait-elle prononcé ces mots qu'elle avait blêmi d'horreur. Une seule personne connaissait l'identité de ses violeurs, or Pilar avait mentionné par inadvertance le prénom de Carlos. Pendant les quelques jours qui avaient suivi, don Alfonso lui avait raconté en jubilant les souffrances endurées par son frère après sa visite. Elle voulait qu'on attrape ces salauds, non ? Être sûre qu'ils soient punis ? Jusqu'à quel point Carlos avait été torturé, elle l'ignorait, toujours est-il qu'il était encore en vie. Sans avoir cependant révélé le nom des coupables.

La souffrance qu'elle-même endurait était sans limites. Avoir commis une telle bourde la tourmentait. Et elle punissait don Alfonso pour avoir orchestré cette torture. Mais plus elle le repoussait, plus ses demandes *se faisaient pressantes et furieuses. Ils en étaient arrivés à se haïr, ce qui ne diminuait en rien le désir qu'il avait d'elle, au contraire... Pourtant, elle avait tenu bon.*

Pilar se laissa extraire de son lit, presque heureuse d'avoir l'occasion de mettre fin à cette histoire. Elle se pencha pour regarder Adelaida, mais la petite fille dormait comme un ange dans son berceau. Elle supposa que don Alfonso voulait l'emmener dehors, dans le jardin, ou bien dans le garage, où il avait installé un matelas dans ce seul but, afin d'éviter que les bruits de leurs accouplements ne parviennent aux oreilles de sa femme ou des domestiques. Elle enfila sa jupe et ses chaussures, puis passa un gilet par-dessus sa chemise de nuit. On était en novembre, les nuits étaient froides. Elle ne prit pas la peine de mettre de sous-vêtements. Autant en terminer au plus vite et revenir au lit.

Don Alfonso l'attrapa par le poignet et lui fit descendre l'escalier.

— Dépêche-toi, une voiture nous attend.

— Une voiture ?

— C'est pour ton bien, crois-moi.

La façon dont il avait dit cela, son attitude, avait quelque chose de menaçant. Pilar savait déjà que, si elle couchait avec son bienfaiteur, c'était pour sa propre sauvegarde, dans la mesure où il avait une raison de la protéger du regard scrutateur des autorités, et qu'ainsi elle avait un endroit où vivre, mais l'homme qui avait été l'employeur de sa défunte mère n'aurait-il pas dû la protéger sans exiger ces faveurs en retour ? Une vague de dégoût l'envahit. Si ses parents avaient été en vie pour être témoins de sa situation, son

319

père l'aurait tué. Mais elle était seule dans un monde hostile, seule avec un enfant en bas âge, et, pour l'instant, elle n'avait pas le choix. Néanmoins, il lui tardait de voir venir le jour où elle pourrait quitter cette maison en toute sécurité.

En effet, une voiture attendait dans la rue. Il faisait nuit noire, et on ne percevait pas une seule lumière alentour. Don Alfonso la poussa sur la banquette arrière sans ménagement et monta à côté d'elle. Un homme était au volant, mais Pilar ne le reconnut pas, et il ne lui adressa pas le moindre salut. Elle n'osait pas demander ce que tout cela signifiait. Où allaient-ils l'emmener ? Et cet homme, se pouvait-il qu'il attende qu'elle lui accorde ses faveurs à lui aussi ? Prise d'une peur mêlée d'amertume, Pilar se sentit soudain extrêmement vulnérable. Un homme, c'était déjà épouvantable, mais deux…

Ils descendirent la Calle Rafael Ramirez, récemment rebaptisée Soberania Nacional, puis tournèrent à l'angle de la prison du Dr Medina. Dès qu'ils s'arrêtèrent, à une vingtaine de mètres de la porte, le chauffeur coupa le moteur. Bien qu'il fît très sombre, Pilar vit à travers une fenêtre éclairée qu'il régnait une activité frénétique à l'intérieur du bâtiment. Un camion était garé devant l'entrée. Les lueurs rougeoyantes de plusieurs cigarettes s'agitaient dans l'air glacé au rythme des gesticulations de leurs propriétaires, manifestement en pleine discussion.

— Que se passe-t-il ? demanda-t-elle tout bas à don Alfonso. Pourquoi sommes-nous ici ?

— Fais bien attention, lui dit-il.

Puis il alluma une cigarette qu'il se mit à fumer tranquillement.

Au bout d'environ vingt minutes, une file d'hommes sortit du bâtiment. Dans la lumière qui filtrait par la porte grande ouverte, Pilar en compta huit. Les hommes qui fumaient les firent monter à l'arrière du camion. De plus en plus affolée, elle comprit de quoi il s'agissait : un paseo, une promenade... la dernière promenade.

— Qui sont ces hommes ? demanda-t-elle à mi-voix.

— Des républicains, des communistes et des traîtres, répondit posément don Alfonso.

— Pourquoi m'avez-vous amenée ici ?

— Tu voulais que je punisse tes agresseurs, non ? rétorqua-t-il d'un air sombre. Eh bien, avec un peu de chance, peut-être que ce sera fait ce soir.

— Vous avez appris qui ils étaient ? s'enquit Pilar, redoutant ce qu'une telle chose avait pu entraîner pour Carlos.

— Peut-être bien que oui, peut-être bien que non. Quelle importance ? Ce qui compte, c'est le principe. Tu n'as qu'à imaginer que ce sont eux, ma chère. Ils se valent bien tous.

Pilar comprit sur-le-champ pourquoi don Alfonso l'avait fait venir.

— C'est pour me punir, n'est-ce pas ? dit-elle avec colère. De vous avoir repoussé...

— Tu marques un point. Je n'aime pas la façon dont tu me remercies... pour ma peine, dit-il en baissant la voix, de crainte que le chauffeur ne les entende.

Les prisonniers étaient dans le camion, entourés de trois gardiens. Ces derniers tenaient leurs armes de façon décontractée, l'air indifférent, tout en tirant sur leurs cigarettes. D'autres gardiens montaient la garde alentour, et deux ou trois autres avaient pris place à l'avant du camion. Mais le camion ne partait toujours pas. Plusieurs minutes s'écoulèrent. Un des gardiens dit quelque chose à un autre, et ils éclatèrent de rire. Ils paraissaient détendus. Ce n'était qu'un boulot de nuit, une corvée régulière. Des hommes à massacrer, rien d'inhabituel. Pilar tremblait et avait la nausée. Étaient-ils obligés de rester là ? Dès le camion parti, elle espérait que don Alfonso la ramènerait à la maison. Ils iraient dans le garage, et là, il pourrait lui demander tout ce qu'il voudrait, elle accepterait. L'avertissement avait été plus qu'efficace. Comme il était malin... Elle aurait fait n'importe quoi pour éviter de voir des hommes embarquer dans un camion.

— On peut rentrer ? murmura-t-elle en faisant glisser une main sur sa cuisse.

Don Alfonso la laissa déboutonner sa braguette, puis refermer les doigts sur son sexe en érection. Mais il ne réagit pas. Il savait qu'elle faisait semblant, et même si c'était le cas, Pilar était prête à lui laisser faire n'importe quoi. Elle leva les yeux vers lui et vit des gouttes de sueur sur son front. Non, il était évident qu'il allait se passer autre chose...

Le camion s'en alla, et le chauffeur redémarra.

Pilar se mit à pleurer.

— Je vous en prie, non. Ne les suivons pas...

Cependant, ils les suivirent. Ils roulèrent sur la route principale plongée dans l'obscurité, puis bifurquèrent à l'ouest en direction des forêts et des collines. Il fallait une demi-heure de route pour les rejoindre en voiture, alors qu'à pied, en coupant par les champs, ce n'était pas si long. On distinguait nettement Torre de Burros, la citadelle obscure se découpait sur le fond de ciel nocturne. Pilar pleura tout le long du trajet. Ce qui les attendait au bout de cette route qui paraissait interminable la terrifiait. Elle repensa à chaque mot qu'elle et don Alfonso avaient échangé au cours de ces quinze derniers jours. Elle avait été folle de vouloir le punir pour avoir fait torturer Carlos ! Elle avait provoqué ce qui lui arrivait, et elle était désormais certaine qu'on la conduisait à sa propre exécution.

— Si je dois être fusillée, dit Pilar, la voix étranglée par les larmes, promettez-moi de trouver une bonne famille pour Adelaida... Je vous en supplie, ne laissez pas Esmeralda l'élever ! Elle déteste cette enfant.

Don Alfonso regardait par la fenêtre.

— Ce n'est pas mon cas, dit-il. J'aime beaucoup ta petite fille.

Ses paroles la glacèrent, et une nouvelle terreur l'envahit.

Le camion s'engagea en cahotant sur un chemin forestier qui débouchait sur une clairière. Le sol était plat, comme s'il avait été labouré récemment, et dessus, rien ne poussait. Le chauffeur stoppa la voiture à une dizaine de mètres derrière le camion sur un terre-plein plus dur. Les pluies récentes avaient ramolli la terre, de sorte que, lorsque les prisonniers reçurent la consigne de sauter du camion, ils s'enfoncèrent dans la boue jusqu'aux chevilles. Les gardiens lançaient des ordres. Une fois les condamnés regroupés, le gardien qui se trouvait à l'avant du camion tendit des pelles à un autre déjà à terre. Ils les comptèrent. L'atmosphère se fit plus grave ; aucun des gardiens ne riait plus ni ne faisait de commentaire.

Don Alfonso ouvrit la portière et poussa Pilar dans l'air glacial. Elle dut se tenir près de la voiture, les mains cramponnées à la poignée. Elle avait conscience de ne rien avoir sous sa jupe, l'air qui remontait sur son pubis lui rappelant sa vulnérabilité. Si on la fusillait et qu'elle tombait dans une position bizarre, tous ces hommes verraient qu'elle était nue. Quelle importance ? Dans sa terreur, elle faillit rire d'elle-même. Peu à peu, à mesure que ses yeux s'habituaient à la lumière de l'aube, tout devenait plus clair. Elle se détourna pour ne pas avoir à regarder, mais don Alfonso la saisit par la mâchoire en la forçant à se tourner vers les prisonniers. C'est alors qu'elle aperçut Carlos. Elle cria son prénom, mais don Alfonso la gifla avec une telle violence qu'elle s'écroula par terre.

Carlos, qui l'avait entendue, l'appela d'une voix affolée.

— Pilar... Pilar, reste où tu es ! Surtout ne fais rien !

— Relève-toi, siffla don Alfonso entre ses dents. Ne te donne pas en spectacle.

Pilar se releva, hagarde. Les yeux de Carlos cherchèrent les siens dans la lumière blafarde, et ils se regardèrent. Tout à coup, un homme âgé se détacha du groupe et se mit à courir en zigzag. Petit, sec et nerveux, il courait dans tous les sens comme un lapin qu'on pourchasse. Les gardiens semblèrent pris au dépourvu, mais très vite ils réagirent. L'homme s'effondra au troisième coup de feu.

Les prisonniers furent conduits au fond de la clairière. Chacun s'était vu remettre une pelle. Pilar aurait voulu appeler son frère, revoir une dernière fois son visage et lui faire ses adieux, mais il était trop tard. Don Alfonso la tenait par le haut du bras, ses doigts enfoncés dans sa chair. À un moment donné,

Carlos se retourna. Il faisait cependant encore trop sombre pour qu'elle pût voir distinctement son visage.

Pilar pensa que ce serait vite fini, mais creuser les fosses nécessita plus d'une heure d'efforts. Elle regarda le corps maigre de Carlos penché sur la pelle, qu'il plantait dans le sol d'un coup de talon, lançant la terre de sa propre tombe derrière lui, pelletée après pelletée. Il voulait que ça aille vite, ne cherchait pas à gagner du temps sur le peu qui lui restait à vivre. Bientôt les hommes s'enfoncèrent dans la fosse, la partie inférieure du corps invisible.

Pilar tremblait violemment ; toutefois, sa terreur n'était pas exempte de rage. Les bras serrés autour d'elle, elle ferma les yeux. En silence, elle fit la promesse solennelle de tuer don Alfonso. Si elle n'était pas fusillée ici même avec les prisonniers, elle trouverait un moyen de venger ces hommes.

Tout était prêt. L'aspect désolé de la scène paraissait encore plus effrayant dans la lumière du petit jour. Un gardien récupéra les pelles auprès des prisonniers. Ils venaient de creuser leurs tombes. Ils semblaient l'avoir fait avec soin, avec amour même – un trou bien carré aux angles bien droits. Sans que personne le leur ait demandé, ils s'alignèrent devant leurs tombes. Certains s'embrassèrent, d'autres se serrèrent la main. Carlos resta tout seul. Il leva les yeux vers Pilar en la fixant intensément. Elle s'arracha à la poigne de don Alfonso et courut vers les hommes qu'on allait tuer. Elle voulait être seule au moment où son frère mourrait, sentir son regard sur elle. Et s'ils la fusillaient, elle s'en fichait. Par un tel matin, la mort ne semblait pas une si mauvaise façon d'en finir...

Pilar et Carlos se dévisagèrent sans ciller ; ses beaux yeux de chat restèrent accrochés aux siens, et, lorsqu'elle s'avança vers son frère, ses pieds s'enfoncèrent profondément dans la boue des tombes.

Avant qu'elle l'ait rejoint, les gardiens mirent leurs armes en joue, et, dans une suite de détonations assourdissantes, les morts et les mourants basculèrent au fond des fosses. La force des déflagrations projeta Pilar sur le sol. Lorsque enfin l'écho se dissipa, un silence total s'abattit sur la forêt. Puis un oiseau se mit à chanter tandis que le soleil dardait ses premiers rayons sur la cime des arbres.

16

Dès qu'Hector comprit qu'il était fou amoureux, qu'il se laissa imprégner par cette vérité, et qu'il eut formulé cette découverte devant quelqu'un, tout prit à ses yeux un sens nouveau qui lui parut effrayant. Après avoir parlé à *mama*, et prêté l'oreille à son approche plutôt pragmatique de la chose, les dangers d'une telle aventure lui apparurent. Il se précipita à la pension Pelayo. S'il pouvait ne serait-ce que regarder Mair, voir dans ses yeux qu'elle partageait ses sentiments, la panique soudaine qu'il éprouvait se dissiperait certainement.

Il n'en fut rien. Quand il l'attrapa par la main dans l'escalier pour lui couvrir le poignet et le bras de baisers, Mair recula d'un air affolé. Hector n'avait pas pu s'en empêcher. L'intensité du désir qu'il ressentait pour elle le mettait terriblement mal à l'aise. Il avait oublié que faire de ces érections pubères qui refusaient de se calmer, même quand il s'attaquait aux tâches de comptabilité les plus ennuyeuses.

Mair dégagea son bras.

— Du calme, murmura-t-elle. C'est trop. Ne m'agrippe pas tout le temps comme ça !

Après la matinée torride qu'ils avaient passée au couvent, et qui remontait à moins d'une semaine, lorsque tout ce qu'Hector pensait connaître de la vie avait changé de façon irrévocable, il avait cru en toute sincérité qu'elle était à lui et qu'il pouvait la toucher, la serrer dans ses bras, l'aimer, lui faire l'amour n'importe quand et toujours. Et qu'elle-même le désirait de la même façon. Comment en aurait-il été autrement, après tant de folle passion et d'intimité ? En même temps, il se rendait compte à quel point il était encore d'une naïveté désespérante.

— Quand est-ce que je peux t'aimer, Mair ? J'ai très envie de toi.

— Eh bien, certainement pas matin, midi et soir, et à toute heure entre chaque, si c'est ce que tu as en tête ! Tu n'as donc pas de limites ?

— Des limites ?

— Tâche de te maîtriser un peu. Quand tu es devant un gâteau, tu ne le manges pas entièrement d'un seul coup.

— S'il te plaît, ne me parle pas comme si j'étais un idiot.

— Oh, pour l'amour du ciel, tu es loin d'être un idiot !

— Et toi, tu n'es pas un gâteau, loin de là. Ce dont je te suis reconnaissant. Raison pour laquelle je te veux, et pas du tout comme un gâteau. Tu me fais penser à un petit fruit acide, ni trop mûr ni trop vert, à la chair ferme, cueilli un peu trop tôt, mais bien juteux, avec un noyau très dur et inflexible au centre, une pierre qui a besoin d'être ramollie par...

— Viens, dit-elle en lui coupant la parole et en le prenant par la main.

Hector jeta un coup d'œil en bas de l'escalier pour voir si Carmen était là, mais il ne vit personne, et ils montèrent en courant dans la petite chambre. Une fois la porte refermée, il s'empressa de lui enlever sa chemise, ses chaussures et son jean, et il la prit debout contre l'armoire, une main plaquée sur sa bouche, sachant qu'elle avait tendance à faire beaucoup de bruit. À sa grande frustration, c'était ainsi que Mair le voulait, vite, intensément, sans s'attarder sur les préliminaires. Ce fut à vrai dire elle qui engloutit le gâteau comme une enfant gourmande, sans même le savourer. Il espéra que, avec le temps, il arriverait à la convaincre d'être patiente, de le laisser lui donner du plaisir plus longuement.

Après cela, ils s'allongèrent sur le lit. De temps à autre, quand même, elle aimait qu'on la câline. Il y avait encore tant de choses d'elle qu'il ne comprenait pas. Elle semblait avoir envie d'être proche de lui en même temps que s'en méfier. L'aspect physique de la chose ne lui faisait pas peur du tout ; Mair savait ce qu'elle aimait et le réclamait. Comparé à elle, et malgré les attentions professionnelles de La Fresca, un commerce contrôlé avec rigueur et sans fanfreluches, Hector n'était qu'un novice. Mair était un bon professeur de technique, et il voulait se montrer un aussi bon élève. Il faisait tout ce qu'elle lui demandait, et même plus.

— Je peux revenir ce soir ?

— Mais je suis épuisée, Hector ! Je vais finir par ne plus pouvoir marcher.

— Parfait. Tu n'as qu'à rester au lit, et je pourvoirai à tes besoins.

— Oh, mon Dieu, que pensera Carmen ?

Hector laissa traîner ses longs cheveux sur sa poitrine, comme elle aimait.

— Si tu préfères, on peut seulement parler, dit-il. Avoir de nobles conversations en espagnol en bas dans le hall, auquel cas tu ferais bien de me prêter ton dictionnaire. Je préparerai du café, ou on boira une bouteille de vin. Et ensuite, on pourrait sortir faire un tour ou dîner au restaurant. J'ai de l'argent.

— Oh, Hector…

Mair le regarda avec un grand sourire, mais aussi avec quelque chose dans les yeux qui ressemblait trop à de la gentillesse, voire à de la pitié, un regard comme souvent en posaient sur lui Carmen et sa mère, et qu'il en était venu à détester.

— Qu'est-ce qu'il y a ? demanda-t-il vivement. C'est une proposition tout ce qu'il y a de normal. Les gens sortent dîner, tu sais. Qu'y a-t-il de mal à cela ? Aurais-tu honte qu'on te voie avec le portier ?

— Ne sois pas aussi susceptible, dit Mair, nullement troublée par sa remarque. D'abord, tu n'es pas portier. Tu es un comptable plein de promesses, un quasi-directeur adjoint, et, à ce qu'on dit, un sacré joueur d'échecs, et puis tu es incroyablement sexy, beau et gracieux, comme un animal, un léopard, non, plutôt une girafe…

Elle éclata de rire en se penchant sur lui pour parsemer son torse lisse de baisers. Il s'apprêtait à contester la comparaison avec la girafe, un animal qu'il percevait comme étrange et maladroit, mais elle le fit taire en laissant sa langue tracer une ligne humide sur son ventre, tandis qu'une partie de lui-même se dressait à sa rencontre.

Mair avait dit juste à propos de Carmen. Elle était une patronne indulgente, une femme gentille et accommodante qui manifestait une extrême tolérance pour les défauts des autres. Toutefois c'en était trop, même pour elle. Quand Hector arriva au pied de l'escalier, elle secoua la tête avec vigueur, faisant s'envoler une pluie d'épingles de son *moño*.

— Mon cher Hector, je comprends très bien – et je dirai même que j'approuve, Dieu sait si tu en as besoin ! –, mais je dois penser à mes clients. Il faudrait être sourd et aveugle pour ne pas remarquer ce qui se passe là-haut, et encore, on le devinerait rien qu'aux vibrations. Face à un désir aussi flagrant, les gens se sentent mal à l'aise. Il faut que tu ailles faire ça ailleurs.

Hector se sentit à la fois fier et honteux.

— Je suis désolé. Je ne me suis pas rendu compte… on essaie pourtant d'être discrets. Ça ne se reproduira plus. Tu n'auras qu'à retenir ma paie de la semaine, j'ai bien conscience de ne pas l'avoir méritée.

— Ne t'inquiète pas pour ça. Je te paie déjà assez peu comme ça. Seulement, ne circule pas dans l'hôtel en ayant l'air d'être branché sur le courant électrique ! Vous pouvez sûrement vous asseoir tous les deux et vous parler comme des êtres humains ordinaires. Ne monte pas dans sa chambre et tâche de te conduire… normalement.

— Oui, bien sûr. On va essayer, je veux dire, c'est ce qu'on va faire. Merci… Et au fait, c'est de l'amour, Carmen, pas du désir. Enfin, je parle pour moi.

— Aha, grimaça-t-elle. Ça suffit pour aujour-d'hui, Hector, rentre chez toi. Tu dois être exténué.

— Si j'emportais les livres de comptes à la maison ? Là où le désir et la tentation n'ont droit qu'au baiser de la mort ?

Carmen le regarda un long moment, puis elle éclata de rire, donnant à Hector le sentiment étrange d'être en phase avec le reste du monde. Certes, il s'était mal conduit, mais il était un homme, et Carmen le savait. Les autres le savaient. C'était un sentiment agréable. Il embrassa sa patronne sur ses joues poudrées, glissa les registres sous son bras et rentra chez lui.

À peine arrivé dans la cour, il sentit que quelque chose n'allait pas. Peut-être à cause de ce silence de mort... Il n'y avait pas un seul drap sur les éten-doirs, la porte de la cuisine était fermée et aucune musique ne s'échappait de la nouvelle radiocassette portable d'Adelaida. On ne percevait même pas le bruit que faisait Juana quand elle balayait et lavait de sa façon obsessionnelle. C'était comme si la maison avait été fermée et que ses habitants avaient pris la fuite.

Lorsqu'il poussa la porte, il aperçut la forme d'un corps sur le sol au pied de l'escabeau. La tignasse de cheveux blancs ne pouvait appartenir qu'à Pilar. Il se précipita pour s'agenouiller à son côté en repous-sant l'escabeau. Affolé, il essaya de la retourner pour voir si elle respirait. Elle gémit, à moitié incons-ciente, pâle comme un drap passé à l'eau de Javel.

Une forte odeur d'urine se mêlait à l'odeur âcre du tout dernier remède à base d'herbes d'Adelaida.

— Que s'est-il passé ? murmura Hector. Tu as mal ?

Pilar émit un grognement. Il retira son pull, qu'il roula en boule et plaça sous sa pauvre tête qui reposait inconfortablement à même le sol, puis fila prendre une couverture sur son lit.

— Merci, mon père, marmonna Pilar.

Que faire, *que faire* ? Le visage plongé dans les mains, Hector finit par visualiser l'énorme répertoire qui contenait tous les numéros de téléphone, les numéros des maisons ainsi que les plaques d'immatriculation de toutes les voitures, des autocars et des motos qu'il avait jamais vus ou entendus. Ce carnet en refermait des dizaines de milliers, et à force de le feuilleter dans sa tête, il soupira de soulagement lorsqu'il tomba sur le numéro de la clinique du Dr Medina. Il se rua sur le téléphone et composa le numéro, la poitrine oppressée par l'incertitude. L'idée de la mort prochaine de sa grand-mère l'obligeait à s'interroger sur ses sentiments à son égard, et il constata avec étonnement que, bien qu'elle lui ait rendu la vie misérable, il n'avait pas vraiment envie qu'elle meure. C'est alors que le rêve de la *guestia* lui revint en mémoire… Si Pilar mourait, *mama* survivrait à sa maladie.

On le mit en communication avec le Dr Medina, qui consultait l'après-midi.

— Docteur, pourriez-vous venir tout de suite ? Ma grand-mère est tombée. Quelque chose ne va pas, mais je ne sais pas quoi exactement.

— Qui est à l'appareil, je vous prie ? demanda un homme à la voix douce.

— Euh… Hector.

— Hector qui ? Oh, je sais, le fils d'Adelaida Martinez… C'est bien cela ?

— Oui, oui, pardon… Hector Martinez.

— Votre grand-mère est-elle consciente ?

Hector se tourna vers le paquet de chiffons qui gisait à terre.

— Oh, mon Dieu, non, je ne crois pas…

— J'arrive tout de suite. Et je vais appeler une ambulance, au cas où ce serait nécessaire.

— Merci. Merci beaucoup. Faites vite, je vous en prie.

À présent, Hector n'avait plus qu'à attendre. Tandis qu'il faisait les cent pas entre Pilar et la table de la cuisine, il aperçut le mot qu'avait laissé Adelaida et se rappela qu'elle déjeunait à Villahermosa avec une amie. Quelle amie ? L'avait-il vraiment crue ? Si elle avait rendez-vous avec un homme, peut-être ne rentrerait-elle pas avant longtemps. Il faudrait alors qu'il s'occupe de tout. Paniquer ne servirait à rien, il devait garder son calme.

— Comment te sens-tu, *abuela* ? demanda-t-il en se penchant au-dessus de Pilar.

Elle répondit en geignant. Quand il lui prit la main, elle le laissa faire – dans son souvenir, c'était la première fois qu'ils se touchaient avec un peu de tendresse. Elle s'accrocha à sa main, reconnaissante.

— Merci d'être venu, mon père, dit-elle tout bas.

Son père ? Pilar délirait, mais il ne voyait aucune raison de la reprendre ou de la décevoir. Peut-être s'imaginait-elle que son père venait la chercher... Oui, c'était sans doute ça.

— J'avais peur que vous n'arriviez pas à temps, mon père.

— Je suis là, la rassura Hector. Ne t'inquiète pas. Le médecin va arriver.

— Je veux que vous m'entendiez en confession, marmonna-t-elle. Tout de suite... avant qu'il ne soit trop tard.

— Je ne suis pas prêtre, se hâta de préciser Hector, comprenant qu'elle l'appelait mon père dans un sens religieux. Tu ne vas pas mourir, *abuela*. Tu es juste un peu confuse.

— J'ai commis le plus grave des péchés, dit Pilar en pleurnichant. J'ai gâché la vie de ma fille, j'ai abandonné mon fils...

Le plus grave des péchés ? Hector faillit sourire, mais quelque chose dans les paroles de sa grand-mère l'intriguait. Sans doute voulait-elle parler de son *petit-fils.* Et quel péché avait pu commettre cette femme si pieuse pour gâcher la vie de *mama* ? Le fait qu'elle ait été une enfant illégitime, peut-être. À moins que le profond malheur qui leur avait gâché la vie à tous ne soit lié à un autre péché...

Hector modula sa voix de façon à prendre un ton pompeux.

— Quel est ce péché, mon enfant ? demanda-t-il, soudain accablé par le poids de sa duplicité.

Se faire passer pour un prêtre était une iniquité, mais sa curiosité avait été piquée au vif si bien qu'il ne put s'en empêcher.

— J'ai vécu comme une putain. J'ai vendu mes faveurs pour de l'argent. Dieu me pardonne...

Hector blêmit. Pilar, une putain ? Impossible.

— Certainement pas. Sans doute étiez-vous... dans une situation désespérée, mon enfant ?

— Non, ce n'était de ma part que de la cupidité, de la dépravation.

Profondément choqué, Hector demanda :

— Quoi d'autre ?

— Il y a autre chose... Si seulement...

— Oui, continuez, l'encouragea-t-il, s'efforçant de dissimuler son impatience.

— J'ai ensuite donné naissance à...

La voix de la vieille dame se brisa, et son front se contracta comme si elle était en proie à une violente douleur.

— Une jolie petite fille ? suggéra Hector avec angoisse.

— Non, pas ça..., murmura Pilar, la voix faible et tendue. Même si elle aussi est la fille d'un de ces monstres...

— Adelaida n'est pas votre fille ? interrogea Hector, troublé et incrédule.

Ce petit jeu était allé trop loin, mais il ne pouvait plus l'interrompre.

La main de Pilar agrippa le devant de sa chemise comme une griffe et elle attira Hector vers elle.

— Je lui aurais volontiers écrasé le crâne et l'aurais enterrée dans le potager... Je suis diabolique, mon père, mais j'ai manqué de courage. Et bien que je ne l'aie pas fait, existe-t-il un pardon quand on a eu de telles intentions ?

Elle se tut un instant, sans desserrer son étreinte.

— Si j'avais eu du courage, tous mes descendants auraient été mis à mort... de ma propre main. J'ai souhaité leur mort à tous, et deux d'entre eux ont d'ailleurs failli...

Hector était sans voix.

— Pardonnez-moi, mon père, implora Pilar, les yeux clos, comme si elle était incapable de les ouvrir. Donnez-moi l'absolution, je vous en prie, ne tardez pas ! Je me meurs...

Il ne pouvait tout de même pas faire semblant de lui donner les derniers sacrements. Il ne savait même pas comment procéder. Pilar fût-elle aux portes de la mort, il lui était impossible d'accéder à sa requête. Nul doute qu'elle avait imaginé tous ces péchés épouvantables, qu'elle les avait rêvés, mais avait-il le droit de la priver d'un dernier moment de paix ? Ce dilemme lui donnait la nausée.

Hector se leva et recommença à marcher de long en large. Il priait pour que sa grand-mère ne garde aucun souvenir de cet instant, de cette terrible confession et de son propre mensonge si elle survivait. Comment avait-il pu la duper ainsi ? Un tel acte était impardonnable.

D'un seul coup, Pilar sembla s'affaisser davantage et resta étendue sur le sol, aussi immobile qu'un sac de sable. Hector était persuadé qu'elle était morte, sans que son dernier désir – recevoir l'absolution – lui ait été accordé.

Aussitôt, il retourna s'agenouiller près d'elle.

— ¿ *Abuela* ? Pilar ?

Affolé, il la secoua par l'épaule. Elle ouvrit les yeux, lui lança un regard noir, puis dit avec colère :

— *Por Dios*, Hector, où étais-tu passé ? J'aurais pu mourir sur place ! Je suis froide comme de la glace. Il faut appeler une ambulance.

Grâce soit rendue à Dieu et à la Sainte Vierge, elle était vivante !

— J'ai prévenu le Dr Medina, *abuela*. Il va bientôt arriver.

— Qu'ils aillent tous au diable ! Ce médecin est un *maricón*, tu ne le sais donc pas ? Je refuse qu'il me touche. Dieu sait où il est allé mettre ses mains !

— Ce n'est pas le moment de se soucier de ce genre de choses. *Mama* dit que c'est un médecin et une personne extraordinaires.

Pilar remua péniblement, mais elle leva la main et l'attrapa fermement par le bras.

— Hector... Écoute-moi bien. Il faut que tu fasses quelque chose pour moi. C'est une chose très importante que je te confie. Tu dois absolument m'obéir.

— Tout ce que tu voudras, *abuela*, marmonna-t-il, soulagé.

— Il y a un petit paquet dans ma poche. Sors-le, vite.

Il fouilla ses poches jusqu'à trouver un petit paquet dans celle de son gilet.

— Ça, *abuela* ?

— Tu ne dois l'ouvrir sous aucun prétexte. Ce serait mauvais pour toi, crois-moi ! Tu vas le mettre dans une enveloppe et l'envoyer au nouveau prêtre – tu trouveras son nom, je ne m'en souviens plus. Écris dessus « personnel et confidentiel ». Il faut que ce soit anonyme, on ne doit pas reconnaître ton écriture. Envoie-le simplement comme ça dans une enveloppe, sans mettre de mot. Et fais-le aujourd'hui même, ce soir.

— Qu'est-ce que c'est ? demanda Hector en tâtant le petit paquet enveloppé de papier et attaché avec une ficelle.

— Ne me le demande pas, rétorqua Pilar, qui pâlit sous l'effort.

— D'accord, dit Hector, obéissant, comme il l'avait toujours été.

Mais, tout à coup, une idée le traversa. Ce qu'elle lui demandait là avait un caractère important et urgent. Cette chose que Pilar avait en sa possession, qu'elle voulait que personne ne voie et dont nul ne devait connaître l'existence pouvait lui fournir une monnaie d'échange. Et c'est ainsi qu'Hector commit un acte méprisable pour la seconde fois de la journée.

— Il faut que tu fasses quelque chose pour moi en retour, dit-il.

Pilar le fixa du regard, la bouche ouverte, les lèvres blêmes et desséchées, la langue noirâtre. La scène était affreuse, barbare. Une vieille dame au seuil de la mort, affalée sur le sol glacé, face à un homme sombre et malintentionné, un maître chanteur, penché au-dessus d'elle.

— Quoi ? cracha la vieille dame.

Ils entendirent l'ambulance hurler au loin.

— Alors, quoi ?

— Tu devras parler à Mair et lui raconter tout ce que tu sais sur son grand-père. Tu te souviens de lui, je le sais, et il faudra tout lui dire. Sinon, j'ouvre le paquet et je garde ce qu'il y a dedans.

— Tu es un monstre ! Exactement comme on l'avait prédit.

— Que veux-tu dire par là ?

— D'accord. Si je me remets de ce choc, et si je suis capable de revenir chez moi en sortant de l'hôpital, tu amèneras la petite peste. Je lui raconterai l'histoire, dans toute son horreur. Mais tu feras ce que je te demande. Dis-moi que tu le feras.

Ses derniers mots contenaient une légère supplique.

— Je te le jure, *abuela*, dès que tu auras parlé à Mair.

La porte qui donnait sur la ruelle s'ouvrit à toute volée sur deux jeunes gens en combinaison jaune qui entrèrent précipitamment et prirent aussitôt la situation en main. Une minute plus tard, le Dr Medina arriva par la cour. Ils échangèrent une poignée de main, et le jeune médecin plut immédiatement à Hector. Ses taches de rousseur et ses cheveux roux bouclés lui donnaient un air féminin, vulnérable, mais ses manières étaient sans détour et assurées. Au moment où il s'apprêtait à examiner Pilar, celle-ci leva les deux mains pour faire signe qu'elle n'avait pas besoin de ses attentions.

— Laissez, merci... Ces braves garçons vont m'emmener à l'hôpital.

Le petit paquet était resté dans la main gauche d'Hector, qui le glissa dans sa poche. Puis il laissa un mot à Adelaida et fit son premier trajet dans une ambulance, la tête bourdonnante de questions. Quels actes monstrueux sa grand-mère avait-elle commis ? Quels épouvantables secrets cachait-elle ?

Mair était dans sa voiture et attendait un dénommé Emilio devant une petite maison. Un grand panneau rouge annonçant « *Se Alquila* » était accroché à la rambarde en fer forgé d'un ravissant balcon. C'était le genre de maison qu'elle associait avec l'Espagne, pittoresque et blanchie à la chaux, avec des châssis de fenêtre bleus, très différente des maisons en pierre sombre de la région. Celle-ci était mitoyenne d'un côté avec une plus grande villa, mais de l'autre se trouvait un petit jardin envahi par la végétation et agrémenté d'un kiosque recouvert de lierre. Le jardin, sec et roussi, était resté à l'abandon pendant des mois, voire des années.

Décidément, le temps devenait plus frais. Après avoir passé presque deux mois à ne rien faire dans cette petite ville, Mair était en train d'y chercher une maison à louer. Bien qu'elle adorât la pension Pelayo, elle avait pris cette décision pour le bien de sa vie amoureuse, laquelle ne pouvait tout simplement plus se mener dans l'enceinte de l'hôtel. Et la nuit passée chez Hector s'était révélée trop stressante. Sa mère l'avait embrassée sur les joues comme une belle-fille et lui avait préparé un délicieux cocktail avant de s'en aller dormir chez une amie. Carmen s'était sans doute trompée, Adelaida ne faisait pas du tout l'effet à Mair d'une femme mourante. Autant elle lui avait paru fatiguée et plutôt quelconque lors de leur première rencontre, autant elle ressemblait à présent à une belle femme sûre d'elle et bien habillée aux manières surprenantes. La grand-mère extraordinaire sur l'aide de laquelle Mair avait compté était hospitalisée avec une fracture du fémur. Même ainsi, la maison lui avait donné l'impression d'être remplie de chaperons fantômes qui s'offusquaient de chacune de leurs caresses et censuraient la moindre de leurs paroles. En outre, il y avait la petite bonne anorexique, qui l'observait d'un œil perplexe et jaloux. Mair avait fait de gros efforts pour communiquer avec Juana, mais la jeune fille était si timide qu'elle parlait à peine. Et en plus, elle était follement éprise d'Hector, cela crevait les yeux, à tel point que Mair sentait quasiment la pointe du couteau qu'elle s'attendait à chaque instant à recevoir entre ses omoplates. Bref, ça n'allait pas du tout.

Un type qui portait un chapeau en tricot, un survêtement en nylon et des baskets arriva en courant vers la voiture et frappa contre la vitre. Emilio avait l'air d'un homme énergique d'une trentaine d'années, aimable mais d'un naturel hypocrite. Il était impatient de louer sa maison, qui appartenait à sa femme, et qui était restée inoccupée un bon bout de temps, autant que put le constater Mair après une rapide inspection. La maison, petite et meublée, se composait d'un salon lumineux avec des portes-fenêtres ouvrant sur le balcon et d'une cuisine pas plus grande qu'un placard. Un escalier en colimaçon menait à une chambre magnifique avec vue sur les monts Picos et à une salle de bains. Mair s'étonna de voir que la maison était équipée du chauffage central, une concession au luxe qu'elle appréciait, le temps lui rappelant désormais celui du pays de Galles.

Ils se mirent d'accord sur une location d'un mois – pour commencer. Emilio, qui espérait une location à plus long terme, paraissait déçu.

— Les pèlerins loueront cette maison pour une grosse somme à Noël, précisa-t-il, histoire de la mettre mal à l'aise, mais sans y parvenir.

Pendant qu'il lui montrait comment changer la bonbonne de gaz et fermer les volets, Emilio lui demanda :

— Vous allez vivre ici toute seule, *señorita* ?

Était-ce une proposition ?

— Ça pose un problème ? rétorqua Mair.

— Votre petit ami… ce ne serait pas Hector ? Je vous ai aperçus en ville ensemble.

— Ah oui ?

— Non que ça me regarde… Vous pouvez faire ici ce que bon vous semble, dit-il en lui faisant un clin d'œil. Mais c'est un drôle de garçon, non ?

— Oui, c'est ce qui me plaît chez lui, répondit Mair sur la défensive, sachant très bien qu'Hector passait pour un excentrique.

— Il n'est pas vraiment… tout à fait là, n'est-ce pas ?

— Qu'entendez-vous par là ?

— Eh bien, disons qu'il est comme une paella à laquelle il manquerait quelques olives, si vous comprenez ce que je veux dire, répondit Emilio, l'index pointé sur sa tempe. Je vous dis ça uniquement parce que… enfin, au cas où vous ne l'auriez pas remarqué.

Mair fronça les sourcils. Excentrique, oui, elle voyait bien qu'Hector l'était. Mais stupide, certainement pas ! Était-ce vraiment ce que les gens pensaient de lui ?

— Comment pourrais-je le remarquer ? Il m'en manque quelques-unes à moi aussi. Nous nous entendons à merveille. Ni lui ni moi ne sommes de grandes gueules.

Emilio inclina la tête sans bien comprendre.

— Ha, ha ! Enfin, vous avez l'air de faire la paire, tous les deux. Vous connaissez cette histoire pour enfants, *La Naine et le Géant* ? Sauf que, dans votre cas, les cheveux ne vont pas, c'est même tout le contraire.

— Oui, dit Mair, qui mit fin à la conversation en sortant une liasse de billets de son portefeuille. Puis-je avoir un reçu, s'il vous plaît, ainsi que la clé ?

Avec l'aide d'Hector, Mair emballa ses affaires l'après-midi même. Carmen insista pour lui prêter des lampes improvisées avec de vieilles bouteilles de xérès et un abat-jour rouge, des draps, des serviettes, plus une bouteille de champagne pour inaugurer leur « nid d'amour ». Elles s'embrassèrent, puis Carmen tint Mair par les épaules à bout de bras, son gigantesque chignon quelque peu ébranlé par leur étreinte.

— Passez me voir souvent, dit-elle d'un ton ferme. Je serais fâchée si vous ne le faisiez pas.

— Il faudra venir me voir vous aussi, dit Mair avec autant de fermeté.

Et soudain, elle eut envie de pleurer. Carmen était devenue pour elle une sorte de mère de substitution, chacun de ses mots et de ses gestes démontrant le désir qu'elle avait de l'être. Quel chagrin elle devait ressentir d'avoir perdu son unique enfant... Comment une femme se remettait-elle d'un tel deuil ?

— Geraint serait très fier de vous. Vous êtes une fille si obstinée, si indépendante... Il sera avec vous par l'esprit, heureux de vous avoir si près de lui.

Si seulement elle avait raison... Toutefois, Mair ne croyait pas vraiment qu'il existait une vie après la mort.

Quand ils montèrent dans la voiture, Hector attrapa Mair par le menton et lui fit tourner la tête, puis il sortit un mouchoir blanc immaculé avec lequel il effaça les traces de rouge à lèvres que Carmen lui avait laissées sur les joues.

— Pour moi aussi, elle est comme une mère, dit-il.

— Et la tienne ? interrogea Mair avec prudence. Vous avez l'air très proches, tous les deux.

Hector ne dit rien. Alors elle démarra la voiture, et ils parcoururent la courte distance qui les séparait de sa nouvelle maison.

— Elle est en train de mourir d'un cancer, reprit soudain Hector d'une voix étrange. Je le sais, bien qu'elle fasse de son mieux pour me protéger. C'est exaspérant qu'elle ne veuille pas m'en parler. Elle veut qu'on fasse comme si tout allait très bien.

— Oh, Hector..., dit Mair en posant sa main sur la sienne. Tu es sûr que tu ne te trompes pas ? Ta mère a l'air radieuse, et même d'aller mieux que la première fois que je l'ai rencontrée. Tu en es certain ?

Elle se tourna vers lui et vit qu'il pleurait en silence.

— Mon Dieu, Hector...

Elle stoppa la voiture au milieu de la circulation.

— Au début, elle était si déprimée et si misérable que j'ai pensé qu'elle allait disparaître dans le néant. Je ne supportais pas de la voir comme ça, mais on dirait qu'il lui arrive quelque chose de très étrange.

Je ne sais pas quoi. C'est comme si elle planait en permanence.

Hector détourna le regard pour cacher ses larmes et ajouta à voix basse :

— Comme une dernière étincelle… Je crois même qu'elle a un amant. Ce serait le premier que je lui aie jamais connu.

Mair observa son profil sévère, les larmes qui coulaient sur ses joues, tandis que les klaxons se déchaînaient derrière eux.

— Tu penses que ça pourrait être un effet secondaire des médicaments qu'elle prend ? demanda Hector d'une voix suppliante en se tournant vers elle.

Mair le prit dans ses bras et le serra tout contre elle.

— Je suis sincèrement désolée.

Une femme s'arrêta sur le trottoir pour jeter un coup d'œil dans la voiture.

— Merde ! C'est Pichi Echebarria, soupira Hector. Je t'en supplie, démarre…

L'humeur d'Hector se modifia dès qu'il vit la maison. Il courut d'une pièce à l'autre comme un gamin en examinant tout en détail. Louer une maison lui semblait une entreprise si monumentale qu'il regarda Mair avec un respect renouvelé.

— Bien vu ! dit-il, comme si elle avait construit elle-même la maison. C'est absolument splendide.

— Splendide ? se moqua Mair. Disons que ça fera l'affaire.

— Quelle trouvaille ! s'enthousiasma Hector. C'est la maison la plus joyeuse que j'aie jamais vue.

— Comment cela ?

Hector réfléchit un instant.

— Diable, qu'est-ce que j'en sais ? fit-il en détournant les yeux. Je n'ai rien d'autre à quoi la comparer. À vrai dire, en dehors de la mienne, je ne suis jamais entré dans aucune maison.

— Jamais ? Pour quelle raison ?

Hector haussa les épaules, mal à l'aise.

— Tu n'as jamais été invité... même chez des amis ?

— Des amis ? Non. Je t'expliquerai pourquoi un jour. Quand tu seras convaincue que je ne suis pas un être dépravé et maléfique.

Il rit pour se moquer de cette déclaration déconcertante, mais la douleur qu'elle vit dans ses yeux la toucha. Elle lui prit la main.

— J'en suis déjà plus que convaincue. Tu es la personne la moins dépravée et la moins maléfique que j'aie jamais rencontrée.

Hector secoua la tête en souriant, puis l'entraîna visiter le reste de la maison.

— Tu peux te payer ça ? Je pourrais t'aider, dit-il pendant qu'ils montaient l'escalier.

— On verra. Ça dépendra du temps que tu passeras ici. Je verrai s'il faut que je te fasse payer un loyer.

— Alors ça va être cher ! plaisanta-t-il.

Il la souleva et la lâcha sur la *cama matrimonial*, un immense lit au matelas affaissé. Prise d'un soudain désir, Mair l'attira en attrapant ses vêtements, mais il se mit à califourchon sur elle et lui cloua les bras en croix.

— Ne me bouscule pas, femme ! Il est temps que je t'apprenne une ou deux choses.

Mair se débattit en riant, mais au bout de quelques secondes elle renonça et demeura immobile.

La lenteur pleine de sensualité avec laquelle Hector lui fit l'amour commença à l'exciter. Elle avait l'impression d'être prise au piège dans le rouleau d'une vague implacable déferlant au milieu d'un gigantesque océan. De plus en plus folle de désir, elle s'alarma et lutta contre la puissance de cette vague, avec l'envie d'arriver plus vite au rivage, de se heurter à la dureté des rochers avant de se disperser dans le sable et de refluer en elle-même. Mais Hector s'appliquait à la maintenir là ; pendant un long moment, il ne la laissa pas faire, et lorsque, enfin, elle retomba en se brisant, il ne fut pas question de refluer ni de se refermer. Telle l'eau, elle resta exposée et répandue, en même temps que stupéfaite de se voir à ce point découverte et sans défense.

Beaucoup plus tard, lorsque Hector se fut rhabillé et fut parti, Mair se leva d'un bond et se posta toute nue derrière la fenêtre pour l'épier derrière le rideau tandis qu'il sortait de la maison. Elle le vit franchir la porte, mais, au lieu de marcher vers la grille, il demeura planté là, tournant la tête à droite puis à gauche, le regard concentré, comme s'il cherchait quelque chose. Au bout de plusieurs minutes, il se dirigea vers le petit jardin, de sorte que Mair dut se dévisser le cou pour voir ce qu'il allait y faire. Probablement pisser, histoire de marquer son territoire comme un animal afin que les autres le respectent ou le craignent ! Comme une sorte de signal

« Défense d'entrer ». Surveillant chacun de ses gestes, Mair pouffa de rire, prenant grand plaisir à cette stratégie puérile.

Cependant Hector ne fit rien de tel. Il passa la main sur les chevrons du kiosque où il sembla déposer quelque chose, un objet qu'il sortit furtivement de sa poche. Intéressant ! Non pas un pipi, mais un talisman ! Que savait-elle de ce qui se passait dans la tête de cet homme ? Elle décida de ne pas chercher à le découvrir. Si Hector croyait à la chance et au destin, inutile de le contrarier et d'attirer quelque malédiction sur sa nouvelle maison. Elle avait mal aux mâchoires à force de sourire. Cet homme était irrésistible, mais, peu à peu, elle s'était rendu compte que sa singularité, son intégrité particulière étaient des choses qui devaient être respectées, révérées même, et elle avait certainement beaucoup à apprendre de lui. L'imbécile, c'était *elle*.

17

Adelaida était au lit dans une chambre d'hôtel avec Porfirio. Ils avaient déjà réservé deux fois la même chambre, de sorte qu'elle avait un petit air familier, une atmosphère sensuelle et intime, comme si personne d'autre ne l'avait jamais occupée. L'hôtel, situé au cœur des collines à quatre kilomètres de Torre de Burros, était un bâtiment en forme de boîte destiné à recevoir l'excédent de pèlerins pendant la haute saison. Néanmoins, ils avaient fait des efforts côté décoration, et la literie était d'excellente qualité.

Adelaida se souvenait bien des caresses de son amant – elle en avait souvent rêvé. Des caresses pleines de douceur, sans être trop innocentes. La femme avec laquelle il vivait depuis trente-quatre ans n'avait en rien modifié ses manières. Porfirio lui avait raconté que leur vie sexuelle avait pris fin depuis déjà douze ans, après que sa femme s'était retrouvée enceinte de façon désastreuse à l'âge de quarante-six ans. Pour ajouter à cette catastrophe, elle avait ensuite fait une fausse couche pendant qu'ils étaient en vacances à Venise, suivie d'une hystérectomie qui s'était mal passée. Elle avait déserté le lit conjugal et lui avait retiré son affection (qu'elle avait d'ailleurs toujours strictement mesurée), en lui reprochant d'être le seul responsable de ses souffrances et de son désarroi. À l'entendre, leur vie intime n'avait de toute façon jamais été une réussite, mais n'était-ce pas ce que disaient tous les hommes à leurs maîtresses ?

— Et il n'y a pas eu d'autres femmes ?

— Si, une, répondit Porfirio avec franchise. Marta. Elle a travaillé dans l'entreprise pendant environ deux ans. Elle était mariée et n'avait plus de vie sexuelle non plus. Son mari, auquel on administrait des anticoagulants, était devenu impuissant. Et il avait pas mal d'années de plus qu'elle.

— Tu étais amoureux ?

Porfirio se tourna sur le côté pour lui faire face et posa sa main sur sa poitrine (qui s'était révélée depuis peu une source de fierté et de plaisir plus que de dégoût).

— Non, je n'ai été amoureux qu'une seule fois.

L'expression de son visage et le ton de sa voix suffirent à la convaincre. Les mensonges et les vaines flatteries n'étaient pas le genre de Porfirio. Elle se serra contre lui, prenant la mesure de ce dont elle s'était privée durant toutes ces années.

— Et toi ? fit-il en riant et en la repoussant. Allez, raconte-moi !

— Moi ? Eh bien, il y a eu un homme, une fois. Celui qui s'occupait de nos livraisons à l'époque où la blanchisserie tournait à plein. Un géologue, que sa femme avait quitté pour partir avec un autre en emmenant leur fille adolescente. Nous avions ça en commun. Un couple de martyrs pathétiques... Il avait laissé tomber son poste d'enseignant et

351

conduisait une camionnette pour gagner sa vie. Il ne voulait rien faire d'autre. Il sillonnait en permanence la région et trouvait parfait de parcourir des centaines de kilomètres pour rejoindre un point de chargement.

— Et vous vous retrouviez où ?

— Dans sa camionnette, répondit Adelaida en rougissant. Sur les piles de linge. Quand je pense aux gens importants qui ont dormi dans ces draps et se sont essuyé la figure avec ces serviettes…

— Ç'a duré combien de temps ? demanda Porfirio, l'air vaguement offensé.

— Quelques mois. Il ne m'aimait pas vraiment, pas plus que je ne l'aimais, et puis cette histoire finissait par devenir trop indigne.

— Qui d'autre ? insista Porfirio.

— Arrêtons ça, dit Adelaida d'un ton sévère. Il n'y a eu personne d'autre. J'ai vécu une vie sans amour, ce que je ne peux reprocher à personne d'autre qu'à moi-même.

Elle alluma un fin cigare. Porfirio, qui avait cessé de fumer depuis plus de vingt ans, le lui retira de la bouche et tira une bouffée avec un plaisir manifeste.

— Il faut que je quitte ma femme ? demanda-t-il brusquement.

Adelaida se recula.

— Je te l'interdis !

— Je vais avoir du mal à m'absenter une nuit de plus. Elle se doute déjà plus ou moins de ce qui se passe.

— Alors nous devrons nous voir dans la journée, ou sinon, plus du tout.

Porfirio se détourna, furieux.

— Ne me fais pas ça. Comment peux-tu ? J'abandonnerais tout à la seconde même.

— Non ! s'écria Adelaida. Il y a ta fille. Pense à elle.

— Et il y a *mon* fils. Je veux le rencontrer.

La chose était inévitable. Adelaida se sentit lasse. Elle jouait à un jeu dont elle ne connaissait pas les règles. Elle se disait qu'elle avait trop honte pour expliquer à Hector ce qui se passait, et que, par toutes sortes de moyens sournois, elle avait retardé le moment où il aurait pu prendre contact avec son père. Mais ce n'était pas vrai, rien ne lui faisait plus vraiment honte. Sa façon d'intervenir relevait de motifs purement égoïstes. Si Hector était introduit dans l'équation, ses pulsions érotiques, à peine réveillées et fragiles, se retrouveraient balayées, enterrées vivantes sous d'autres émotions plus profondes. Il ne lui restait plus tellement de temps. Le père et le fils ne pouvaient-ils pas se rencontrer une fois qu'elle serait morte ? Ils auraient alors des années devant eux pour construire une relation.

Porfirio la prit dans ses bras.

— Écoute, *mi amor*, je sais que tu es malade, et je veux veiller sur toi, mais qu'est-ce qui nous empêche d'aller de l'avant ? demanda-t-il avec gentillesse. Je n'ai pas envie d'avoir l'air insensible à l'égard d'Eduarda, mais nos chemins se sont séparés, et elle n'apprécie plus ma compagnie. Elle a des tas d'amies et une famille qui peuvent la soutenir, et ma fille est une femme moderne. Elle adore sa mère, c'est vrai, mais elle comprendrait, crois-moi. Il y a encore quelques mois, elle nous a demandé à tous les deux pourquoi nous restions ensemble, en ajoutant que nous ne lui faisions en rien une faveur. De plus, elle a toujours voulu avoir un frère. Elle serait aux anges.

— Ah bon, vraiment ? Hector est quelqu'un de remarquable, mais il pourrait... décevoir, dit Adelaida, qui fit aussitôt la grimace en se mordant la langue. Non... Laisse-moi reformuler ça. Hector est quelqu'un de remarquable, d'une profondeur qui défie la perspicacité. Il est gentil, drôle, fantasque, impulsif, mais souvent paresseux et désœuvré, d'une apparence un peu étrange, et il change de façon extraordinaire de jour en jour.

— Diantre, il me tarde de le rencontrer !

— Bientôt... Laisse-moi juste profiter de ça encore un peu.

— Ce n'est pas possible d'avoir les deux ?

Comme pour répondre à sa question, Adelaida se recroquevilla sur le lit. Une douleur terrible lui déchirait la poitrine. Porfirio poussa un cri, la prit dans ses bras et la serra contre lui. Il avait déjà assisté une fois à une crise de ce genre et la savait gravement malade, mais il était trop effrayé pour poser des questions. En fin de compte, il n'était pas si brave.

— Qu'est-ce que je peux faire ? gémit-il.

— Appelle le Dr Medina... Le numéro est dans mon sac.

Une demi-heure plus tard, quand le médecin arriva, la crise était passée. Adelaida s'était rhabillée, mais elle se sentait très faible et exténuée.

— Je vous prie de m'excuser, dit-elle au gentil médecin, qui ne chercha pas à savoir ce qu'elle faisait dans une chambre d'hôtel en compagnie d'un homme. Je vous ai arraché à vos devoirs, mais j'ai vraiment cru que j'allais mourir.

— Vous avez fait ce qu'il fallait, dit-il.

Puis il lui injecta la morphine qui viendrait bientôt s'ajouter aux autres plaisirs qu'elle avait récemment découverts, si tant est que l'on pût considérer que soulager la douleur fût un plaisir.

— Je vous ramène chez vous ? lui proposa le Dr Medina, non sans jeter un regard aimable à Porfirio, qui était assis, le teint terreux, dans un fauteuil près de la fenêtre.

— Oui, s'il vous plaît.

Porfirio se leva d'un bond pour embrasser Adelaida.

— Je vais attendre ici ton coup de fil. Promets-moi de m'appeler... dès que tu seras rentrée.

La drogue l'avait détendue, et elle tombait de sommeil. Dans la voiture du médecin, tandis qu'ils traversaient les collines et remontaient la route pentue vers Torre de Burros, l'ambiance fut d'abord plutôt morose. Le temps était gris, le froid installé, et les crêtes des Picos étaient couronnées de neige. À quatre heures et demie de l'après-midi, le jour déclinait déjà, et, en haut du piton rocheux, la croix éclairée par une centaine d'ampoules électriques n'était porteuse d'aucun espoir. Adelaida doutait de voir le nouvel an que l'on fêterait dans seulement un mois.

— Votre amant ? s'aventura finalement le Dr Medina.

— Oui. Et le père d'Hector.

— Vraiment ? Pourquoi est-ce qu'il ne vit pas avec vous ?

— Il est marié. Nous venons juste de nous retrouver.

Impressionné, le médecin laissa échapper un sifflement ; cet homme aimait manifestement les choses qui sortaient de l'ordinaire.

— Vous êtes homosexuel ? lui demanda à son tour Adelaida, dont la question ne contenait aucune trace de désapprobation.

Le jeune homme lui jeta un regard en biais.

— Non, répondit-il au bout de plusieurs secondes. Pas vraiment. Je croyais l'être, mais en réalité, je préfère les femmes, et j'aimerais beaucoup avoir un enfant.

— C'est bien. Mais tâchez de faire les choses dans le bon ordre. Pas comme moi. Bien que, cela dit, ce soit assez excitant.

Ils se regardèrent et pouffèrent de rire, la scène de la chambre d'hôtel encore présente à l'esprit : l'amant clandestin entre deux âges d'Adelaida, le père de son fils, serré dans un peignoir d'hôtel trop court pour lui, les cheveux hirsutes, et visiblement fou d'amour.

— Comment va votre mère ? demanda le Dr Medina après quelques instants.

— Mieux. La réalité lui échappe de temps en temps, comme par vagues, mais elle pourra bientôt revenir à la maison. On m'a prévenue qu'elle ne pourrait plus se déplacer qu'en fauteuil roulant et qu'elle est extrêmement fragile.

Le médecin hocha la tête. Conduisant à vive allure, il se concentra sur la route en épingle à cheveux, enchanté par les qualités de sa luxueuse voiture de sport. Lorsqu'ils arrivèrent au sommet de la colline et entrèrent dans la ville, Adelaida rassembla son courage et lui demanda :

— Don Felipe, la confidentialité avec vous est-elle absolue... en tant que médecin ?

— Tout ce qu'il y a d'absolue, confirma-t-il avec un grand sourire.

— Vous êtes au courant... au sujet de la bague volée sur le doigt de la Vierge ?

— Oui, dit-il en la regardant avec un nouvel intérêt. Ne me dites pas que vous savez qui est le coupable.

— Vous êtes en train de la regarder. C'est moi qui l'ai volée. Elle est toujours en ma possession.

Le Dr Medina écarquilla tout grands les yeux et, malgré la circulation intense, cessa de regarder la route pour la dévisager.

— Pas possible !

— Et je ne me sens même pas particulièrement honteuse, ajouta Adelaida avec un haussement d'épaules. Je suis sûre que c'est à cause de la potion de Catarina. Depuis que je prends ces herbes diaboliques, c'est comme si je ne maîtrisais plus mes actes, sans que je me sente pour autant mal ni même que je m'en soucie. Je n'ai jamais rien volé de ma vie, c'est tout à fait inhabituel pour moi, croyez-le, mais j'ai ressenti un réel coup de fouet en piquant cette grosse bague tape-à-l'œil sur le doigt de la Vierge. ¡ *Dios me perdone* !

Le médecin demeura silencieux jusqu'au moment où il se gara dans la ruelle devant la maison. Il se tourna alors vers Adelaida et la regarda droit dans les yeux. Il avait l'air sincèrement choqué.

— Je ne vous crois pas, d'ailleurs je n'ai rien entendu, dit-il d'un air sévère. Débarrassez-vous-en. Jetez-la. Immédiatement.

— Je suppose que...

— Non, je suis sérieux. Je veux pouvoir oublier ce que vous venez de m'avouer. Balancez-la par-dessus le parapet une fois qu'il fera nuit. Pensez à effacer les empreintes qu'il y a dessus. Et mettez des gants.

Adelaida se fendit d'un sourire.

— À ce que je vois, vous êtes un grand lecteur de romans policiers...

— Je ne plaisante pas. C'est un acte très grave que vous avez commis là et, maintenant que me voilà complice, j'estime avoir mon mot à dire.

— Très bien, dit-elle, contrite. Je vais le faire. Promis.

— Dès que possible, d'accord ? Et ne confiez cette tâche à personne d'autre.

Ils se turent un instant, chacun envisageant comment se débarrasser de la bague.

— Qu'est-ce que vous comptiez en faire ? finit par demander Medina.

— Je n'avais pas d'idée précise. C'est arrivé comme ça... Comme preuve de mon émancipation, c'était plutôt une mauvaise idée, mais la vérité, c'est que voler cette bague m'a libérée. Je regrette seulement de ne pas pouvoir la donner à quelqu'un qui en a vraiment besoin.

— Oubliez ça. C'est trop risqué.

— Vous pensez que je devrais la remettre à sa place ?

— Non, de grâce, surtout pas ! Vous vous feriez prendre. Mieux vaut la faire disparaître à tout jamais.

Après un instant de silence, le Dr Medina lui tapota la main.

— Éliminez les délits majeurs et continuez le bon boulot, conseilla-t-il avec malice. Maintenant que vous vous êtes libérée, vous pouvez encore faire des tas de choses pendant le temps qu'il vous reste.

— Comme vous le voyez, je m'y emploie de mon mieux, dit Adelaida avant d'ouvrir la portière.

— Rappelez-vous, vous pouvez m'appeler jour et nuit. Ça ne me dérange pas.

— Merci, docteur, dit-elle, refusant son offre de l'aider à descendre.

Adelaida se sentait mieux, beaucoup mieux. Légère comme une plume, même, et sans aucune douleur. Dans la cuisine, elle décrocha le téléphone pour appeler Porfirio sur son portable. Il était toujours dans la chambre à l'hôtel, sans doute en train de creuser un sillon dans la moquette de laine.

— Rentre chez toi, chéri, lui dit-elle. Mais pense à réserver la chambre.

Après avoir échangé quelques mots tendres avec son amant, elle lui dit au revoir. Puis elle sortit un verre, des glaçons, trois citrons verts, une bouteille de Triple Sec et une nouvelle bouteille de tequila, et se prépara une margarita, en apportant une attention particulière à chaque détail.

Continuez le bon boulot, se dit-elle en répétant les paroles du Dr Medina. Vous pouvez encore faire des tas de choses pendant le temps qu'il vous reste…

Ce médecin était l'un des hommes les plus sages qu'elle ait jamais rencontrés. Il avait parfaitement raison. Il fallait jeter la bague par-dessus le parapet. D'ailleurs, elle allait le faire tout de suite. Un petit tour du côté du cimetière dans l'obscurité du soir lui ferait le plus grand bien. Après avoir bu une gorgée du fabuleux nectar de Catarina, elle tira une chaise près de l'armoire et monta dessus, mais elle eut beau passer ses deux mains partout, la bague n'était plus là. Elle avait disparu, il n'y avait plus rien à jeter. Sachant bien qu'elle aurait dû s'en inquiéter, elle décida de remettre la chose à plus tard. La vie était courte et rien n'avait tant d'importance.

— Hector ! Où étais-tu passé ? s'exclama Antonio, le barman. Les gens ont demandé de tes nouvelles. Les gars voulaient te sponsoriser pour t'envoyer faire un tournoi à Bilbao. Un gros paquet de fric ! Mais personne ne connaît ton adresse, ni même ton nom de famille.

— J'ai eu pas mal de travail.

— Au diable le travail ! s'exclama Antonio. Tu pourrais être riche. Qu'est-ce que tu as, *hombre* ?

Et comme Hector l'avait craint, il ne trouva personne dans le bar pour jouer avec lui. Alors qu'il était assis là en espérant que l'un des vieux l'approcherait, il comprit qu'il attendait des occasions histoire de tuer le temps. Comme souvent, il ferait exprès de perdre la partie, les autres le sauraient, et alors, à quoi bon ? Il avait fait exprès de perdre sa vie. Que faisait-il ici quand il avait tant de choses à faire ?

Il s'était promis de sauver l'affaire de *mama*. Les autres engagements qu'il avait pris – tout apprendre sur la comptabilité, envoyer Juana à l'école, piéger Mair pour qu'elle reste en Espagne, ou encore la *mission* qu'il s'était fixée de se découvrir lui-même et de découvrir son passé – nécessitaient à la fois de la préparation et un sérieux labeur. Ses jours de désœuvrement et d'irresponsabilité lui semblaient loin, et jamais plus ils ne reviendraient. Ce fut avec un sentiment de deuil qu'il comprit que son rôle au bar Mauro était arrivé à son terme.

Il était en train de changer, d'évoluer. En lâchant sa vieille bouée de sauvetage usée jusqu'à la corde, il s'était jeté au fond d'un gouffre obscur et s'accrochait partout où il le pouvait pour trouver le moyen de remonter vers une sorte de lumière. Ce gouffre lui faisait peur, mais pas autant que l'absence d'identité qui avait caractérisé sa vie pendant de si longues années. Il avait la certitude que, même si son intention était d'accompagner *mama* et *abuela* jusqu'au bout (du moins jusqu'où elles le laisseraient les accompagner), c'était là qu'il voulait aller, vers la lumière. Cependant, le danger menaçait là aussi dans la mesure où cette lumière semblait liée à Mair pour l'éternité. Ne risquait-il pas tout ce qu'il avait appris jusqu'alors en plaçant tous ses espoirs dans cette femme ? Elle ne lui avait jamais parlé d'avenir ni fait aucune promesse.

Pendant une heure, Hector s'attarda dans la pénombre fraîche du bar, tout en buvant un verre de vin et en regardant les parties d'échecs décousues auxquelles se livraient une poignée d'hommes blasés. Les portes étaient fermées. Dans quinze jours, ce serait Noël. Le temps était froid, la brume épaisse vous trempait autant que la pluie. Dans le bar, l'atmosphère était lourde de la fumée âcre des cigarettes brunes bon marché que fumaient ces retraités aux pensions modestes. Il s'avisa tout à coup que, de tous les joueurs qui fréquentaient ce bar, il avait toujours été le plus jeune, et ce, de plusieurs dizaines d'années. Toutefois, comme les vieux le respectaient en dépit de sa relative jeunesse et de son allure, il s'était senti le bienvenu. Ces hommes, il avait fini par s'y attacher, mais il était temps pour lui de bouger. Il se leva et se demanda comment leur dire un dernier au revoir, même si un tel geste avait quelque chose d'étudié et de mélodramatique.

— Attends ! lui lança Antonio au moment où il allait partir. Laisse-moi un numéro de téléphone. Je te préviendrai. Tu ne diras sûrement pas non à une nouvelle occasion.

Pourquoi pas ? Hector n'était jamais allé plus loin qu'Oviedo, or un tournoi lui offrirait l'occasion de découvrir une autre ville. Son univers était minuscule, et pourtant rien ne l'empêchait de voyager, comme n'importe qui. Il donna à Antonio le numéro de chez lui, ne se souciant plus le moins du monde de ce que penseraient *mama* ou *abuela* de son habitude de jouer en secret.

Il traversa Villahermosa pour faire la rencontre capitale qu'il avait à la fois redoutée et tant espérée. Après de longues semaines passées à hésiter et à se ronger les poings, lorsqu'il avait composé ce numéro qui l'obsédait au point de lui trouver la tête, Porfirio Pellicer, son père, avait paru être au courant de son existence. Il était clair que *mama* lui avait parlé de ce fils dont il ne savait apparemment rien. Que *mama* soit intervenue avait été pour Hector agréable en même temps qu'agaçant. Une fois de plus, elle avait essayé d'amortir tout choc éventuel, de protéger ses sentiments juvéniles, de lui épargner un rejet possible en même temps qu'une déception.

Porfirio semblait avoir plutôt bien pris l'énormité de la nouvelle. Au téléphone, il lui avait paru réservé, mais pas inaccessible, et même impatient de rencontrer son fils le plus tôt possible. Hector avait suggéré un bar tranquille, mais, comme Porfirio ne connaissait pas très bien les bars de Villahermosa, ils s'étaient donné rendez-vous dans un endroit impossible à manquer, l'hôtel *Media*, un établissement gigantesque et élégant.

Hector avait l'estomac noué et la chair de poule lorsqu'il franchit l'immense entrée de l'hôtel. Le hall pareil à une caverne était haut de plusieurs étages, avec une fontaine impressionnante au milieu. Bien qu'il fût lui-même en avance, l'homme qu'il reconnut sur-le-champ comme étant son père attendait déjà devant la fontaine, les mains croisées avec nervosité, le visage tendu.

— Mon fils !

Ce fut tout ce qu'il dit quand il s'avança pour embrasser Hector.

Ce dernier resta sans voix et le serra dans ses bras. Il ne s'était pas attendu à une telle émotion chez son père. Voyant des larmes couler sur ses joues, Hector lui tendit son mouchoir, vu qu'il ne semblait pas en avoir. Comme lui, il était très grand, et très mince. Ses yeux étaient aussi noirs que les siens, ses cheveux encore épais parsemés de gris, mais ses traits et l'impression qui s'en dégageait étaient différents, avec un visage plus large, plus lourd, même s'il y vit une familiarité comme s'il l'avait connu toute sa vie.

Ils restèrent là à se taper sur l'épaule et à s'observer, cherchant à retrouver tout ce qui avait été perdu au fil des ans.

Finalement, Porfirio emmena Hector vers un grand canapé blanc sur lequel ils prirent place. Presque aussitôt, un serveur énergique aux gestes raides et professionnels vint leur demander s'ils désiraient boire quelque chose. Porfirio proposa une bouteille de champagne. Le serveur hocha la tête et s'éclipsa.

Un sentiment de chagrin semblait imprégner l'atmosphère, un sentiment qu'il n'était pas nécessaire d'expliquer. Bien que soulagé que son père semblât accepter si facilement ce fils inconnu, et qui lui avait été imposé sans prévenir, Hector s'était préparé à ce qu'il exige une preuve, des analyses sanguines ou des tests ADN. Il ressentait par ailleurs l'ironie douce-amère de la situation. Pourquoi *mama* les avait-elle laissés séparés, pour quelle raison l'avait-elle privé de ce qu'il avait toujours tellement désiré, et dont il aurait eu besoin, quelqu'un qu'il aurait pu admirer, respecter et imiter, un modèle, mais surtout, quelqu'un qui l'aurait protégé de tout ce qui lui avait désespérément manqué quand il était petit garçon ?

Comme s'il comprenait ce que ressentait Hector, Porfirio chercha à le rassurer.

— J'ai toujours voulu avoir un fils. Et aujourd'hui… découvrir que j'en ai un, dit-il en se tournant de façon à poser sa main sur l'épaule d'Hector. Nous allons devoir rattraper le temps perdu. Il n'est jamais trop tard.

Le serveur revint avec une bouteille qui avait l'air très chère et tintait avec élégance au milieu des glaçons dans un seau en argent aux parois givrées. Porfirio n'avait pas quitté Hector des yeux une seconde, tandis que lui, dans ce qu'il pensait être sa manière habituelle, avait de la peine à soutenir son regard longtemps. La bouteille fut ouverte avec discrétion d'une main experte, alors qu'il aurait aimé voir le bouchon sauter très haut sous l'immense plafond dans un bruit à faire éclater les tympans, dans une envolée de rubans multicolores et de ballons. Le serveur, le bras gauche replié derrière le dos d'un air guindé, versa le liquide mousseux dans de fines flûtes en cristal. Lorsqu'il fut enfin parti et qu'ils levèrent leurs verres, la tension se dissipa, et ils se mirent à rire de façon quasi hystérique pendant quelques secondes.

— Tu as une sœur, dit Porfirio dès qu'ils se furent calmés. Elle sait que tu existes et est impatiente de faire ta connaissance. Elle s'appelle Maria. Tiens…

Il sortit une enveloppe de la poche de sa veste et tendit plusieurs photos à Hector. On y voyait une jolie fille rondelette avec des cheveux bruns bouclés et de grandes fossettes au creux des joues.

— Votre femme est-elle au courant ? demanda Hector, sa voix trahissant son appréhension.

Porfirio et Maria devraient-ils garder le secret sur lui ? Allait-il une fois de plus être une honte, une disgrâce et une gêne qu'il fallait cacher ?

— Oui, j'en ai parlé à ma femme, répondit son père. Accepter la chose lui a été difficile, naturellement, mais tu as été conçu avant qu'elle et moi nous soyons rencontrés.

Hector le regarda fixement. Avant qu'ils se soient rencontrés ? Par conséquent, Porfirio n'avait pas été marié, ni même fiancé, au moment où il avait été conçu ? Mais alors, pourquoi… Hector décida de ne pas chercher à savoir pour l'instant, de crainte de compromettre sa mère d'une manière ou d'une autre.

— Parlez-moi de Maria, dit-il.

— Eh bien, elle a vingt-neuf ans. Elle voulait être musicienne, violoniste, sauf qu'elle n'avait pas vraiment le niveau, et du coup, très raisonnablement, elle a décidé de devenir médecin.

Oh non, un médecin ! Très raisonnable, en effet… Quelle idiote de vouloir devenir une simple violoniste ! songea Hector avec malice, intimidé à l'idée de dire à son père ce qu'il faisait lui-même dans la vie.

— Elle est mariée ? demanda-t-il, espérant détourner les questions inévitables.

— Oh non ! s'esclaffa Porfirio. Elle est trop ambitieuse et trop indépendante pour avoir ne serait-ce qu'un petit ami !

Cette fois, on y est, se dit Hector. Autant lui enlever tout de suite ses illusions. Mieux valait en finir.

— Je crains de ne pas pouvoir rivaliser avec elle. Je ne fais rien d'utile. Depuis toujours, je suis un parasite et un fardeau pour ma mère et ma grand-mère. Je n'ai aucune ambition ni aucun talent particulier, et je n'ai un véritable emploi que depuis quatre ans, un emploi à temps partiel et plutôt subalterne.

Porfirio ne réagit pas immédiatement.

— Il y a sûrement quelque chose que tu aimes, quelque chose que tu fais bien.

— Non, s'empressa de dire Hector. Enfin, si, je suis assez doué aux échecs, ajouta-t-il en se sentant ridicule.

— Ah bon ? Moi aussi. C'est drôle, non ? Il faudra qu'on fasse bientôt une partie. Tu imagines ? s'exclama Porfirio en le prenant par le bras et en le regardant d'un air enthousiaste. Une partie d'échecs avec mon propre fils !

Ç'avait été facile. Soit cet homme était un excellent comédien, soit il se fichait éperdument que son fils soit nul.

— Je suis bon avec les chiffres, s'enhardit Hector. Ma patronne m'apprend à tenir une comptabilité. Elle dit que je calcule avec une rapidité phénoménale.

Il se sentait comme un gamin de quinze ans en train de se vanter de ses triomphes juvéniles...

— C'est normal, dit son père, je suis comptable.

— Comptable ? C'est incroyable !

Sans bruit, le serveur surgit pour remplir leurs verres et déposa une assiette de cacahuètes sur la table avec un gracieux mouvement de poignet. Deux couples qui venaient d'arriver s'installèrent à la table voisine. Au même moment, un groupe de clients s'entassa à la réception en riant et en bavardant très fort. Porfirio retint le serveur.

— Il n'y aurait pas un endroit plus tranquille pour discuter ?

— Mais si, répondit le garçon en montrant le bar. De l'autre côté, nous avons des alcôves avec vue sur la mer. Je vais y apporter vos boissons.

Ils le suivirent et s'assirent dans un box l'un en face de l'autre. Soudain, ils se retrouvèrent en train de s'observer avec attention. Hector médita sur l'air familier qu'avait son père, même si, à part la couleur de peau et la mâchoire taillée à coups de serpe, il avait un air très différent. Porfirio examina son fils de près lui aussi, comme si son visage était la carte d'un lieu inexploré qui n'en promettait pas moins de lui révéler quelque chose qu'il savait déjà.

— Ta mère m'a dit que tu avais rencontré une fille.

Ils avaient donc bien parlé de lui. Une fille... La *première*, oui, en dehors de quelques tentatives avortées et humiliantes.

— Oui. Elle est galloise. *Una veterinaria*, dit Hector avec fierté.

— Et elle vit ici ?

— Euh... non. Elle n'est là que pour un moment.

— Je vois.

Soudain, Hector ressentit l'envie de tout déballer, de tout raconter à cet homme, son père, de l'histoire minable qu'était sa vie. Il savait qu'il ne fallait pas, que le seul fait de le rencontrer était déjà extraordinaire. Néanmoins, les mots se mirent à jaillir de sa bouche sans qu'il parvienne à les retenir. Rétrospectivement, il serait certain que c'était à cause du champagne – le vin pétillant lui était toujours monté à la tête –, même si une vie entière passée à s'adresser à un père imaginaire devait aussi y être pour quelque chose, la pression accumulée par ces millions de mots inexprimés lui échappant enfin, tel un fleuve rompant ses digues.

— ... Tu ne peux pas savoir comme je suis angoissé à l'idée qu'elle puisse s'en aller. Elle le devra bien, à un moment ou à un autre, et c'en sera alors fini de moi. Cette fille, vois-tu, c'est l'amour de ma vie. Avant de la rencontrer, j'avais seulement couché avec... euh... je n'avais encore jamais embrassé une fille. Excepté Antonia, mais il s'agissait juste de petits bisous. Ah oui, il vaut mieux que je te parle d'Antonia, au cas où tu en entendrais parler par quelqu'un d'autre... À treize ans, je suis tombé amoureux de cette fille, enfin, je croyais que c'était de l'amour, pourtant ça n'avait rien à voir avec ce que je ressens pour Mair – c'est son prénom –, mais ça s'est terminé en catastrophe. Je ne lui voulais pas de mal, sincèrement, mais elle avait seize ans et était très aguicheuse, une vraie provocatrice. Elle n'arrêtait pas de me narguer, de répéter que j'étais bête et que j'avais sûrement un pénis minuscule, si bien qu'un jour j'en ai eu marre de ses moqueries, et je lui ai dit que je pouvais lui prouver qu'elle se trompait si elle me laissait le lui montrer. Elle m'a répondu que j'étais trop lâche, du coup j'ai baissé ma braguette et je lui ai montré mon... bon, enfin, tu vois ! C'était affreusement grossier, je le sais, mais elle avait très envie de le toucher, et c'est alors qu'une dame nous a vus – on était dans une petite rue –, si bien qu'Antonia s'est enfuie en hurlant à tue-tête que j'avais voulu la violer. La dame s'est mise à hurler à son tour, et on m'a arrêté. Ils ont fini par me laisser partir, mais Pilar m'a dit qu'il ne fallait plus jamais que je touche une fille, ni même que je parle ou que j'en regarde une seule. Que j'avais jeté la honte sur toute la famille. C'est ce que je passe mon temps à faire, semble-t-il. Pendant des années, je n'ai pas eu le droit de sortir, et les gens se montraient hostiles à mon égard. À l'école, je devais m'asseoir à l'écart, loin des filles. Ils ne savaient pas comment faire avec moi. C'est qu'il y avait déjà eu l'histoire du soutien-gorge, mieux vaut que je te raconte celle-là aussi pour expliquer le contexte qui m'a valu ma réputation. C'était l'anniversaire de *mama*, je crois que j'avais sept ou huit ans, et je n'avais rien à lui offrir, alors quand j'ai vu ce truc incroyable avec des rosettes violettes et jaunes suspendu à une corde à linge, je l'ai trouvé tellement beau – même si je ne penserais plus ça aujourd'hui – que j'ai tout de suite pensé l'offrir à *mama*, qui n'avait jamais de belles choses, si bien que je l'ai attrapé sur le fil, sauf que la femme m'a surpris et a appelé la police, et du coup, pendant des années, chaque fois qu'elle m'apercevait en ville, elle montait sur ses grands chevaux et pestait contre moi en me traitant de pervers – elle m'a même poursuivi une ou deux fois avec un balai à travers la ville ! Ensuite, il y a eu l'histoire du sac en chien, mais je te la raconterai une autre fois. Pilar pensait que j'aurais dû aller dans une école spéciale, mais *mama* ne voulait pas en entendre parler. Pourtant, ç'aurait été la meilleure solution, même si c'était fait pour les gosses bizarres et les délinquants. Vivre à Torre de Burros a été très néfaste pour moi, avec ces gens qui me traitaient de salaud et de toutes sortes de noms encore pires. Au moins, personne ne m'a jamais traité de *maricón*, quoique, comme j'avais une peur terrible des filles après l'histoire d'Antonia, il y avait des fois où je me posais la question. Tu pourrais me demander pourquoi je suis resté à Torre de Burros, mais c'est que j'aime ma mère, vois-tu, et je ne suis jamais allé ailleurs, et puis, de toute façon, je suis un lâche… enfin, je l'étais. Récemment, j'ai pris la résolution de faire des choses, même si j'en ai peur.

Hector se tut pour reprendre son souffle.

Porfirio lui souriait, les larmes aux yeux.

— Ta mère m'a dit que tu étais quelqu'un de très secret.

— Oui, enfin, je le suis d'habitude, dit Hector, médusé par le flux irrésistible de ses confessions. Je te demande pardon. Je veux dire, à qui pourrais-je raconter ces choses ? Je ne savais pas que tu existais, mais, crois-moi, je t'ai raconté ça des milliers de fois dans ma tête. Depuis que je suis gosse, je me suis imaginé que je racontais à mon père ce que je ressentais, toutes les mauvaises choses angoissantes qui m'arrivaient… et qu'il m'écoutait, comme tu es en train de le faire.

Il rigola en voyant l'expression chagrinée de Porfirio et conclut :

— Estime-toi heureux d'avoir échappé à tout ce verbiage pendant trente-quatre ans !

— Je regrette amèrement d'y avoir échappé, dit son père.

— Je t'en prie, ne répète rien de tout ça à ta fille. Elle changerait d'avis et refuserait de me rencontrer. Si Pilar savait ce que je suis en train de faire, elle me transformerait en steak haché ! Elle m'a toujours interdit de parler de moi ou de la famille à qui que ce soit. Et elle m'a prévenu que si...

— Ta *maudite* grand-mère, l'interrompit Porfirio en fronçant les sourcils.

L'amertume de sa voix étonna Hector.

— Ma foi, on ne peut pas lui en vouloir. J'ai été un tel embarras pour elle. C'est une vieille chauve-souris aigrie, mais elle a fait de son mieux. Encore maintenant, enfin, jusqu'à ces dernières semaines, elle épluchait des pommes de terre pour le bar Emiliano. La pauvre vieille est à l'hôpital...

Porfirio lui coupa brusquement la parole.

— Tu l'aimes ?

Est-ce qu'il aimait Pilar ?

— J'aurais pu, répondit Hector après avoir réfléchi quelques secondes. Nous ne nous sommes jamais embrassés, nous n'avons jamais ri ni rien de tout ça. Elle ne parle jamais beaucoup... sauf pour me dire de foutre le camp. Elle ne me laisse pas l'approcher.

— Si tu l'aimes, je ne dirai rien de mal sur elle, mais tu dois savoir que je la tiens pour responsable de ce qui s'est passé entre ta mère et moi. Je n'aime pas cette femme et je ne l'aimerai jamais.

— Mais moi, je veux parler d'elle, et tu peux le faire aussi. Laisse-moi t'expliquer quel genre de type je suis. La dernière chose que j'ai faite à Pilar c'est du chantage. On devrait me tuer ! Je me demande souvent si je n'ai pas un gène criminel – je suis sûr qu'il ne vient pas de toi –, mais je finis par le croire. J'essaie réellement de lutter contre ce penchant détestable. Surtout maintenant que je suis fou amoureux de Mair.

Porfirio le regarda fixement un instant, puis renversa la tête en arrière en riant.

— Pardon, c'est seulement que je n'arrive pas à voir les signes de ce gène criminel dont tu parles ! Si je suis apte à juger les caractères, tu me fais l'effet d'être un garçon très respectable. Je dirais que ce qui te menace, c'est d'être trop conciliant et bien élevé.

— Attends, insista Hector. Tu n'en sais pas la moitié. J'arnaque les gens. Enfin, j'ai arrêté, mais pendant des années j'ai vendu des madones à l'Enfant Jésus aux touristes. Tu sais, les pèlerins qui viennent demander l'aide de la Vierge. Des madones d'une qualité déplorable, les plus horribles que tu aies jamais vues, avec des enfants Jésus qui ont l'air de petits gorets suralimentés. Je m'habillais comme un clochard, et quelquefois, je faisais même semblant d'être débile. C'est une forme d'escroquerie, non ? En tout cas, je l'ai fait, en partie parce que je voulais pouvoir donner un peu d'argent à *mama*. J'ai une petite fortune planquée dans mon pigeonnier, en cas d'urgence, et à présent je l'investis petit à petit dans l'affaire, parce qu'elle va à vau-l'eau, et maintenant, tardivement, je fais tout ce que je peux pour la sauver. *Abuela* a beau n'avoir jamais voulu que je m'occupe de la blanchisserie, j'essaie d'apprendre tous les aspects du métier quand je ne travaille pas à l'hôtel, mais tu dois trouver qu'il est grand temps, et d'ailleurs, c'est vrai... Tu sais qu'elle est malade, ma mère ? J'ai peur qu'elle meure... Elle est...

Porfirio prit son visage dans ses mains, et Hector cessa de parler à tort et à travers.

— Oui, dit Porfirio. Je ne peux pas le supporter. J'aime ta mère.

— Vraiment ? *Encore ?*

— Ces dernières semaines, notre passion s'est réveillée, mais je l'ai toujours aimée. Elle ne te l'a pas dit ? Je veux quitter ma femme, mais Adelaida refuse que je le fasse.

Ils se regardèrent avec de grands yeux. Un long moment s'écoula dans un complet silence, tous deux abattus par l'énormité de tout ce qui venait d'être dit.

— Toi et ma mère..., s'émerveilla Hector. *Mon père et ma mère !*

Rien n'était plus naturel, n'empêche que c'était stupéfiant. Il s'était douté qu'il était arrivé quelque chose à Adelaida, mais ça... Bien que malade, elle avait l'air d'une nouvelle femme. Était-ce pour cette raison ? Parce qu'elle était retombée amoureuse de Porfirio ?

Ils levèrent la tête vers le serveur en costume blanc qui s'était avancé furtivement près de la table.

— Désirez-vous une autre bouteille ? Nous avons des accompagnements délicieux, des sandwiches au saumon fumé, des beignets aux crevettes, vous pouvez aussi avoir un plateau de...

— Parfait, apportez-nous de tout, dit Porfirio en le renvoyant d'un geste.

Puis il se tourna vers Hector.

— Continue, s'il te plaît. Je n'aurais pas dû t'interrompre. Je veux tout savoir, jusque dans le moindre détail. Je sais que nous avons des années devant nous, mais la vie n'est pas fiable, et, ces temps-ci, je crois préférable de recueillir le maximum d'informations, comme si chaque jour était mon dernier.

— Tu as raison… mais assez parlé de ma vie lamentable, dit Hector d'un ton ferme. Parle-moi de *toi*. De toi et *mama*, de ton travail, de ta vie, de ta fille… Je veux que tu me dises tout ce que je dois savoir.

Pendant que son père lui racontait son histoire, la nuit commença à tomber. On alluma les lumières, et une jeune femme élégante en robe noire et tablier blanc disposa de petites bougies sur leur table. Alors que l'heure approchait pour Hector d'aller retrouver Pablo afin qu'il le ramène, l'atmosphère se fit plus formelle, lourde de questions pleines de prudence. Que feraient-ils ensuite ? Qu'allait-il se passer ? Hector espérait ne pas avoir déplu à son père, et pourtant, il se sentait soulagé d'en avoir fini avec le pire. Le pauvre homme avait eu un aperçu de sa nature sombre, de sa véritable personne, mais ce n'était qu'une fraction de ce qu'il était et portait en lui. Toutefois, ça n'avait pas dû être une découverte agréable.

— Je resterai avec ta mère, d'une manière ou d'une autre, dit Porfirio après un bref silence.

— Si ça la rend heureuse, je suis deux fois heureux.

— Je suis là pour toi aussi. À partir de maintenant, tu peux compter sur moi.

Ces mots, ou toute phrase exprimant des sentiments similaires, c'était ce qu'Hector avait désiré entendre depuis toujours. Ils portèrent un toast à ce moment historique en mangeant les petites bouchées qu'on avait posées devant eux. Hector regarda Porfirio longuement, afin de mémoriser chacun de ses traits, et songea : Cet homme est mon père, et je suis son fils.

Cette vérité à elle seule l'avait transformé.

18

L'os fragile de la hanche de Pilar avait été conso-
lidé avec une plaque en titane, et trois semaines
après son attaque, en dépit d'un pronostic lugubre,
elle s'accrochait, refusant de contracter une pneu-
monie, cause de décès la plus répandue à son âge et
vu son état. Elle se reposait dans une salle avec
quatre autres femmes âgées. La veille, lorsqu'elle
s'était endormie, il y en avait eu cinq, mais à l'aube
un des lits avait été libéré discrètement. Comment et
pourquoi on sortait d'un service de gériatrie ne
donnait lieu à aucune spéculation. Pourquoi Pilar se
serait-elle inquiétée d'une conjecture aussi
morbide ? Cependant, bien qu'elle eût toujours
affirmé vouloir mourir chez elle dans son lit, plus
elle envisageait son retour à la maison, plus elle hési-
tait. Se retrouver coincée dans un fauteuil roulant
pour le restant de ses jours lui donnait à réfléchir :
elle se sentait vulnérable.

Le Dr Ruiz avait déjà laissé entendre qu'elle avait
abusé de l'accueil que pouvait réserver l'hôpital
encombré. Il venait de s'asseoir au bord de son lit,
une entorse aux convenances que Pilar jugeait
insupportable, mais qu'elle n'avait pas assez de force
pour contester.

— *Señora*, lui dit le médecin, d'une voix beaucoup trop forte et en lui tapotant le bras d'un air aimable, si vraiment vous préférez ne pas rentrer chez vous, il y a une maison de retraite très confortable à Gijón où l'on s'occupera de vous comme d'une reine. Et en plus, les tarifs sont raisonnables.

— Une *institution ?* s'exclama Pilar, épouvantée.

— Ciel, non, *señora* ! Nous n'utilisons pas ce genre de terme…

— Peu importe de quel nom vous l'enrobez ! s'agaça Pilar. J'ai encore ma tête, jeune homme. Et s'il m'arrive de temps en temps d'être confuse, je ne suis pas sénile, je vous prie de vous en souvenir.

— Très bien. Je vais donc faire le nécessaire pour qu'on vous ramène chez vous. Je suis sûr que votre médecin à Torre de Burros s'arrangera pour que quelqu'un passe à votre domicile.

Pilar se maudit d'avoir été trop franche ; elle venait d'offenser le médecin.

— Docteur Ruiz, les soins dans cet hôpital sont de premier ordre, et je préférerais rester ici encore un peu, sous votre… protection.

— Je crains que nous ne puissions rien faire de plus pour vous, dit le médecin en regardant sa montre. Votre fille dit que vous serez bien soignée. Votre magnifique petit-fils m'a expliqué qu'il était prêt à vous soutenir et, apparemment, vous ne manquez pas d'aide à la maison…

Le cœur de Pilar s'accéléra ; elle agrippa la blouse du médecin avec poigne.

— Non, *por favor* ! supplia-t-elle. Ces deux-là pourraient me faire du mal !

Calmement, le médecin retira sa main de sa blouse.

— Certainement pas. Et maintenant, *señora*, reposez-vous.

Pilar aurait voulu lui dire qu'ils n'étaient pour elle que des étrangers... la gitane et ce grand type qui cherchait à se faire passer pour son frère ; tous les deux avaient des yeux sournois capables de voir à travers elle. L'idée que ces deux-là s'occupent d'elle l'effrayait au plus haut point, mais, comme souvent ces derniers temps, avant même d'avoir pu formuler ses peurs, elle se sentit glisser vers un ailleurs. Elle parlait, mais sa bouche disait des choses qu'elle-même ne comprenait pas, le médecin souriait, et soudain, son dos s'éloigna vers la porte. Ses pensées bourdonnaient et glougloutaient dans sa tête, comme si elle parlait sous l'eau.

Elle dormit un moment, mais, lorsqu'elle ouvrit les yeux, Concepción était penchée sur elle et lui demandait si elle allait bien. Pilar en fut troublée. Sa sœur avait dû quitter les ordres et devenir infirmière. Peut-être était-elle une de ces religieuses modernes qui officiaient en uniforme professionnel. Pourtant, sa sœur était morte, non ? Pilar ferma les yeux, repensant au jour où elle avait préparé le corps de sa sœur pour l'enterrer. C'était la seule fois où elle était retournée au couvent. Bien que dix-huit ans fussent passés, revenir en ce lieu avait été humiliant, mais, comme il n'y avait plus d'autre parent pour s'en charger, elle avait dû accomplir ce dernier devoir envers son unique sœur. L'infirmière au visage de pierre qui avait aidé Pilar à laver le corps de la défunte lui avait parlé avec détachement des illusions ridicules de sa sœur. Concepción avait été persuadée d'être enceinte – et que son prénom avait été ordonné divinement –, une conviction renforcée par de hautes doses de morphine. Au moins était-elle morte heureuse en sachant qu'aucun homme mortel ne l'avait jamais touchée (là, l'infirmière avait levé son regard glacial qu'elle avait posé sur Pilar), convaincue de son immaculée conception. L'infirmière avait attrapé la main de Pilar et l'avait appuyée sur le ventre nu de la morte. Malgré une soudaine et irrépressible envie de vomir, Pilar avait dû reconnaître que la tumeur, quelque chose de gros et de charnel qui gisait tout racorni sous la peau relâchée, ressemblait à s'y méprendre à un fœtus.

Pilar rouvrit les yeux. Concepción était toujours là. Puisque sa sœur était morte, il n'y avait plus qu'une seule explication.

— Tu es venue me chercher ? demanda-t-elle au spectre impassible.

Bien qu'elle n'eût jamais été très proche de sa sœur, elle allait maintenant l'accompagner aux confins de l'univers. Elle tendit la main, mais Concepción la regarda d'un air méprisant.

— Catin ! cracha-t-elle. Crois-tu vraiment que je vais t'emmener avec moi ?

Une autre infirmière était en train de lui essuyer le visage en disant :

— Là, là, tout va bien… Vous rentrez chez vous aujourd'hui. Est-ce que vous n'êtes pas une petite veinarde ?

— Je ne suis pas une gamine, dit faiblement Pilar. Cessez de me parler sur ce ton.

— *Cálmese, doña Pilar*. Nous voulons juste que vous vous sentiez bien.

— Mais je *suis* calme, contra Pilar.

L'infirmière l'habilla. Pilar flottait dans ses habits.

— Levez les bras, doña Pilar. Voilà… c'est bien !

Hector, qui était venu la chercher, l'attendait devant le poste des infirmières. Il lui dit que son ami Pablo Herman, le charpentier, l'avait conduit ici avec sa camionnette.

— Il n'est pas question que je monte dans ce véhicule !

— Bien sûr que non, la rassura Hector. Toi et moi allons rentrer en ambulance.

— Tu es obligé de venir avec moi ? Ils n'ont pas assez de personnel pour accompagner les malades ?

— Je viens, dit Hector sur un ton qui coupait court à toute discussion.

On poussa Pilar en fauteuil roulant jusqu'à l'ambulance, dans laquelle ils l'attachèrent sur le brancard afin que les mouvements du véhicule ne la secouent pas inutilement. Hector prit place à côté d'elle, tandis que les deux ambulanciers montaient devant.

Le trajet se déroula de façon lugubre. La lumière était trop vive, les bruits étaient trop forts, le blanc de la chemise d'Hector était trop éclatant… Ses cheveux bruns, brillants comme la peau d'un serpent, étaient d'une abondance excessive, et elle se protégea de son regard brûlant en se couvrant les yeux de la main. C'était comme si la réalité était devenue trop… *réelle*. Comme si ces longues semaines passées à l'hôpital avaient rendu le contour des choses flou et engourdi ses sens…

— Comment vas-tu ? lui demanda Hector, en essayant de retirer sa main et en la transperçant du regard.

Pilar le repoussa. Puis elle repensa à quelque chose.

— Tu as fait ce que je t'ai demandé ? Je parle du paquet que je t'ai donné.

— Ne t'inquiète pas, *abuela*. Il est en lieu sûr, parfaitement sûr, en attendant que tu aies rempli ta part du marché.

— ¡ *Maldición* ! gémit Pilar d'une voix affaiblie. Je serai peut-être morte avant...

Puis elle se rendit compte qu'elle se rappelait ce qu'Hector attendait d'elle. Quitte à ce que ce fût la dernière chose qu'elle accomplirait sur cette terre, la bague devait être rendue, il fallait qu'elle s'en assure. Si la bague de la Vierge n'était pas restituée à sa légitime propriétaire, les foudres du ciel ne manqueraient pas de s'abattre sur elle pour l'éternité... ainsi que sur sa fille (car elle était désormais convaincue que c'était bien Adelaida la coupable) !

— Il faut rapporter la bague, s'excita Pilar en s'efforçant de taper du poing sur le torse de son petit-fils. Sans plus attendre...

— C'est une bague ? s'étonna Hector. La rapporter à qui ?

Oh, mon Dieu, comment avait-elle pu laisser une telle chose lui échapper ? Hector ignorait qu'il s'agissait d'une bague, bien sûr. Mais, vu qu'il était simple d'esprit, peut-être ne ferait-il pas le lien entre cette bague et celle de la Vierge. De toutes les malédictions possibles ici-bas, il ne lui manquait plus que celle-là... Si Hector découvrait la vérité, il garderait la bague ; étant donné sa valeur, pourquoi irait-il s'embêter à la rendre ?

— Qu'est-ce que tu racontes ? Je te parle du paquet que je t'ai confié. De la faveur que j'ai demandée à mon seul petit-enfant. C'est un signe que je veux envoyer au nouveau prêtre, un cadeau de ma part, un legs sans aucune valeur pour personne, de manière à le remercier de ses sages conseils et de ses bénédictions…

— D'accord, d'accord, calme-toi, dit Hector d'une voix apaisante. Il l'aura, je te le promets. Mais tu parleras à Mair de son grand-père ? Tu peux bien faire ça une fois dans ta vie, un petit geste de bonne volonté à l'intention d'une parfaite inconnue. Réfléchis, *abuela*, une telle chose pourrait jouer en ta faveur le jour où tu accéderas au repos éternel. Et d'ailleurs, si je représente quoi que ce soit pour toi, fais-le pour moi. Car vois-tu, je l'aime, et c'est d'une grande importance pour elle. Jusqu'à ce jour, ses recherches n'ont rien donné, or je suis certain que tu sais quelque chose au sujet de son grand-père.

— Tu ne dois pas ouvrir ce paquet, continua Pilar. Même si tu ne comprends rien à tout cela, fais ce que je te dis. Tu t'attireras la colère de Dieu, si tu ouvres quelque chose qui appartient à l'un de ses serviteurs.

— Chut, chut, fit gentiment Hector en lui caressant les cheveux. Tout se passera bien. Toi et moi allons nous entraider. D'accord ?

Elle enveloppa un précieux bijou dans un papier de soie autour duquel elle noua une ficelle. Le pendentif, passé sur une chaîne en or, représentait une hirondelle, incrustée de dizaines de minuscules rubis. Dans un curieux élan de générosité – ce pendentif lui venait de sa grand-mère ¬, don Alfonso le lui avait donné en pensant à Adelaida. Ce n'était qu'après avoir réfléchi au sens que revêtait ce cadeau que Pilar avait deviné ce qu'il contenait de sinistre. Peut-être qu'elle se trompait, mais son instinct, aussi perverti fût-il, lui soufflait le contraire.

Doña Esmeralda avait découvert l'histoire du pendentif et, une heure plus tôt, elle avait convoqué Pilar dans son petit salon.

La fureur assombrissait son beau visage.

— Le pendentif devrait revenir à l'une ou l'autre de mes filles, mon mari n'avait pas le droit de te le donner.

— Je ne suis pas d'accord.

Pilar tint tête à la femme qui l'avait hébergée et s'était servie d'elle comme d'une domestique sans jamais lui donner la moindre pièce, et qui avait toujours été clairement hostile à sa présence.

— Ma mère a trimé pour vous et s'est épuisée dans cette maison, reprit Pilar en montrant la pièce élégante d'un geste de la main. Et aujourd'hui, don Alfonso veut donner quelque chose à la petite-fille qu'elle n'a jamais eu la chance de connaître. Pourquoi ne pas l'accepter de bonne grâce ?

— De bonne grâce ? rétorqua doña Esmeralda, la voix pleine de mépris. Tu sais, si toi et ta bâtarde de fille êtes encore ici, c'est uniquement parce que tu me décharges d'un devoir qui me répugne. Ne crois pas que je ne sois pas au courant. Je vous entends souvent la nuit grogner comme des animaux. Tu ne le savais pas ? Mais je refuse que l'héritage de mes filles serve à

payer ta dépravation. Rends-moi le pendentif, et nous oublierons cette conversation.

Pilar la regarda en face en rougissant de honte. Donc, elle savait. Bien. La semaine dernière, une des domestiques les avait surpris alors que don Alfonso était en train de lui sucer les seins dans l'arrière-cuisine, la main fourrée entre ses cuisses. Peut-être qu'Esmeralda avait toujours su ou qu'elle sentait l'odeur du sexe sur son mari lorsqu'il la rejoignait dans son lit. Le premier réflexe de Pilar fut de nier, de jouer l'offensée, mais elle voyait bien que ça ne servirait à rien.

— Je n'ai pas vraiment eu le choix, dit-elle calmement.

— Ne me raconte pas de bêtises ! Je vous ai vus dans le jardin depuis ma fenêtre, par une belle nuit de pleine lune, dit Esmeralda avec un rire moqueur. Mon mari était adossé au cabanon en train de fumer une cigarette, le pantalon sur les chevilles, et toi tu étais à genoux, en train de lui faire ce qu'il aime avec un enthousiasme évident. Il existe un nom pour les femmes qui prennent plaisir à ce genre de choses.

— Je n'y prends aucun plaisir, se défendit alors Pilar, sa colère pointant sous l'humiliation. Je déteste ça. Si vous accomplissiez votre devoir d'épouse, peut-être que je n'aurais pas à endurer tous ces…

— Assez ! ordonna Esmeralda en levant sa main potelée couverte de bijoux. Je refuse de m'abaisser à de telles conversations. Donne-moi le pendentif, et nous en resterons là. Mon mari ne le saura même pas.

Pilar se décida aussitôt et prit sa respiration.

— Une autre chose que votre mari ignore, c'est que je porte son enfant.

Esmeralda la dévisagea, médusée.

— Il va falloir qu'il assume la responsabilité du bébé, insista Pilar. Je le préviendrai dès qu'il rentrera déjeuner.

Brusquement, Esmeralda se ressaisit et s'avança d'un air menaçant vers Pilar.

— Garde ce maudit pendentif, mais va-t'en d'ici ! Je peux te faire jeter en prison rien qu'en claquant des doigts. Il me suffit de dire un mot à mon neveu. Il a des relations que même mon mari ne peut circonvenir. Tout le monde sait qui était ton frère. Tu seras fusillée !

Pilar s'étonna que cette femme oisive, égoïste et indifférente ait réagi si promptement en la menaçant d'une vengeance si bien calculée. Manifestement, l'idée de dénoncer Pilar lui trottait dans la tête depuis un moment, elle avait même déjà envisagé comment s'y prendre et imaginé ce qu'il en résulterait, sans doute avec une certaine satisfaction.

Pilar se précipita hors du salon. Esmeralda lui cria :

— Tu ne peux pas prouver que c'est lui le père ! Tu as sûrement couché avec quantité d'autres hommes. Tout le monde sait que tu n'es qu'une traînée !

Pilar monta dans sa petite chambre en courant. Cette confrontation l'avait finalement poussée à agir. Exaspérée, elle avait du mal à contrôler ses mouvements pendant qu'elle faisait ses bagages.

Les doigts tremblants, elle noua la ficelle et rangea le petit paquet dans un sac en toile avec son rosaire et sa bible. Ses vêtements et ceux d'Adelaida allèrent dans le couffin du bébé dont elle n'avait plus l'usage. Pilar ne possédait pas grand-chose. En revanche, elle avait de l'argent, et en abondance. Au cours des derniers mois, après la mort déchirante de son frère, elle avait exigé d'être payée en échange de ses services. Puisqu'elle le détestait, don Alfonso devait payer, ce qui avait transformé leur relation, la moindre trace d'affection ou de compréhension ayant totalement disparu entre eux. À maints égards, ce nouvel arrangement leur convenait mieux à tous les deux. Don Alfonso pouvait lui demander ce qu'il voulait sans avoir à ruser ou à la cajoler comme il avait dû le faire au début. Quant à Pilar, contrainte de se soumettre en partie, elle préférait une transaction claire et nette. Ainsi, le jour où elle pourrait partir sans courir de risques, elle serait en mesure de subvenir pendant un temps à ses besoins et à ceux de son enfant. Cependant, elle n'avait plus de marge de manœuvre, devait se plier à ses exigences, un droit qu'il exerçait avec plus de froideur et de détachement que jamais, en lui réclamant des choses que, quelques mois auparavant, elle n'aurait même pas crues possibles. Il la traitait de pute quand il la baisait et prenait un malin plaisir à lui demander de fixer un prix pour chaque orifice de son corps. Il voulait l'entendre le dire, qu'elle lui décrive chacun de ses actes en prononçant les mots distinctement pendant qu'il la regardait se déshabiller, ou mieux, pendant qu'il était en elle. Obéir la rendait malade, mais le prix montait proportionnellement aux exigences de don Alfonso. Comme elle était forte, il ne pouvait pas la contraindre physiquement à faire quoi que ce soit, et comme il était riche, ce qu'il lui en coûtait n'avait pas d'importance pour lui. Il jubilait en lui disant que plus elle était cupide, plus variés étaient ses plaisirs. Il la provoquait en lui énumérant tous les autres hommes, des amis à lui, qui la paieraient encore davantage pour qu'elle leur fasse ce que leurs femmes n'auraient jamais osé faire et se proposait de jouer les intermédiaires, d'être son entremetteur. Pilar redoutait qu'il n'aille plus loin, mais elle supposait qu'il disait cela juste histoire de parler, de s'exciter. Le seul côté positif de sa dégradation était l'argent qui s'accumulait dans la boîte fermée et cachée en haut de l'armoire. Cet argent qu'elle mit à l'instant même dans une bourse fermée par un lien et rangea dans le sac en toile.

On était en juin, et le soleil était haut. Pilar attendit, assise sur son lit avec Adelaida près d'elle. Elle ne descendit pas déjeuner. Lorsque la maison finit par s'assoupir, elle sortit de sa chambre avec ses sacs. L'autocar partait à trois heures et demie pile. Elle descendit l'escalier en tenant Adelaida fermement par la main. Pour une fois, la petite fille se tenait tranquille, intimidée par l'humeur inquiétante de sa mère. Pilar était pâle et transpirait à grosses gouttes, crispée par l'angoisse. Elle avait le droit de s'en aller, personne ne pouvait l'en empêcher ; néanmoins, elle avait peur de don Alfonso. La faire arrêter sous quelque fallacieux prétexte reviendrait à exercer sur elle une autre forme de pouvoir qu'il savourerait sûrement. Être maintenue en résidence surveillée la ramènerait entre ses griffes. Et si cela se produisait, sa femme pourrait bien mettre sa menace à exécution, la dénoncer sans que son mari le sache et s'arranger pour la faire disparaître.

Elles traversèrent Torre de Burros presque en courant, leurs pas résonnant dans les rues désertes. Même Adelaida semblait heureuse de courir, comme si elle aussi était pressée de partir. Devant l'arrêt, *personne n'attendait – en ces temps troublés, voyager était un luxe –, mais l'autocar était déjà là, prêt à partir. En voyant Pilar peiner pour monter avec ses sacs, le chauffeur lui sourit d'un air aimable.*

— *Il fait un peu chaud pour voyager,* señora.

Pilar n'était guère d'humeur à faire la conversation.

— *Combien de temps jusqu'à Montelinda ?*

— Ce ne sera plus très long, on est bientôt arrivés, dit-il en se penchant pour lui toucher l'épaule.

— Aucun homme ne me touchera plus, siffla Pilar entre ses dents serrées. Au nom de la Vierge et de la Sainte-Trinité, je jure que, tant que je vivrai, aucun homme ne m'approchera. Tu m'entends ?

— Je t'entends, *abuela*, dit Hector. Mais je le savais déjà. Aucun homme ne t'a touchée, pas même ton petit-fils. Pas une seule fois au cours de toutes ces années il n'a eu le droit de te prendre dans ses bras. Si tu l'avais laissé faire, il aurait pu t'aimer. Et te donner envie de l'aimer en retour. Cette idée le rend très triste.

— Les hommes sont des bêtes, grommela Pilar, les yeux fermés. Aucun homme n'est digne de confiance.

— Ne t'inquiète pas, *abuela*. Tu ne risques absolument rien.

19

En fin d'après-midi, Placido Covarrubias vint frapper à la porte de Mair, son gros ventre comprimé par la ceinture d'un élégant manteau en cachemire.

— Monsieur le maire ! Quel honneur ! s'exclama-t-elle, sans qu'il semble remarquer l'ironie dans sa voix. Entrez, je vous en prie.

Mair s'appuya contre la porte et attendit d'entendre ce qu'il avait à lui dire, espérant sans trop y croire qu'il aurait de nouvelles suggestions intéressantes concernant ses recherches sur Geraint.

— *Señorita* Watkins... Mair... vous deviez venir chercher chez moi la photo que je vous avais promise. J'ai pris la peine de vous en faire faire un double.

Merde ! Avoir oublié la photo la consterna quelque peu. Son histoire avec Hector avait dû modifier ses priorités. Était-il possible que, de façon progressive et insidieuse, elle l'ait substitué à Geraint en tant qu'objet de fascination ? Hector était bien vivant, un homme en chair et en os, quelqu'un qu'elle appréciait d'une manière entièrement nouvelle, et qui lui ouvrait les yeux sur toutes sortes de sensations aussi déconcertantes qu'inattendues.

Malgré cela, elle eut soudain l'impression d'avoir trahi sa cause.

— Je suis désolée, Placido. Entrez, je vous en prie, dit-elle en lui indiquant le salon.

— J'ai fait ce que vous m'aviez demandé. Je me suis décarcassé pour en savoir plus sur les hommes qu'on voit sur la photo, mais, hélas, comme je le craignais, mon cousin ne savait rien sur eux. Excepté la femme. Il est à peu près certain de reconnaître Eufemia Aldebarra. En fait, cette photo pourrait avoir de la valeur, car elle est assez célèbre. À la fin de la guerre, elle a fui en France dans des conditions très difficiles, c'est en tout cas ce que raconte un de ses fils, dit le maire d'un air sceptique. Il a écrit un livre sur sa mère et son combat héroïque contre le fascisme.

Il lui tendit une enveloppe qu'il sortit de sa poche. Puis il retira son manteau et le laissa tomber négligemment sur un fauteuil.

— Ça ne fait rien, dit Mair. Merci d'avoir essayé. C'est déjà bien que j'aie la photo. Je suis pratiquement certaine que cet homme est mon grand-père.

Placido s'installa sur le canapé, puis, d'un geste souple, il l'attrapa par le poignet en la faisant asseoir sur ses genoux. Un geste si naturel et si gracieux qu'il eût été difficile de s'en offusquer.

— Peut-être pouvons-nous explorer d'autres pistes, dit-il en posant sa main légèrement sur sa cuisse.

Mair la repoussa et se leva.

— Vous n'êtes pas marié, Placido ?

— Si, répondit-il avec le plus grand sérieux. Mais ma femme est partie vivre chez sa mère.

Mmm, vraiment ? songea Mair. Je me demande bien pourquoi.

Le maire se méprit sur son expression pleine de réserve.

— Et pour vous le prouver, je vais vous emmener chez moi, enchaîna-t-il. Je vous montrerai son armoire. Elle a emporté tous ses vêtements. Vous verrez les traces sur les murs, aux endroits où elle a retiré les tableaux. À vrai dire, ma maison a beau être grande et luxueuse, elle est aussi triste qu'une chambre de célibataire.

Il lui prit la main.

— En revanche, il y a du champagne et de quoi manger dans le réfrigérateur, et le lit est très confortable.

— J'en suis sûre, dit Mair en se reculant. Vous êtes un brave homme, et vous avez été très gentil, mais j'ai une liaison avec quelqu'un d'autre. À l'avenir, tâchez de ne pas l'oublier.

Placido demeura un instant assis puis se leva.

— *Señorita*, je ne comprends pas pour quelle raison une femme aussi cultivée et séduisante que vous souhaiterait se frotter à des éléments indésirables.

— Je devrais vous demander de justifier une telle déclaration, dit posément Mair. J'aurais pensé que, en tant que maire, vous étiez tenu de mesurer vos propos concernant vos administrés.

— Quoi qu'il en soit, j'ai noté que votre séjour ici a dépassé les quatre-vingt-dix jours autorisés, reprit Covarrubias d'une voix soudain glaciale. Je préférais vous prévenir avant que les autorités ne vous enjoignent de retourner chez vous.

Mair croisa les bras et s'appuya contre le mur.

— Eh bien, je vous remercie, Placido. Je n'en avais aucune idée. Je pensais que nous faisions tous partie de l'Europe, désormais.

Il s'approcha d'elle, tendit un gros doigt boudiné et lui tapota le nez avec.

— Vous avez passé un si bon moment que vous avez oublié de vérifier votre passeport, pas vrai ?

Mair fit un pas de côté.

— Et que dois-je faire pour proroger mon droit de séjour ?

— Puisque nous sommes amis, je vais vous aider. Il me faut votre passeport, deux photos d'identité, ainsi qu'un document attestant votre capacité à financer votre séjour prolongé en Espagne.

— Et que ferez-vous de tout ça ?

— J'apporterai ces papiers au commissariat, qui vous délivrera une *permanencia*, un tampon dans votre passeport qui vous autorise à séjourner quatre-vingt-dix jours supplémentaires. Pour l'obtenir, vous aurez besoin de mon aide, ajouta-t-il, ses yeux s'attardant sur son corps.

— Non, je n'en ai nul besoin. Je sais où se trouve le commissariat. Je m'y rendrai dès demain matin. Merci pour votre peine.

Sur ces mots, Mair se dirigea vers la porte d'entrée qu'elle ouvrit en grand. Placido parut soudain nettement moins amical. Ses yeux bruns chaleureux devinrent froids comme de l'acier.

— Peut-être serait-il plus approprié de rentrer chez vous et de revenir en Espagne un peu plus tard. C'est un autre moyen de renouveler le privilège de venir en Espagne, dit-il en franchissant la porte.

À vrai dire, c'est ce que je vous conseille de faire, étant donné que vous avez déjà outrepassé la durée de votre permis de séjour.

— Cette petite ordure n'est qu'un menteur ! marmonna Mair lorsqu'elle regarda son proéminent postérieur redescendre la rue en se pavanant.

Néanmoins, peut-être ferait-elle mieux de vérifier s'il avait dit vrai. Maintenant qu'il se sentait blessé dans son ego, le maire pouvait très bien lui créer des ennuis. Et puis, est-ce qu'elle ne couchait pas avec l'excentrique de la ville ? Qu'il l'ait crue une proie facile n'avait rien d'étonnant. Mair remonta son jean, rentra son tee-shirt et décida que, dorénavant, elle mettrait *tout le temps* un soutien-gorge. Toujours est-il que la visite du maire lui avait laissé une impression de malaise.

Elle s'installa à la table pour écrire une lettre à tante Margaret et lui souhaiter un joyeux Noël. Sans doute était-ce ce qui expliquait en partie son angoisse : elle aurait dû être avec elle ; sa tante et elle n'avaient plus personne en dehors de parents très éloignés qui vivaient à Newcastle – et, bien évidemment, son frère Richard à Vancouver, dont la carte de vœux envoyée chaque année, et que signait pour lui sa femme, devait attendre sur le lit de son appartement.

Chère tante Margaret,
Ça m'a fait grand plaisir d'entendre ta voix la semaine dernière – bien que mon nouveau portable espagnol ne soit pas très fiable, mais je te promets de t'appeler la prochaine fois d'une cabine.

Je voudrais te dire encore une fois combien je suis désolée de ne pas être avec toi pour Noël, mais il semblerait que j'aie plus ou moins pris racine dans le sol des Asturies (non, rien de neuf au sujet de Geraint). Bon, autant être franche. Je me suis entichée d'un homme mystérieux, une créature sombre et sinueuse, très différent du dernier – le type suffisant avec la Ferrari, tu t'en souviens ?

Il est gentil, généreux, drôle, légèrement puéril, d'une allure stupéfiante, très grand et fin comme un saule, passionné...

Mair soupira et déchira la feuille en huit morceaux égaux, les roula en forme de tube, puis les lança dans la corbeille. Alors qu'elle prenait une nouvelle feuille de papier, des coups retentissants résonnèrent à la porte. Oh non, pourvu que ce ne soit pas encore ce petit bonhomme qui revient m'annoncer qu'on va m'expulser ! songea-t-elle tandis qu'une clé tournait dans la serrure. Hector entra d'un pas décidé, l'air déterminé.

— Mair, viens avec moi, dit-il en la tirant par la main pour la faire lever. Il faut qu'on le fasse tout de suite.

— Qu'on fasse quoi ?

— Ma grand-mère... elle est rentrée à la maison ce matin, mais elle ne va pas bien du tout, physiquement ou psychiquement. Elle a accepté de te parler de Geraint. Il y a une minute de cela, elle m'a dit qu'elle le ferait. Il faut qu'on y aille tant qu'elle est lucide. Son état varie d'heure en heure, mais pour l'instant elle a l'esprit on ne peut plus clair.

Mair le regarda d'un air surpris.

— Elle sait quelque chose ? Elle se souvient de lui ?

Elle attrapa son manteau et son écharpe pour se protéger du vent glacé, puis Hector l'entraîna par la main, et ils traversèrent la ville en courant à perdre haleine.

La redoutable grand-mère d'Hector était assise dans un fauteuil roulant dans la cuisine, pendant que Juana, la bonne, lui faisait manger de la bouillie à la cuillère. La pauvre vieille avait l'air toute rabougrie, très différente de la petite boule de feu furieuse à la voix perçante et aux gestes assurés que Mair avait vue quelques semaines auparavant. Ses cheveux blancs étaient plus clairsemés, et ses pommettes ressortaient sur son visage.

Lorsque Juana lui essuya le menton avec une serviette en papier, Pilar protesta d'un grognement en la repoussant. Hector approcha une chaise à l'intention de Mair, qui prit place à côté d'elle.

— *Buenas tardes, señora*, commença la jeune femme, nerveuse. Hector m'a dit que vous vous souveniez de mon grand-père.

Elle posa le document où figurait la photo de Geraint sur les genoux de la vieille dame.

Là encore, Pilar l'envoya promener.

— J'ai déjà vu cette misérable photo, non ? Pour l'amour du ciel, je sais qui est cet homme ! aboya-t-elle. Ils l'appelaient Geronimo.

Le cœur de Mair bondit de joie.

— Ah oui ? C'est un joli prénom, encore plus beau que Geraint.

Pilar l'observa un instant, l'air pensif. Mair jeta un regard à Hector qui leur tournait le dos. Il était en train de remplir la cafetière qu'il mit à chauffer, comme si le seul fait de le voir de face risquait d'inciter sa grand-mère à se taire. Pilar réclama un verre d'*aguardiente* à Juana, et dès que la fille eut placé le verre dans la petite main noueuse, elle se mit à le siroter tranquillement, pendant que Mair attendait avec impatience, sans oser toutefois la bousculer.

— Alors, finit par dire Pilar à Hector, toujours pas servi, ce café ?

Puis elle se tourna vers Mair.

— Ce que je vais vous dire est destiné à vos seules oreilles, et je le fais uniquement parce que Hector a insisté. Si vous voulez l'entendre, dites-leur de sortir de la cuisine.

Juana et Hector s'esquivèrent dans la seconde, pareils à des spectres qui auraient traversé un mur.

— Je vais servir le café, dit Mair en se levant.

— Cet homme que vous recherchez était un camarade de mon frère, Carlos, commença Pilar d'une voix qui se teinta aussitôt d'une dureté impitoyable. Ils n'étaient qu'une bande de vandales, rien de plus. Bah, ils croyaient se battre pour une bonne cause ! ¡ *Porquería* ! Ils massacraient des gens au seul prétexte qu'ils allaient à l'église.

Mair se mordit la langue. Franco en avait massacré bien davantage pour des crimes nettement moindres…

— Geronimo aussi ? interrogea-t-elle avec appréhension en posant une tasse de café sur la petite table à côté de Pilar. Il a fait ça ?

— Naturellement ! Sauf que, pour lui, c'était plus facile, parce qu'il n'était pas obligé de voir les morts qu'il provoquait. Au moment où ses victimes étaient tuées, il était parti depuis déjà longtemps... excepté une fois.

Pilar se tut une seconde, le temps de réfléchir, puis demanda :

— Il était dynamiteur, vous ne le saviez pas ? Il faisait sauter des installations, des ponts... tout ce qui était susceptible d'entraver l'avancée des troupes du Seigneur.

— Si, si, je le savais. Au pays de Galles, il avait suivi une formation de dynamiteur dans les mines.

Mair ressentait une immense peine. Elle n'avait jamais voulu imaginer Geraint capable de tuer, mais c'était la guerre, après tout. Sans doute avait-il cru en ce qu'il faisait.

D'un seul coup, Pilar cracha et toussa violemment en faisant une horrible grimace.

— Qu'est-ce que c'est, *mujer* ? Vous avez mis du sel dans mon café ?

— Non, répondit Mair, mortifiée. C'est du café noir. Vous voulez peut-être du sucre ?

— Évidemment que je veux du sucre ! Qui aurait l'idée de boire un café sans sucre ?

Mair bondit pour aller chercher le sucre et en mit une cuillerée d'une main tremblante dans la tasse. Aussi minuscule et rabougrie qu'elle fût, Pilar était intimidante, réellement effrayante. Mair tremblait d'appréhension. Elle avait très envie d'entendre toute l'histoire, même si elle l'attristait. Les illusions qu'elle s'était faites sur son grand-père pouvaient si facilement se dissiper. Elle aurait tant aimé que quelqu'un d'autre se souvienne de lui, quelqu'un qui n'aurait pas éprouvé autant d'amertume et de colère pour ce qu'il avait représenté. Néanmoins, elle se devait d'être forte et d'écouter. Le cœur battant la chamade, elle songea qu'elle n'aurait sans doute plus jamais d'autre occasion de parler de Geraint.

— Parlez-moi de votre frère Carlos, dit-elle pour relancer la vieille dame.

— Mon frère était un bon garçon, un électricien habile, mais il a eu de mauvaises fréquentations et est devenu ivre de fanatisme. Sa bande de communistes a rencontré Geronimo, comment, je n'en sais rien, toujours est-il que c'est de son propre chef qu'il était venu ici. Peut-être que c'était au moment où les Brigades internationales se sont retirées. En tout cas, il a décidé de rester dans ce pays, avec mon frère, et quand les bataillons de Franco ont libéré Torre de Burros, ils se sont enfuis et ont disparu dans les montagnes. Votre homme a renié jusqu'à sa famille dans son pays pour vivre comme un animal, bah !

— Qu'est-ce qu'ils faisaient là-bas, dans les montagnes ?

— Je vous l'ai dit, ils vivaient comme des animaux, attendant l'occasion de tuer je ne sais quel pauvre bougre qu'ils avaient pris en grippe ou de faire sauter quelque chose !

— Avez-vous rencontré Geronimo, doña Pilar ?

— Bien sûr, je l'ai rencontré ! J'en ai rencontré plusieurs d'entre eux. Mais ils étaient les ennemis, des criminels. Une fois, mon frère m'a demandé mon aide. Il a amené Geronimo à proximité de la ville parce qu'il était gravement blessé et avait besoin de médicaments.

Oh, mon Dieu, la vieille dame l'avait bel et bien rencontré, et il était *gravement blessé*... Mair se crispa sur sa chaise, les questions se bousculaient dans sa tête. Pendant un long moment, Pilar garda les yeux clos. Mair avait peur qu'elle ne se soit endormie, mais, à l'instant où elle s'apprêtait à dire quelque chose, la vieille dame reprit la parole.

— De toutes les choses répugnantes que j'ai eu à faire dans ma vie, l'une des pires a été d'aider Carlos à panser la plaie de cet homme. Son moignon était aussi déchiqueté que les feuilles d'un ananas. Comme j'avais reçu une formation d'infirmière à l'époque où j'étais novice – on nous en donnait une à toutes –, mon frère a envoyé une fille me chercher en pleine nuit. Et parce que j'aimais mon frère, j'ai pris un risque énorme pour cet étranger, je me suis mise en danger, j'ai trahi tout ce en quoi je croyais en me rendant dans ce misérable *hórreo* où ils avaient transporté le dynamiteur. Mais, quand je suis arrivée, la blessure était si épouvantable que je n'ai pas pu la regarder. Je me suis contentée de maintenir l'homme allongé et de dire à Carlos ce qu'il fallait faire.

— Son moignon... que voulez-vous dire ? Que lui était-il arrivé exactement ? interrogea Mair, haletante.

— Il s'était fait exploser lui-même la jambe.

— Oh, c'est affreux ! murmura Mair. C'est de ça qu'il est mort ?

— Oh non, il a survécu à cette blessure ! Dieu seul sait comment... Il était costaud comme un ours. Et débordant de reconnaissance. Vu les hommes que j'avais connus jusqu'alors, je l'ai trouvé très civilisé, beaucoup plus que ses soi-disant camarades... Je suis allée là-bas deux fois apporter de la nourriture et des médicaments – Dieu me pardonne !

— Vous avez fait preuve de beaucoup de compassion, observa Mair avec sincérité.

Pilar s'était mise en danger pour son grand-père. La vieille dame ne semblait pas se rendre compte à quel point son comportement avait été extraordinaire, sans compter qu'elle avait l'air d'avoir oublié qu'elle s'adressait à la petite-fille de cet homme. Cependant, Mair devina qu'il ne servirait à rien de lui faire part de sa gratitude – elle la rejetterait sûrement.

— Oui, en effet, dit sèchement Pilar. Ma vie avait été gâchée par ces voyous. Certains des camarades de mon frère n'étaient que des porcs.

Pilar la regarda droit dans les yeux, comme si elle était responsable de ce que ces hommes lui avaient fait subir. Mair sentit qu'elle s'avançait sur un terrain miné et qu'il valait mieux détourner la conversation.

— Et ensuite, savez-vous ce qui est arrivé à Geronimo ?

— Je ne l'ai plus jamais revu. Vivant, tout du moins. Cette bande a vécu encore quelques mois dans les montagnes en semant la pagaille pour repousser les libérateurs, mais on a découvert leur cache. Autant dire que ceux à qui ils avaient fait du mal se sont acharnés à les poursuivre ! Ils les ont tirés comme des lapins dans les montagnes et ont ramené leurs corps sur des charrettes. J'ai vu le cadavre du dynamiteur sur la place, aligné à côté des autres comme des sardines sur un gril. Je l'ai vu d'aussi près que vous êtes à l'instant. Il avait les yeux grands ouverts. Des yeux d'un bleu peu banal, autant que je m'en souvienne. Du même bleu que les vôtres.

— Oh, mon Dieu...

Submergée par l'émotion, Mair se cacha le visage dans les mains... Elle dut faire un effort pour se reprendre et ne pas éclater en sanglots. Si elle se laissait aller, Pilar la renverrait. Elle respira profondément et leva le regard vers Pilar qui l'observait, les yeux fixes.

— Cessez de pleurnicher, petite. J'ai autre chose à vous dire.

Elle saisit le bras de Mair avec une force surprenante et l'attira plus près de son fauteuil roulant.

— C'était un bel homme, et intelligent, je l'ai bien vu, mais sa morale était aussi tordue que celle des autres...

— Oui, je suppose, doña Pilar, dit Mair en essuyant son nez sur sa manche. Je me rends bien compte qu'il était...

— Pour commencer, son serment de mariage semblait ne rien signifier pour lui. Il était uniquement motivé par son zèle révolutionnaire.

— Comment... Que voulez-vous dire ?

— J'ai aidé à le tenir allongé pendant que Carlos nettoyait et bandait son moignon. Il était courageux. Comme une partie de sa jambe était gangrenée, Carlos a dû découper les chairs noircies avec un rasoir. Je lui ai mis un mouchoir dans la bouche pour l'empêcher de crier. Dans son délire, il m'a attrapée et m'a appelée Eufemia. Plus tard, quand nous avons été seuls un moment, il s'est excusé, en disant qu'il aimait Eufemia Aldebarra. Une communiste connue, une oratrice pleine de charisme et une meneuse d'hommes... Une femme dénaturée aux cheveux fous qui portait des pantalons... Une fois, je l'ai entendue faire un discours et pousser des hommes convenables à commettre des actes de sabotage et de vengeance épouvantables. Geronimo m'a dit qu'elle venait de donner naissance à un fils, et que le bébé à peine né avait été emmené clandestinement chez des parents d'Aldebarra en France. Il ignorait si l'enfant était arrivé sain et sauf, ou même s'il avait survécu au voyage. Il s'inquiétait plus pour son fils et la femme restée dans les montagnes pour se remettre d'un accouchement difficile... Il se fichait comme d'une guigne que le moignon de sa jambe soit gangrené et que sa vie ne tienne qu'à un fil !

Stupéfaite, Mair dévisagea Pilar. Geraint avait été amoureux et avait eu un fils... Aldebarra... où avait-elle entendu ce nom ? Oui, la femme sur la photo du maire...

Pilar aspira une gorgée de café refroidi, sa main à la peau flétrie tremblotant légèrement.

— J'avais de la sympathie pour cet étranger, bien qu'il ait trahi Dieu et sa famille. Dans les montagnes, les hommes étaient désespérés et solitaires, ils perdaient leur humanité, n'avaient plus rien de civilisé. Mais, à la vérité, je pense qu'il est resté pour cette diablesse de femme. Il aurait pu rentrer chez lui, ou aller chercher son fils en France, mais non, il est resté pour elle.

— Qu'est-elle devenue... et qu'est devenu son fils qui était en France ?

— Comment voulez-vous que je le sache ? Ce que je sais, en revanche, c'est où a fini votre homme. Il a été enterré dans une fosse commune dans les bois, pas très loin d'ici. Un endroit que je connais bien… mon frère y est mort lui aussi.

La voix de Pilar se voila un peu. Mair vit des larmes briller dans le réseau de fines ridules autour de ses yeux. Elle toucha la main de Pilar. Une main qui tremblait, mais qu'elle ne retira pas. Mair caressa doucement la vieille peau ridée en laissant couler ses larmes.

— J'ai vu mon frère mourir… Je l'ai vu creuser sa tombe… J'ai vu la balle lui déchirer la gorge au moment où il est tombé… dans le trou qu'il avait été obligé de creuser de ses propres mains.

— Vous étiez là ? s'écria Mair, sidérée d'horreur. Vous avez assisté à ce qui s'est passé ?

— Juste avant la fin, il m'a regardée. Je crois que ça l'a réconforté.

Mair prit la main de Pilar entre les siennes.

— Où est cet endroit, doña Pilar ? Comment puis-je le trouver ?

— L'emplacement des tombes était secret. Il ne reste plus personne qui sache où elles sont. Mais Hector pourra vous les montrer. Quand il était petit, il jouait tout le temps dans ce bois. J'essayais de l'empêcher d'y aller, mais Hector était un enfant sauvage, pareil à un petit animal. Il y a là-bas une grotte dans laquelle il allait se cacher. Un jour où il s'était enfui pendant plusieurs jours, je suis partie à sa recherche. C'est à ce moment-là que j'ai revu l'endroit. Ç'a failli m'arracher le cœur de la poitrine. Les massacres ont eu lieu près de cette grotte.

— Merci. Merci infiniment.

— Et maintenant, laissez-moi. J'ai besoin de me reposer.

Mair se leva à contrecœur. Lorsqu'elle se retourna, elle hésita encore une fois.

— Je voulais juste vous dire… Je sais que vous n'approuvez pas qu'Hector et moi ayons une histoire. Mais je suis très éprise… très proche de votre petit-fils. Je crois bien que je l'aime.

Elle savait pertinemment qu'elle dépassait les bornes, mais elle voulait quand même essayer.

— Vous ne voudriez pas lui donner votre bénédiction ? Je sais que ça le rendrait très heureux.

Pilar détourna les yeux.

— Vous ne savez rien de lui. Hector ne doit jamais se marier.

— Mais pourquoi, doña Pilar ?

— Il est maudit ! s'écria la vieille dame. Le sang qui coule dans ses veines est mauvais. Maintenant que vous avez eu ce que vous vouliez, pourquoi ne repartez-vous pas dans votre pays ? Personne ne pourra rien vous dire de plus sur Geronimo. Tous ceux qui auraient pu le connaître sont morts et enterrés depuis belle lurette.

— Bien sûr… Je vous suis très reconnaissante de ce que vous m'avez raconté.

— Envoyez-moi la *gitana*. Je n'en peux plus. Et inutile de revenir. Il n'y a rien de plus à dire.

— Merci encore, doña Pilar. J'apprécie vraiment que vous m'ayez parlé de tout ça.

Mair sortit en hâte dans la cour tout en cherchant dans ses poches un crayon et du papier d'une main fébrile. *Eufemia Aldebarra*, écrivit-elle au dos d'un reçu du supermarché. Lorsqu'elle arriva en courant, Hector était en train de plier des draps dans un panier.

— Hector ! cria-t-elle en se jetant si fort à son cou qu'il faillit basculer en arrière. Merci… Merci ! Quoi que tu aies fait pour la convaincre de me parler… je t'aime.

— Tu m'aimes ? murmura-t-il en la serrant dans ses bras. Elle se souvenait de Geraint ? Qu'est-ce que tu as appris ?

— Des choses horriblement douloureuses. Mais maintenant, au moins, je sais ce qui lui est arrivé. Je te raconterai plus tard. Il faut que j'aille… Je te suis reconnaissante.

— Ce n'était pas très honorable de ma…, commença à dire Hector, avant qu'elle le fasse taire d'un baiser et le laisse planté là.

Le reçu à la main, Mair courut jusqu'à la petite maison. La tête lui tournait. Le fils de Geraint devait avoir aujourd'hui la soixantaine. Placido ne lui avait-il pas dit qu'il avait écrit un livre sur sa mère ?

En sueur et tout essoufflée, Mair s'assit devant la table de la cuisine et arracha une feuille de papier de son bloc.

Chère tante Margaret, commença-t-elle à écrire, *j'ai retrouvé la trace de ton père, et bien qu'il y ait nombre de choses douloureuses, je crois que tu voudras savoir.*

Puis elle déchira la feuille et appela les compagnies aériennes.

Pilar appuya sa tête contre le dossier du fauteuil roulant. Son regard balaya la cuisine, une pièce dans laquelle elle avait passé la plus grande partie de son temps au cours de ces cinquante dernières années. Revenir de l'hôpital lui avait aiguisé l'esprit, comme si retrouver sa maison l'aidait à retrouver sa lucidité. Elle n'était pas certaine de devoir s'en réjouir. Elle savait sa fin proche et se rendit compte qu'elle préférait passer ses derniers jours chez elle. Elle regarda par la fenêtre. C'était l'hiver – elle l'avait oublié. Dehors, Juana était en train de ramasser les serviettes sur les étendoirs. Emmitouflée dans un bonnet à pompon et une écharpe bon marché, elle avait l'air d'une enfant. Elle avait une façon bien à elle de plier les serviettes alors qu'elles étaient encore sur la corde ; elle ramenait le bas sur le haut, puis les pliait sur le côté d'une main tout en retirant les pinces de l'autre. Pilar vit que les mains osseuses de la fille étaient très rouges, comme son nez. Peut-être qu'acheter un de ces sèche-linge industriels dont avait parlé Hector ne serait pas une mauvaise idée, en fin de compte. Il fallait reconnaître que la gitane était très appliquée au travail et avait un tour de main pour les gros travaux, bien qu'on dise des gitans qu'ils étaient des fainéants. Pilar s'aperçut avec étonnement que quelque chose s'était comme apaisé en elle. En dehors du labeur incessant qu'abattait la fille, elle était maintenant quasi certaine que rien d'inconvenant ne s'était passé entre son petit-fils et elle. Hector était apparemment très engagé auprès de l'étrangère – nul doute qu'elle savait l'occuper dans ce domaine ! En outre, la gitane se révélait être une infirmière très compétente, douce et attentive. En fait, elle était la seule à se soucier d'elle. Adelaida n'avait même pas été à la maison pour accueillir sa mère à son retour de l'hôpital.

Pilar prit le verre d'*aguardiente* que Juana lui avait laissé à portée de main. Elle but une gorgée, sachant bien que boire ne l'aidait pas à garder les idées claires, mais, en même temps, l'alcool l'apaisait. Peut-être était-elle devenue plus tolérante parce qu'elle avait été surprise de trouver la bague, alors qu'elle était convaincue que Juana l'avait volée. Curieusement, la fille l'avait laissée à sa place et n'en avait parlé à personne. Elle n'était ni une voleuse ni une rapporteuse, comme les gitans en avaient la réputation. La bague aurait pourtant tenté n'importe quel... La bague ! Sainte mère de Jésus !

— Hector ! cria-t-elle faiblement. Hector ! Viens ici tout de suite...

Manifestement, personne ne l'entendait. Elle hurla cette fois à pleins poumons. Juana arriva en courant.

— Où est Hector ? lui demanda Pilar, à bout de souffle.

— Il est sorti, *señora*.

— Sorti où ? interrogea la vieille dame, épuisée par l'effort.

— Je ne sais pas. Travailler à l'hôtel, je pense.

— Est-ce qu'il a pris la bague ? éructa Pilar, qui désormais se fichait de révéler ce qui la tracassait.

Juana se pencha sur elle.

— S'il vous plaît, *señora*, calmez-vous... Calmez-vous.

La fille lui caressa les cheveux d'une main timide, les yeux écarquillés d'inquiétude.

— Est-ce qu'il a pris la bague ? répéta Pilar en hurlant, le cœur battant à une vitesse affolante. Est-ce qu'il avait un paquet...

— Qu'est-ce que je peux faire ? dit Juana, les larmes aux yeux. Dites-moi ce que vous voulez que je fasse.

Pilar lui agrippa le poignet et le tint à deux mains.

— Va le chercher, Juana. Je te revaudrai ça. Aide-moi, s'il te plaît. Il faut qu'il rende la bague...

— Je vais y aller, *señora*, promis. Je vais y aller tout de suite. Restez tranquille, n'essayez pas de vous lever. Oh, mon Dieu, comment pourrais-je vous laisser comme ça ?

— Vas-y ! cria Pilar. Dis à Hector qu'il doit respecter sa part du marché. Dis-lui seulement ça.

La jeune fille partit en courant. Dieu merci, elle était bien disposée, et obéissante. Pilar s'affaissa dans son fauteuil. Ce maudit « marché » lui avait encore ôté un an de sa vie ! Peut-être ne fallait-il pas s'inquiéter, peut-être était-ce ce qu'Hector était parti faire, peut-être même était-ce déjà fait... Quand était-elle revenue de l'hôpital ? Quand avait-elle parlé à l'étrangère ?

Pilar s'efforça de ralentir un peu sa respiration. Si elle devait mourir, autant que ce ne soit pas d'une nouvelle attaque ! L'expérience avait été extrêmement désagréable. Sa vie semblait se résumer à une succession d'expériences désagréables. Brusquement, l'une d'elles lui revint en mémoire. Elle en avait parlé à quelqu'un récemment, peut-être même aujourd'hui...

— *Eufemia, gémit-il. Tiens-moi bien, mon amour.*

— *Chut, du calme, dit-elle en lui tapotant douce-ment la joue. Je m'appelle Pilar.*

Il ouvrit les yeux. Des yeux du bleu le plus bleu qui brillaient à la fois d'angoisse et de ferveur à la lueur de la bougie.

— *Pilar ? C'est ton nom ?*

Il esquissa un sourire. Malgré la souffrance, une pointe d'humour luisait dans ses yeux.

— *Alors tiens-moi les mains, Pilar. Et serre-les bien.*

Rosa s'était détournée. Elle ne manquait pas de courage pour ce qui était de se battre pour la cause, mais elle ne supportait pas l'idée de voir entailler de la chair vivante.

— *Oh, par pitié, ça ne peut pas attendre demain, Pilar ? Tu as dit que tu trouverais de la morphine.*

— *Je ne peux pas le jurer, se récria Pilar. Ça ne va pas. Je ne suis pas censée être ici, tu ne le comprends donc pas ? Je ne suis pas des vôtres.*

Non loin de là, un chien aboya furieusement. Tout le monde se figea. Rosa souffla les bougies. Pendant un long moment, les aboiements se mêlèrent à la respira-tion haletante du blessé. Enfin, les aboiements se calmèrent.

— *Ce chien est enfermé dans un* hórreo, *bon sang !* s'énerva Carlos. Rallume les bougies.

— *Vas-y, Carlos, grogna Geronimo. Fais ce qui doit être fait. Si tu ne le fais pas, je serai mort demain matin…*

La sueur dégoulinait sur son visage tandis qu'il s'efforçait de rester immobile sur le foin poussiéreux. Il tourna la tête vers Pilar.

— Tresse des brins de paille bien serrés et coince-les entre mes dents.

— Tiens, mords là-dedans, dit-elle en sortant un mouchoir de sa poche qu'elle roula en boule.

— Regarde-moi sans arrêt, Pilar. Ne m'abandonne pas.

Elle hocha la tête et lui fourra le mouchoir dans la bouche. Jamais elle n'aurait imaginé qu'un homme puisse avoir un tel courage. Au point qu'elle en oublia ce qu'il représentait à ses yeux. Elle ressentait presque quelque chose pour cet homme au visage comme embelli et ennobli par la souffrance.

Elle s'agenouilla près de sa tête.

— Non, Pilar, assieds-toi sur sa poitrine, dit alors Carlos. Et toi, Rosa, bloque son autre jambe entre tes genoux. Ne le lâchez pas. Je vais faire aussi rapidement que possible.

Elles firent ce qu'il avait ordonné. Pilar dégagea une mèche blonde du visage de l'étranger avant de lui écarter les bras sur le sol, qu'elle maintint avec ses genoux. Puis elle prit ses mains dans les siennes et les serra de toutes ses forces en le regardant dans les yeux, comme il l'avait demandé. Sans se retourner une seule fois, elle sentit que son frère découpait les chairs. Elle parvint même à lui donner des instructions sans jamais quitter l'étranger des yeux. On aurait dit que la seule chose qui l'empêchait de s'évanouir, ou de succomber de douleur, était ce lien vital : leurs regards emboîtés l'un dans l'autre. Et plus elle plongeait au fond de ses yeux, plus elle sentait les siens plonger au fond d'elle. Pendant tout le temps que dura cette demi-heure atroce, ce fut comme s'ils ne faisaient plus qu'un.

20

« Je t'aime. » Quelques heures après que ces mots eurent été prononcés, ces mots qu'Hector croyait qu'aucune femme ne lui dirait jamais, Mair s'était envolée. S'il n'y avait pas eu la voiture garée là, de ce jaune éclatant semblable à un soleil au milieu de la rue déserte, il aurait été convaincu qu'elle ne reviendrait plus.

Lorsqu'il était passé la voir, quelques heures après son « entretien » tant attendu avec Pilar, elle avait déjà fait sa valise et attendait un taxi. Elle l'avait enlacé très fort en lui disant de veiller sur la maison, d'arroser les plantes, et qu'elle serait de retour après les fêtes de Noël. Mais dès qu'elle avait disparu de sa vue, en agitant la main à l'arrière du taxi, l'endroit avait donné l'impression d'être complètement abandonné.

Après avoir erré d'une pièce à l'autre, Hector commença à explorer les placards et les tiroirs – tous vides. On ne devait pas fouiller dans les affaires personnelles des autres, aussi ne le fit-il pas, d'autant qu'il n'y en avait aucune. Une fois qu'il en fut certain, il alla plus loin. Il devait bien y avoir une fente, une cavité ou un endroit quelconque dans la maison où, prévoyant qu'il fouillerait partout, elle avait peut-être jugé bon de cacher quelque chose. Mais non, apparemment, elle avait emporté tous ses vêtements, de même que son ordinateur, ses livres et ses papiers. Certes, cette femme possédait peu de choses. Son nouveau téléphone portable était posé dans un cendrier, comme un paquet de cigarettes que l'on jette, à côté de ses clés de voiture. La poubelle (qu'il explora avec minutie) ne contenait rien d'autre que de la nourriture périmée.

Une fois qu'il eut retourné chaque coussin et vérifié le moindre fond de tiroir, Hector se laissa tomber dans l'unique fauteuil, une immonde chose orange dont les ressorts lui rentraient dans les fesses. Que devait-il en conclure ? Mair lui avait dit qu'elle l'aimait, il l'avait bien entendu, mais il est vrai qu'elle avait été terriblement excitée, et même folle, après ce que Pilar lui avait raconté.

Diable, qu'avait donc pu lui dire Pilar ? Mair avait beau avoir promis de le lui raconter à son retour, Hector en venait à soupçonner qu'elle avait obtenu l'information qu'elle était venue chercher, découvert ce qu'elle avait espéré et eu besoin de savoir, et pris conscience qu'elle n'avait aucune raison de rester à Torre de Burros. Nul doute que la façon dont ils s'étaient laissé embarquer dans la vie l'un de l'autre, du moins lui dans la sienne, devait l'inquiéter. Fondamentalement, Mair était une femme indépendante. Il avait évoqué leur avenir ensemble à plusieurs reprises, en prenant soin de ne pas la brusquer, mais elle n'aimait pas les grandes déclarations romantiques, et, de son côté, n'avait jamais évoqué la moindre forme d'engagement.

Et pourtant, il y avait la voiture. Mair devrait venir récupérer sa chère voiture. Peut-être y avait-il une explication au fait qu'elle l'ait laissée ici, mais plus Hector y réfléchissait, plus il en arrivait à la conclusion que c'était un cadeau de rupture. Elle savait qu'il aimait beaucoup cette voiture (surtout parce que c'était la sienne). Il avait pris l'habitude de l'astiquer, de nettoyer l'intérieur et d'épousseter les sièges rouge et jaune. En échange de ce service très apprécié, Mair avait commencé à lui apprendre à conduire. Une voiture semblait un cadeau d'une importance exagérée, beaucoup trop généreux. Toutefois, sachant à quel point il s'était entiché d'elle, peut-être qu'elle s'était sentie coupable et avait pensé que la lui donner le consolerait.

Ne laissait-on pas dans les voitures des papiers, des assurances et ce genre de choses ? Hector alla fouiller consciencieusement parmi un tas de prospectus, mais il ne trouva rien. Pourquoi faire cadeau d'une voiture si celui à qui on la donne ne peut en prendre réellement possession ? Non, Mair était trop avisée pour avoir omis un tel détail. Sans doute que ces papiers arriveraient par le courrier…

Alors qu'il était assis en train de méditer, Hector comprit soudain avec une clarté accablante que c'en était fini de sa belle histoire d'amour. La femme qui était venue dans cette ville pour le sauver était partie. Au fond de lui, il avait dû se douter qu'une telle chose arriverait, mais cette vérité était si consternante qu'elle le précipita dans un gouffre obscur où ne subsistait qu'un sentiment d'incrédulité absolue. Son intrépide et courageuse Mair n'avait pas eu le cran de lui déclarer en face qu'elle le quittait. Ce « je t'aime » avait été son message d'adieu. Quelle ironie macabre, quelle cruauté !

Très vite, l'incrédulité céda la place à un misérable sentiment de deuil. Trop abattu pour pleurer, Hector avait l'impression que son corps avait perdu toute l'eau qu'il contenait. Sa coquille rétrécie et desséchée s'était tassée davantage dans le fauteuil, à peine capable de supporter son propre poids. Même la réalité, telle qu'il pensait la connaître, se dissolvait en petits fragments qui flottaient librement. Mair avait-elle seulement existé ? Qui était donc ce fantôme qui l'avait plongé au fond de tels abîmes ? Était-ce encore un fantasme qui l'avait amené aux limites de la raison ? Bien que sa tête lui fasse l'effet d'un poids mort, il la tourna pour regarder par la fenêtre. Mais non, la voiture jaune était bien là – preuve, fâcheuse, qu'il était sain d'esprit.

L'après-midi laissa place au soir. Après être resté prostré durant des heures, Hector remit un peu d'ordre dans ses idées. Il fallait qu'il bouge, il le savait. Il se comportait de manière ridicule, il n'allait quand même pas mourir assis là... sans compter qu'il avait besoin de pisser. À sa douleur se mêla peu à peu de la colère. Comme un enfant, il s'était laissé prendre par la main et guider dans un monde d'amour et d'espoir purement imaginaire. Qu'est-ce qui lui avait pris de croire qu'une femme comme Mair voudrait d'un type comme lui ? Sa propre naïveté le stupéfiait. Un homme devait l'attendre dans son pays. On comptait sur elle là où elle travaillait. Elle avait une maison et une tante âgée pour laquelle elle avait une profonde affection. Elle n'allait tout de même pas abandonner sa vraie vie

415

pour un vaurien obsédé par le sexe dans une ville de province espagnole ! Il n'avait été pour elle qu'un passe-temps pendant ses vacances, une distraction amusante devenue un peu enquiquinante.

Il lui avait fallu quatre mois pour se rendre compte qu'il s'était trompé… c'était long ! Il était temps de se réveiller et de revenir à la réalité. D'autant qu'il avait deux malades sur les bras et que, s'il tenait à mourir d'un chagrin d'amour, ou à se réfugier dans la folie, il lui faudrait le faire une fois qu'elles ne seraient plus là, pas avant. En repensant aux deux malades, il se leva d'un bond du fauteuil. Il se faisait tard, or c'était la première journée que Pilar passait à la maison depuis sa sortie de l'hôpital, et il soupçonnait que *mama* ne serait pas là.

Il n'y avait rien à ranger, rien à emballer. Hector fourra les draps de Carmen dans deux sacs en plastique avec les serviettes. Puis il déposa les deux lampes derrière le portail – il reviendrait les chercher plus tard. Après avoir décidé de laisser les plantes – ce n'était pas à lui de les prendre –, il verrouilla la porte en se demandant s'il devait glisser la clé dans la boîte aux lettres.

Il ferma le portail et jeta un dernier coup d'œil à la maison. Dans la pénombre, le petit jardin avait l'air à l'abandon, mais d'un seul coup, lorsque ses yeux se posèrent sur le kiosque, il se rappela le devoir dont il devait encore s'acquitter – le petit paquet qui avait tant d'importance pour *abuela* et l'avait tant affolée. Il fallait qu'il le fasse tout de suite. Il lui devait bien ça. Elle serait soulagée de savoir qu'il l'avait donné au prêtre. En fait, il n'avait qu'à aller le voir directement et le lui remettre en personne. Mais il repensa soudain aux instructions que lui avait données Pilar, de l'envoyer de façon anonyme dans une enveloppe sans mettre de mot. Ma foi, la vieille dame n'était plus vraiment elle-même, sa confusion prenait parfois des formes étranges, mais si c'était ce qu'elle voulait, il le ferait.

Revenant sur ses pas, Hector alla chercher le petit paquet. Il était bien là, coincé entre les poutres, mais la pluie tombée récemment l'avait mouillé. Il se sentit coupable de ne pas en avoir pris plus grand soin. Au moment où il le mettait dans sa poche, la ficelle se détacha et le papier détrempé se déchira dans sa main. À la lumière d'un réverbère qui se trouvait plus loin dans la rue, il aperçut un reflet rouge. Pilar avait beau avoir insisté pour qu'il ne l'ouvre sous aucun prétexte, il ne pouvait faire autrement qu'essayer de le remballer. En retirant l'objet de ce qui restait du papier trempé, il vit de quoi il s'agissait.

Pendant un moment, Hector resta figé sur place, l'œil fixé sur la bague qu'il tenait dans sa main. La bague volée. La bague de la Vierge. Tout le monde en ville savait à quoi ressemblait cette bague. Tous les journaux de la région avaient probablement raconté l'histoire qui avait circulé un peu partout. Comment diable cette bague avait-elle atterri entre les mains de Pilar ? Hector se sentit gagné par la peur. La bague lui brûlait les doigts. Il avait envie de la lancer au milieu des buissons et de prendre ses jambes à son cou. Mais c'était impossible ; il se trouvait là face à une grave responsabilité. La poster dans une boîte aux lettres lui semblait une manière irresponsable et imprudente de renvoyer le bijou. La poste était peu fiable, d'autant plus que des gens louches étaient embauchés pour la période de Noël (lui-même l'avait été une fois). Peut-être qu'il ferait mieux de la rapporter en prétendant l'avoir trouvée, tout simplement. Naturellement, on l'accuserait, ce qui permettrait au vrai coupable de filer – quel qu'il pût être. Étant donné sa réputation, il ne lui serait pas difficile de simuler un coup de folie, un moment dépressif, pour expliquer son geste. Peut-être même échapperait-il à l'incarcération, surtout s'il faisait semblant de regretter et demandait pardon.

Mais pourquoi le ferait-il ? Pourquoi aggraver davantage son déshonneur ? Aussi déprimé et accablé de chagrin qu'il fût, il ne ferait pas ça. Il remit la bague dans sa poche et se précipita chez lui, laissant les sacs qui contenaient les draps de Carmen sous le kiosque.

Quand il arriva à la maison, il était extrêmement tard. Pilar était encore dans la cuisine, avachie dans son fauteuil roulant en train de dormir comme une bûche, tandis que Juana la veillait d'un air anxieux.

— Comment va-t-elle ? murmura Hector.

— Terriblement fatiguée, et absente la plupart du temps, répondit Juana à voix basse. Il faut que tu m'aides. Elle refuse d'aller au lit.

Ce matin, avant d'aller chercher Pilar, il avait échangé sa chambre du rez-de-chaussée contre celle qu'occupait sa grand-mère à l'étage, puisque, désormais, il était hors de question qu'elle monte l'escalier. Il avait pris soin d'effacer toute trace de lui dans la pièce, mais Juana lui expliqua que, bien qu'il ne fume plus, l'odeur de ses cigarettes imprégnait encore la chambre et Pilar avait refusé de dormir dans son lit. Il se prépara à une épreuve difficile.

— Tu as l'air épuisée. Je suis désolé de t'avoir laissée seule tout l'après-midi, dit-il à Juana, qui avait des cernes. Où est ma mère ?

— Elle a téléphoné pour dire qu'elle serait là de bonne heure demain matin. Écoute, ton *abuela* n'arrête pas de répéter que tu dois envoyer un paquet au prêtre. J'espère que tu l'as fait. Elle était très agitée à cause de ça.

— N'allez pas croire que je suis endormie... ou folle ! Qu'est-ce que vous complotez, tous les deux ? s'écria Pilar d'une voix claire, sans ouvrir les yeux. Va te coucher, *gitana*. Tu t'es très bien occupée de moi, je le reconnais...

Juana et Hector échangèrent un regard étonné. Un compliment ? Un mot gentil ?

— Je ne peux pas en dire autant des membres dévoyés de ma famille ! enchaîna Pilar. Que ma fille soit absente, jamais je ne le pardonnerai !

— Bonne nuit, *señora*, dit doucement Juana, soulagée de s'éclipser pour regagner sa petite chambre dans la cour.

Lorsque Pilar ouvrit les yeux et vit qu'elle était seule avec Hector, sa voix se fit plus aiguë, et elle bombarda son petit-fils de questions.

— J'aimerais savoir où est passée ma fille ? Il lui est arrivé quelque chose ? Elle se prostitue, ou bien elle se drogue ? Pourquoi n'est-elle pas à la maison le jour où je rentre de l'hôpital ? Est-ce qu'on me joue la comédie ? Elle est morte, c'est ça ?

— Non, ne t'en fais pas, elle est toujours bien vivante. Elle est juste avec un ami.

— Un *ami*? s'écria Pilar. Tu veux dire un amant !

Hector craqua. Peut-être était-il fatigué lui aussi.

— Oui, un amant ! cria-t-il à son tour.

— C'est répugnant au-delà de ce qu'on peut croire... si toutefois c'est vrai !

— Qu'est-ce que ç'a de mal, un peu d'amour ? Laisse-la tranquille. Je pense que c'est à cause de toi qu'elle a vécu sans amour, et sans un homme pendant si longtemps. Tu ne nous as jamais laissés, ni elle ni moi, échapper à ton regard de lynx. Aucun de nous n'a reçu d'amour, on n'avait même pas le droit de s'aimer... Tu nous as appris à avoir honte de tout.

Pilar parut surprise par l'amertume de sa voix.

— Qui est cet homme ? demanda-t-elle, furieuse.

Hector ne se souciait plus de la ménager.

— Celui avec lequel elle aurait dû être depuis toujours. *Mon père*.

Pilar écarquilla les yeux et pâlit plus encore.

— Ton père ? Tu ne parles pas de Porfirio Pellicer ? De Montelinda ?

— C'est bien lui. Et ne t'avise pas de poser des problèmes à *mama*. Je ne te le permettrai pas. Elle est malade et a droit à ces derniers moments de joie. Je ferai tout pour m'assurer qu'elle en profite.

— Oh non, non, gémit Pilar. Pas lui... Je t'en supplie, empêche-les... Empêche-les !

Elle avait l'air si agitée qu'Hector s'approcha d'elle.

— Calme-toi, *abuela*. Ne t'énerve pas. C'est à eux de décider, ce ne sont pas nos affaires, on n'y peut rien. Inquiète-toi plutôt de toi. Laisse-moi t'aider à te mettre au lit.

Pilar le saisit par le bras et le tira vers elle. Ses mains tremblaient.

— Hector, il faut à tout prix les en empêcher.

— Non, *abuela*, dit-il, épuisé par son insistance et par son propre chagrin. La journée a été dure. Je n'ai plus envie de parler. Il faut que tu ailles te coucher, sinon je vais devoir appeler le Dr Medina.

— Écoute-moi, imbécile ! cria Pilar. Je vais te le dire... je vais te le dire une bonne fois pour toutes.

— Non, ça ne m'intéresse pas. Je refuse de t'écouter, dit-il en prenant les poignées du fauteuil roulant qu'il poussa vers la chambre.

— Arrête ! hurla Pilar d'une voix hystérique. Arrête tout de suite ! Tu ne comprends pas... Adelaida et Porfirio sont... ils sont frère et sœur... Ils sont tous les deux mes enfants !

Pendant quelques secondes, le silence fut total, Pilar elle-même cessa de respirer bruyamment. Hector avait beau l'avoir entendue, il n'arrivait pas à le croire.

— Mes parents ? fit-il en la secouant par l'épaule. Frère et sœur ?

Était-ce une sorte de jeu ? Non, sans doute un de ces tours étranges qu'avait adoptés l'esprit de Pilar, tout ce charabia sénile. Hector repensa alors au délire qui l'avait prise après son accident, et à sa confession. Elle avait parlé d'un fils...

— Tu n'es pas sérieuse, n'est-ce pas ?

Pilar redressa la tête et le fixa de ses petits yeux perçants. Son silence, assourdissant, était à lui seul une réponse.

— Mais tu as... Comment peux-tu en être certaine ?

— Je n'ai pas à te donner d'explication... bien que ce ne soit pas très compliqué ! dit Pilar, la respiration laborieuse, mais la voix tranchante comme un rasoir. Porfirio est mon fils. Je l'ai mis au monde, Dieu m'en est témoin !

— Si tu as eu un fils, n'est-il pas possible que tu te trompes de personne ? supplia Hector. Il doit exister d'autres hommes qui portent le même nom.

— Sans aucun doute. Mais *ce* Porfirio Pellicer de Montelinda est mon fils. De ça, je suis certaine.

Hector sentit soudain ses genoux faiblir en menaçant de le lâcher.

— Ton attaque cérébrale t'aura chamboulé l'esprit, *abuela*. Tu dois te tromper.

— Non. Que je sois sénile ou pas, c'est une chose que je ne suis pas près d'oublier. Tu ne t'es jamais demandé pourquoi tu étais comme tu es ? J'ai fait tout ce que j'ai pu pour empêcher ta naissance, mais je n'y suis pas parvenue.

Hector se laissa tomber par terre derrière le fauteuil roulant.

— C'est donc pour ça que tu m'as toujours dit que je n'étais qu'un idiot, un imbécile...

— Dieu ne laisse pas un tel crime impuni. D'ailleurs, je te l'aurais dit bientôt. J'avais compté sur ta peur des femmes, mais cette fille à laquelle tu m'as obligée à parler ce matin m'a dit qu'il y avait quelque chose entre vous. J'avais espéré ne jamais en arriver là... Tu ne dois en aucun cas avoir des enfants...

Pilar se tut une seconde, le temps de reprendre son souffle.

— Si tu avais un enfant, il serait comme Carlos, à moins que ce soit Hector... L'esprit et l'âme tordus, un impie...

Il comprenait tout, à présent. Peu à peu, les pièces du puzzle se mettaient en place. Ce que Pilar lui avait dit devait être vrai. Hector la regarda en pensant comme il aurait été facile de tordre ce cou fragile, et satisfaisant d'entendre craquer les vertèbres délicates... Il trembla de fureur en découvrant l'étendue de la tragédie pathétique que sa grand-mère lui avait imposée.

— Non seulement tes parents sont frère et sœur, mais ta mère est née d'un viol, un viol commis par des hommes que je méprisais, des païens et des communistes. Quant à ton père, il est le fruit d'une union contre nature avec mon employeur. Alors tu vois, Hector, tu es maudit, dit Pilar en tournant la tête pour le regarder. C'est à travers toi que Dieu a jugé bon de me punir pour mes terribles péchés.

L'accomplissement du châtiment qui lui était tombé dessus, l'énormité de sa sentence... Comment osait-elle parler de sa punition à elle ? C'était lui qui avait été anéanti par ses péchés, lui qui avait été puni à cause d'eux, pendant qu'elle avait passé sa vie comme si de rien n'était derrière cette façade de petite sainte ! Hector se cacha le visage dans les mains en pleurant de rage sur sa vie gâchée. Il aurait voulu blâmer Pilar de lui avoir fait subir une telle injustice, mais, en réalité, il était faible et ne pouvait s'en prendre qu'à lui-même. Docilement, il avait accepté tout ce qu'elle croyait, agi comme l'idiot mou et malléable qu'elle pensait qu'il était. Mais que savait-il réellement du rôle des gènes dans le destin d'un homme ? Être le produit d'un inceste pouvait peut-être détruire quelqu'un...

Au bout de quelques minutes, il se releva et secoua Pilar par les épaules.

— Écoute-moi bien, femme, grommela-t-il entre ses larmes. Je ne plaisante pas. Si jamais tu répètes un seul mot de tout ça à *mama*, sur sa liaison ou sur le fait que Porfirio est son frère, je te tords le cou ! Je t'étrangle de mes propres mains !

Pilar le repoussa.

— Je n'en doute pas ! C'est bien dans ta nature...

De crainte qu'elle ne puisse avoir raison, qu'il ne soit capable de la tuer à la seconde même, il la laissa là et sortit précipitamment. Au milieu du patio, une petite silhouette sombre se découpait à la lumière des étoiles. Quand Juana lui tendit la main, instinctivement il alla la rejoindre. Elle lui entoura la taille de ses petits bras costauds, et ils s'accrochèrent l'un à l'autre. S'il avait jamais eu besoin d'être consolé, de sentir la chaleur et le réconfort de l'amour, c'était bien ce soir. Juana avait dû le deviner, car, au bout de quelques minutes, elle l'entraîna dans sa chambre et referma la porte. Dans l'obscurité, elle déboutonna sa chemise, et Hector fut d'abord trop troublé pour comprendre ce qu'elle faisait. Il n'avait qu'une envie : qu'elle le couche dans son lit, le borde et lui chante une de ses chansons mélancoliques. Mais, lorsqu'elle l'attira vers son lit, ses mains gercées se faufilèrent sous sa chemise d'une façon qui n'avait rien de chaste. Hector se redressa.

— Non, petite fille, dit-il en la saisissant par les poignets. Je t'aime beaucoup, mais il ne faut pas. Tu n'es qu'une enfant.

— Ce n'est pas ça, le problème, dit Juana d'un air grave. C'est plutôt que tu l'aimes, *elle*.

— Oui, admit Hector en se penchant pour l'embrasser sur la joue. C'est vrai aussi.

— Mais maintenant qu'elle est partie, tu peux m'aimer moi… au moins une fois, plaida Juana. Il faut bien que quelqu'un me dépucelle un jour ou l'autre… et je veux que ce soit toi.

Puis, l'attrapant par les cheveux, elle essaya de l'attirer vers elle. Il entrevit son regard luisant dans la pénombre. Comment savait-elle que Mair était partie ? Comment savait-elle qu'il était sans défense et décontenancé par les vérités brutales qu'il avait apprises aujourd'hui ? Le sixième sens gitan, sans doute… Elle avait bien choisi son moment, sauf qu'elle ne le connaissait pas tout à fait.

— Non, Juana, pas moi, dit Hector en retirant sa main de ses cheveux. Attends. Garde ça pour quelqu'un qui t'aimera pour de bon. Quelqu'un qui te méritera vraiment.

— Mais il ne me mérite pas ! cria-t-elle avec colère.

— Qui ça ?

— Le sacristain, répondit Juana timidement. Il me veut, et je ne sais pas si j'arriverai à lui résister encore longtemps. Il ne me laisse pas tranquille… Si au moins c'était toi… la première fois. Je m'en souviendrais, je chérirais ce souvenir… Hector, s'il te plaît, supplia-t-elle en lui tendant les bras.

La colère qui faisait bouillir le sang dans ses veines le rendit malade. Il avait envie de vomir, de se purger de ce poison avant qu'il s'infiltre dans son âme et le marque à tout jamais.

— Ce fils de pute ! Dis à Rodriguez que, s'il ose seulement poser le regard sur toi, je lui casse les deux bras ! Non, ne lui dis pas... Je vais m'en charger moi-même.

Puis il prit la tête de Juana entre ses deux mains et la secoua un bon coup.

— Mets-toi bien ça dans la tête, petite sotte ! C'est ton corps à toi. Et il n'est pas question que Rodriguez s'en approche si toi tu ne le veux pas. Ni lui ni personne. Tu es libre de dire *non*. Non, non, non, non... Tu comprends ce que je te dis ?

— Oui, dit Juana en pleurnichant.

— Alors dis-le ! ordonna-t-il d'un ton furieux. Dis *non*. Et dis-le fort, que je t'entende !

— Non, fit-elle tout bas. NON, NON, NON, NON, répéta-t-elle plus fort avec rage.

— N'oublie jamais ça, Juana.

— Je n'oublierai pas, dit-elle en se mettant à sangloter.

Hector la relâcha, s'assit sur le lit et lui tint la main un long moment en l'écoutant pleurer, conscient d'avoir bousculé la pauvre fille. La colère qu'il éprouvait à la place de Juana le renvoyait à la sienne. L'innocence et la crédulité des faibles... Tous deux étaient des victimes, la proie des perversions des autres... Plus jamais, se jura-t-il. Plus jamais.

Vidé de tout sentiment, Hector se retrouva comme une coquille vide. Il n'arrivait plus à bouger. Juana, qui semblait s'être endormie, se redressa brusquement.

— Allonge-toi, Hector. Je m'occupe de la *señora*. Je vais dormir dans la cuisine pour être là au cas où elle aurait besoin de moi.

Reconnaissant, Hector s'effondra sur le lit étroit et sombra aussitôt dans le sommeil.

Adelaida et Catarina la *bruja* étaient assises dans la cuisine, en train de boire un verre de vin chaud et de manger des petits gâteaux. On était le 25 décembre, et la vieille dame avait utilisé un de ses paniers pour fabriquer une crèche en paille qui abritait un Joseph et une Marie miniatures en fer-blanc, devant lesquels était placé un petit Jésus dans un minuscule couffin fait d'allumettes. Dans la pièce obscure, la scène éclairée par des bougies évoquait l'espoir et la renaissance.

Lorsqu'elles eurent fini de manger, Catarina se leva et alla chercher un flacon bleu sur une étagère.

— Voici la dernière chose que je peux vous donner, dit-elle. Ça ne fera que vous garder consciente et vous éviter les nausées. Rester consciente, c'est bien ce que vous voulez ?

— Oui, répondit Adelaida. Je tiens à rester consciente et attentive à tout jusqu'à la fin.

Puis elle se leva et prit le flacon, qu'elle mit dans son sac. Catarina l'embrassa affectueusement.

— N'ayez pas peur, lui dit-elle. Il n'y a pas d'autre issue que d'aller là où vous allez, pour chacun d'entre nous.

Adelaida ne s'était autorisée que depuis peu à penser à la fin, mais elle n'avait aucune idée de ce à quoi celle-ci ressemblerait.

— C'est où, là où je vais ? demanda-t-elle.

— Un endroit de paix et de régénération. Ceux qui y sont allés n'ont jamais eu envie d'en revenir ; en tout cas, pas sous la même forme.

— Comment le savez-vous ? s'étonna Adelaida.

— Je le sais par ceux qui ont vécu l'expérience de s'approcher tout près du seuil et qu'on a fait revenir. C'est rare, mais cela arrive.

— Je ne veux pas de ça, dit Adelaida en frissonnant. Quand le moment viendra, je ne veux pas qu'on me fasse revenir. Mourir une fois est déjà assez épouvantable !

Catarina, dont le visage était aussi rayonnant qu'un tournesol en été, lui lança un regard qui trahissait sa pensée, mais, lorsque Adelaida la regarda fixement d'un air entendu, la vieille dame secoua la tête avec énergie.

— Non, fit-elle, catégorique.

— Vous avez quelque chose à me donner. Je le sais.

— Je ne dois pas, dit Catarina.

— Faites une exception ! plaida Adelaida. Si vous en avez, c'est sûrement pour une bonne raison.

La volonté de Catarina, toujours si imperturbable, parut vaciller.

— Je n'en prépare plus.

— Mais il vous en reste. Vous en avez encore, insista Adelaida en lui prenant les mains. Je n'en aurai peut-être pas besoin, mais avoir quelque chose m'aiderait. Histoire d'avoir l'esprit en paix.

Catarina ferma les yeux pendant ce qui sembla une éternité à Adelaida, puis elle se releva et serra son châle bleu autour de ses épaules. Elle disparut au fond d'un petit garde-manger et, quand elle revint s'asseoir quelques minutes plus tard, elle glissa une petite fiole dans la main d'Adelaida. Les mains des deux femmes étaient jointes autour de l'objet. La puissance de ce qu'il contenait les inquiétait toutes les deux. Elles se regardèrent un long moment, les yeux écarquillés.

— Veillez à le prendre au moment voulu, et uniquement si la douleur devient intolérable. Pas pour une autre raison. Promettez-le-moi.

— Promis. Et le flacon ? Comment je m'en débarrasse ?

— Voilà qui pose un problème, admit Catarina. À vous de trouver une solution.

— Je trouverai. Ne vous inquiétez pas. Je vous jure que jamais personne ne le retrouvera.

Une bande de petits garçons jouait au football dans la rue, et le ballon rebondissait de temps à autre contre le mur de la maison. Cette intrusion sonore marqua la fin de la consultation. Catarina et Adelaida savaient toutes deux que c'était sa dernière visite. Adelaida était très malade, et pourtant, entre les patches et les injections de morphine du Dr Medina, et la potion qui empêcherait les médicaments de lui donner mal au cœur et de l'assommer, elle estimait que la vie valait la peine. Plus elle se rapprochait de la mort, plus elle vivait chaque minute avec intensité. Les moindres choses contenaient une promesse et de la beauté, il existait des sentiments si forts qu'un instant banal pouvait se révéler sensationnel, et des émotions dont une seule suffisait à remplir toute une vie. Elle éprouvait de la satisfaction à la fois dans des choses triviales et la transcendance, accordant aux deux une égale importance. Adelaida était devenue d'un total égoïsme depuis qu'elle avait commencé cette expérience de vie intense à échéance limitée.

Sur le seuil de la porte, les deux femmes s'embrassèrent pour la dernière fois.

« *Vaya con Dios* », telles furent les dernières paroles de Catarina à sa patiente avant de refermer la porte pour protéger ses potions sensibles à la lumière.

Francisco, le chauffeur de taxi à la calvitie naissante, attendait Adelaida, faisant fi de l'interdiction de stationner.

— Et maintenant, on va où ?

— Chez moi, s'il vous plaît.

— Vous voulez dire chez vous ou à l'hôtel ?

— Là où j'ai vécu pendant cinquante ans.

Lorsqu'ils s'arrêtèrent dans la ruelle, Francisco l'aida à descendre. Nul argent ne changea de mains étant donné qu'ils avaient passé un arrangement.

— Vous aurez besoin de moi plus tard, doña Adelaida ?

— Non. Il faut que je dise au revoir à ma famille. Et demain, je partirai pour de bon. Venez me chercher à dix heures du matin.

L'esprit de Noël ne régnait pas dans la maison, bien que Juana ait acheté des guirlandes clinquantes or et argent qu'elle avait accrochées autour des fenêtres de la cuisine. Quand la jeune fille

430

s'approcha de sa patronne, les yeux rougis d'avoir pleuré, Adelaida la prit dans ses bras.

— Ma petite fille, que se passe-t-il ?

— Doña Pilar ne va pas bien du tout... Hector est tout malheureux... Et vous, vous ne vivez plus ici... Plus rien n'est pareil.

— Ma douce enfant, je ne peux t'aider en rien. Il va falloir que tu sois forte, dit Adelaida en lui caressant les cheveux. Bientôt, les choses vont changer. Très bientôt. Mais Hector sera là.

Elle relâcha Juana et se rendit dans l'ancienne chambre d'Hector qu'occupait maintenant Pilar. La vieille dame était bordée dans son lit aux draps repassés de frais, une commode à portée de main, un verre d'*aguardiente* posé sur la table de nuit. Dès qu'elle vit entrer Adelaida, Pilar détourna le regard. La mère et la fille avaient beau être toutes deux aux portes de la mort, la désapprobation et la sévérité de la vieille dame demeuraient inflexibles.

— Maman, dit Adelaida en s'asseyant au bord du lit. Je m'en vais demain matin. Je suis venue te dire au revoir.

— La gitane s'occupera de moi, rétorqua Pilar sans poser de questions.

Adelaida se sentit un instant coupable de laisser la petite Juana veiller sur la vieille dame aigrie qui méprisait si fort les gitans et, l'espace d'une seconde, elle pensa même au précieux liquide dans la fiole. Pouvait-elle le partager ? Mais elle repoussa cette idée. De toutes les choses scandaleuses dont elle s'était rendue coupable ces derniers mois, un meurtre aurait été celle de trop.

— Pilar, reprit-elle en s'efforçant d'être drôle, je ne pense pas que nous nous reverrons. Tu monteras au ciel tandis que moi je descendrai en enfer en raison de la conduite indigne que j'ai eue ces derniers mois. Mais, une fois que j'y serai, je boirai un verre à ta santé.

Brusquement, Pilar se tourna vers elle.

— J'en doute. Tu n'as rien fait de mal. Tu es victime de ton ignorance, et ton sens de la morale a diminué depuis ta maladie, mais, au fond, tu es une bonne fille. Tu as raison, nous ne nous retrouverons pas dans l'au-delà, parce que c'est moi qui serai damnée.

Adelaida la regarda d'un air étonné.

— Je suis fatiguée, soupira Pilar. Va-t'en. Et dis à la *gitana* de laisser le numéro du prêtre à côté du téléphone. Je le réclamerai d'ici peu.

Adelaida effleura la tête de sa mère, et elles se regardèrent un instant.

— Si tu veux me parler, je suis encore là jusqu'à dix heures demain matin, après quoi je ne reviendrai pas. Si tu veux savoir où je pars et pourquoi je m'en vais, je serai ravie de te l'expliquer.

— Non, je ne tiens pas à le savoir. De plus, j'ai peur de te parler, dit Pilar d'une voix amère. Ton fils a juré de me tuer si je disais ce que je pensais.

— Maman, voilà que tu recommences ! se fâcha Adelaida. Pourquoi faut-il que tu t'en prennes toujours à ton unique petit-fils ? Qu'est-ce qui t'oblige à dire une chose aussi grotesque ? Hector ne t'a jamais fait le moindre mal, il est la gentillesse incarnée ! Je te suggère de faire la paix avec lui pendant que tu le peux encore.

Comme Pilar ne répondait pas, Adelaida sortit de la chambre. Elle aurait pu se mettre en colère, mais elle n'avait aucune envie de dépenser une énergie devenue précieuse dans de vaines émotions. Hector n'avait-il pas été suffisamment calomnié ? Laisser entendre qu'il pourrait s'en prendre à sa grand-mère... Mais il était vrai que, ces temps-ci, la vieille dame disait n'importe quoi. Parfois elle était lucide et son esprit aussi aiguisé qu'une lame de couteau, d'autres fois elle confondait le passé et le présent. Adelaida était surprise que Pilar n'ait pas protesté ni posé de questions sur la raison qui la poussait à abandonner le bateau au moment où il sombrait. Ç'aurait pu être l'occasion de dire des choses qui n'avaient jamais été dites. Cependant, étant la plus âgée, c'était à Pilar que revenait de faire ce choix. Or elle l'avait refusé.

Par la fenêtre de la cuisine, Adelaida aperçut Juana et Hector, en train d'étendre des vêtements d'homme dans la cour. Son fils semblait avoir maigri, et il ne s'était pas rasé depuis que son amou-reuse l'avait quitté. La barbe exubérante qui assom-brissait son visage lui donnait un côté presque menaçant. Une cigarette au coin des lèvres, il plis-sait le front d'un air sombre. Carmen, qui était venue lui rendre visite régulièrement dans la chambre qu'elle louait avec Porfirio à l'hôtel, lui avait raconté que *la veterinaria* était partie de façon soudaine (ainsi qu'Adelaida l'avait prévu) et n'avait pas donné de nouvelles depuis. Le temps arrangera les choses, songea Adelaida. Qui n'avait jamais eu à se remettre d'une rupture amoureuse ? Peut-être que cette expérience donnerait de la maturité à

Hector, davantage d'assurance, et qu'il trouverait plus facile d'avoir des relations avec d'autres femmes. De toute façon, elle n'y pouvait rien.

Passant dans l'arrière-cuisine, elle détacha du rouleau plusieurs sacs-poubelle, puis monta dans sa chambre. Là, elle ouvrit les tiroirs et fourra des papiers, des souvenirs, des bibelots inutiles ainsi que de vieux habits dans divers sacs, certains destinés à être emportés par les éboueurs, d'autres à donner aux Mains secourables de la Vierge, une association caritative pour laquelle elle avait travaillé de temps en temps. Elle mit ensuite de côté des foulards colorés, du parfum et des colifichets à l'intention de Juana. Après avoir gardé l'hirondelle incrustée de rubis un instant dans sa main, elle décida de la donner à Hector. S'il rencontrait quelqu'un un jour, se mariait ou avait une fille, une femme dans un avenir dont elle ne saurait rien serait sans doute heureuse de porter le joli petit pendentif. D'où qu'il vienne, elle l'avait toujours beaucoup aimé.

Elle s'approcha de la fenêtre et observa Hector. Son fils était là, assis tout seul sur le banc en pierre, les bras serrés autour de lui, ses épaules anguleuses voûtées pour lutter contre le vent froid de décembre. Il avait mûri, il n'y avait aucun doute. L'homme assis en bas dans le patio semblait avoir perdu toute son innocence.

Une vive sensation, qui commença au bout des doigts et des orteils, se répandit dans tout son corps comme une traînée de poudre. La sensation finit par atteindre sa poitrine, qu'elle enserra tel un poing géant. Avec une telle violence qu'elle en eut le souffle coupé. Elle redouta que ce ne soit la griffe glacée du cancer qui la rongeait, mais la douleur n'avait rien de comparable à celle à laquelle elle était habituée. Alors qu'elle cherchait à comprendre ce qui lui tenaillait le ventre, elle comprit que c'était l'amour qu'elle ressentait pour son fils qui s'était concentré là dans cet espace comme de la matière dans un trou noir. Sauf que, loin d'être sombre, cette masse qui lui oppressait la poitrine se mit tout à coup à rayonner avec une intensité stupéfiante. Les larmes lui montèrent aux yeux, mais elle n'éprouvait ni tristesse ni chagrin. Cette lumière blanche qui envahit tout son être lui sembla si exquise qu'elle fut heureuse d'en avoir été touchée.

21

Pilar et la petite Adelaida arrivèrent à Montelinda en autocar. Pilar se sentait soulagée d'avoir quitté la maison de don Alfonso, surtout après la confrontation désagréable et terrifiante qu'elle avait eue avec doña Esmeralda. Elle n'en trembla pas moins d'anxiété lorsqu'elle traversa la ville et remonta la route qui menait à la maison de son oncle Clemente. Qu'allait-elle trouver ? Que ferait-elle si la maison était vide ? Ou si elle tombait sur des inconnus ? Toute perspective lui apparaissait comme une menace, et pourtant, elle ne voyait pas d'autre endroit où aller.

Lorsqu'elle frappa d'un geste timide, Claudia ouvrit la porte. Elle paraissait vieillie, avait beaucoup minci, et une cicatrice barrait sa lèvre inférieure. Avec une joie et un soulagement partagés, elles se jetèrent dans les bras l'une de l'autre.

Claudia et Clemente avaient été épargnés, ce qui relevait quasiment du miracle. Leur malchance était d'avoir été suspects aux yeux des deux camps. La guerre avait beau être pratiquement gagnée, d'innombrables personnes étaient encore condamnées à mort. Désormais, les choses étaient plus formelles, moins aléatoires. Les paseos de nuit avaient pour ainsi dire cessé. Claudia avait passé trois semaines en détention avant d'être jugée loyale à la République et disculpée. Quant à Clemente, il avait été détenu pendant quatre mois et relâché, puis arrêté de nouveau au moment où les nationalistes avaient envahi Montelinda. Il s'était alors préparé à l'inévitable, mais au dernier moment leur propriétaire était intervenu en sa faveur. Il s'était porté garant de leur piété (bien que personne ne les eût jamais vus à l'église) et de leur neutralité. Cet homme, qui avait du respect pour l'éducation, avait toujours apprécié Clemente en raison de sa vive intelligence et de son humilité, de sorte qu'ils lui étaient à présent inconfortablement redevables.

Cette fois encore, ils accueillirent Pilar dans leur maison, qui lui fit l'effet d'un sanctuaire après l'année qu'elle venait de passer à Torre de Burros. Ils ignoraient qu'elle était enceinte, mais ce ne serait qu'une question de semaines, voire de jours, avant qu'ils ne remarquent l'évolution de sa grossesse. Ce qui ne manquerait pas d'attirer l'attention sur elle. Les gens parleraient et poseraient des questions. Le fantôme de son frère, l'ennemi, continuait à jeter une ombre sur sa vie.

Pilar avait un plan. Cet enfant qu'elle portait – encore un enfant conçu dans la répulsion –, elle le donnerait à son oncle et à sa femme.

Un soir, pendant le dîner, elle le leur dit.

— Je sais que vous mourez d'envie d'être parents. Vous adopteriez l'enfant que je porte ? demanda-t-elle de but en blanc. Le bébé a un peu de ton sang, ajouta-t-elle en se tournant vers Clemente. Ce serait une solution pour nous tous.

— Tu es enceinte ? s'étonna Claudia. Pourquoi ne nous as-tu rien dit ?

437

— Qui est le père ? demanda Clemente.

Pilar essaya de ne pas se montrer agacée par sa question.

— Quelle importance ? Il n'est pas au courant.

— Ne devrais-tu pas le prévenir ? insista Clemente. Tu devrais y réfléchir.

— Parce que tu crois que je n'y ai pas réfléchi ?

Pilar se tourna vers Claudia, qui avait laissé tomber son morceau de pain dans son assiette de lentilles et le regardait flotter.

— Claudia, je vais accoucher dans moins de six mois. D'ici quelques semaines, toi et moi pouvons partir ensemble – j'ai de l'argent –, ou bien rester ici sans nous faire voir de personne. Comme ça, tu pourras « donner naissance » toi-même au bébé, et il sera vraiment à toi. Fais-moi confiance, je ne viendrai jamais le réclamer !

Claudia se tourna vers son mari. Celui-ci se frotta le menton, puis dit à sa femme :

— Cette façon d'agir me paraît compliquée et sournoise. Mieux vaudrait informer le père. Il sera peut-être content d'épouser Pilar et de donner un foyer à ses deux enfants.

— Je n'épouserai personne ! rétorqua Pilar. Cessez de parler de moi comme si j'étais une mineure ou une débile ! Ce bébé n'est à personne d'autre qu'à celle dans le corps duquel il grandit. D'ailleurs, vous ne voudriez pas savoir qui est le père, croyez-moi ! Ce n'est pas une chose dont je suis fière.

Clemente avait l'air sur la défensive.

— Je ne te fais pas la morale, Pilar. C'est juste que ta proposition entraîne de lourdes responsabilités pour toutes les personnes concernées. Un bébé n'est pas un *objet qui s'échange ou se donne comme une marchandise. J'ai beau ne pas croire en Dieu, la vie humaine a quelque chose de sacré.*

Bien qu'elle respectât la gentillesse et l'honnêteté de son oncle, il n'en était pas moins un homme, or sa haine des hommes était plus forte qu'elle.

— Tu as besoin d'un bébé, et ce bébé a besoin de toi, dit-elle à Claudia. Même Adelaida serait mieux avec vous, seulement elle est tout ce que j'ai… pour le meilleur ou pour le pire.

Claudia se pencha par-dessus la table pour attraper la main de Pilar et renversa un verre de vin au passage.

— Oui, ma sœur, je veux ton bébé. Et je le chérirai. C'est décidé, ajouta-t-elle à l'intention de son mari. Inutile de discuter.

Clemente posa le regard sur sa femme. L'amour qu'il ressentait pour elle sautait aux yeux. Lui aussi désirait un enfant, même si, évidemment, il aurait préféré le voir sortir de son ventre plutôt que de celui de Pilar. Néanmoins, après les souffrances qu'avait endurées sa femme, il ne voulait rien lui refuser.

— D'accord. Nous disposons encore de quelques mois devant nous pour réfléchir et être sûrs que c'est une bonne idée. Mais tu n'iras nulle part, Claudia. Je te veux ici avec moi en permanence. Tu devras mettre ta mère dans la confidence, et il faudra que tu glisses un coussin sous tes vêtements si tu dois aller en ville.

Alors, riant lui-même de sa suggestion, il versa aux deux femmes un nouveau verre de vin.

Juana avait écouté avec attention le récit que lui avait fait Pilar de sa fuite de Torre de Burros. La gamine avait l'air fatiguée, mais Pilar voyait bien qu'elle était fascinée.

— N'oublie pas ce que je t'ai dit, *gitana*. Si jamais Adelaida apprend ça, Hector me tuera.

— Si elle apprend quoi ?

— Au sujet du bébé.

— Adelaida ne reviendra pas. Elle est partie, vous ne vous en souvenez pas ? Il y a deux jours, lui rappela Juana. Et Hector ne toucherait pas à un cheveu de votre tête. Vous ne le savez pas ?

— Bah… qu'est-ce qui te fait croire que tu le connais ? Tu n'es qu'une enfant.

Juana se pencha en avant et lissa les draps autour de Pilar.

— Que s'est-il passé, après la naissance du bébé ?

— Ce qui avait été prévu. Clemente et Claudia ont pris l'enfant comme s'il était le leur.

— Mais vous êtes restée chez eux ? Ce n'était pas trop difficile pour vous ?

— Je me suis installée à Montelinda, et j'ai coupé les ponts avec mon oncle et sa femme. C'était mieux comme ça. Ils étaient de très bons parents, mais leur manque de piété ne m'a jamais plu. Et puis, je préférais ne pas voir ce bébé qui m'aurait rappelé…

Pilar hésita. Qu'avait-elle raconté à cette fille ? La gitane était très gentille avec elle, mais pouvait-elle lui faire confiance ? En même temps, mettre des mots sur ce qui pesait si lourd sur son cœur lui faisait du bien. D'autant plus qu'aucun prêtre – bien qu'elle l'ait réclamé – n'était venu l'entendre en confession, et que raconter son histoire à haute voix semblait rendre celle-ci moins atroce.

— Je les évitais chaque fois que je les apercevais dans la rue, reprit Pilar. Bien que, un jour où Adelaida et moi avions attrapé une grippe épouvantable, Claudia l'ait appris et soit venue nous soigner. Je lui ai demandé de ne jamais amener le petit garçon. Tout ce qui était lié au père de cet enfant, je le rejetais.

— Qui était-ce ? Vous étiez mariée avec lui ?

— Mariée ? répéta Pilar, l'air troublé. J'étais mariée au Christ. Il m'attend. Si toutefois Il m'a pardonné… Il faudra que je lui dise ce que j'ai fait. La bague… est-ce qu'elle a été postée ? Le prêtre va venir me remercier. Carlos est censé l'envoyer dans une enveloppe. Sinon il viendra me tuer de ses propres mains. Cet homme a empoisonné toute ma vie ! J'ai toujours eu peur de lui…

— Qui est Carlos ?

— Tu le connais bien. Beaucoup trop pour ton bien ! L'homme qui a des yeux de diable, et des cheveux comme les serpents de Méduse.

— Oh, vous voulez parler d'Hector ? Il ne vous fera aucun mal. Il est doux comme un agneau. De toute façon, je suis là. Je vous protégerai.

— Vraiment ? fit Pilar avec reconnaissance. Merci, *gitana*.

— Appelez-moi Juana.

— Juana, va chercher le prêtre.

— Pas encore…

Mais Pilar était déjà repartie dans une autre époque.

Embauchée dans une blanchisserie de Montelinda, Pilar travaillait de ses mains, mais la tâche lui semblait légère. Le plus gros de son temps étant occupé à des gestes mécaniques, elle le passait à penser au pacte qu'elle avait conclu avec le diable. La nuit où Carlos était mort, elle s'était juré de tuer don Alfonso. L'expérience qu'elle avait vécue cette nuit-là, tout comme la promesse qu'elle s'était faite, l'obsédait. Avec la lucidité que lui donnait le recul, sa haine pour cet homme ne faisait qu'augmenter, et elle ne parvenait pas à se débarrasser de son envie de le tuer. Depuis la naissance de son fils, ses pensées tournaient sans cesse autour de la manière d'accomplir cet acte presque impossible. Le plus simple serait de le poignarder. Se procurer du poison, de même qu'une arme à feu, était difficile. Étant donné que don Alfonso avait pris plaisir à l'utiliser sexuellement, ce pourrait être un moyen de le retrouver, ne serait-ce que pour une nuit. Seulement, Pilar n'était plus de la première fraîcheur, et avoir un autre enfant lui avait fait perdre sa ligne. Bien qu'elle n'ait que vingt-huit ans, ses cheveux grisonnaient déjà. Il avait dû jeter son dévolu sur une autre bonne, ou s'en remettre aux prostituées. Ses besoins sexuels étaient aussi insatiables que ceux d'un jeune homme. Toutefois, il était probable qu'il prendrait plaisir à croire qu'il continuait à exercer un pouvoir sur elle et apprécierait une rencontre au nom du bon vieux temps en pensant qu'elle avait besoin d'argent. Il n'aurait aucune raison de se montrer suspicieux dans la mesure où il n'avait jamais su qu'il avait engendré un fils – elle en était certaine. Le visage et la voix de don Alfonso se mêlaient à ceux des deux bandits qui l'avaient violée au couvent, et le tuer la vengerait de toutes les souffrances qu'elle avait endurées des mains des hommes.

Pilar acheta un couteau, qu'elle rangea sous son matelas, et s'attaqua au premier des nombreux brouillons de la lettre qu'elle comptait adresser à don Alfonso. Elle écrivit tour à tour qu'elle était à court d'argent, que ses attentions fougueuses lui manquaient, qu'elle avait à faire à Torre de Burros... mais rien ne paraissait assez convaincant, de sorte que la lettre ne fut jamais envoyée.

Chaque matin, elle achetait le journal, et, un beau jour, elle lut que don Alfonso avait été assassiné. Elle se sentit choquée, et même un peu déçue, mais immensément soulagée. Autant elle avait imaginé commettre cet acte de sa main, autant elle était heureuse d'être délivrée de ce pacte qu'elle avait passé avec elle-même. Ce crime était un acte de vengeance, expliquait le journal, et bien que plusieurs suspects eussent été interrogés, aucun coupable n'avait encore avoué – du moins, pas de façon satisfaisante aux yeux de la police. Sa femme Esmeralda et ses deux filles, lut Pilar, étaient parties vivre à León chez des cousins.

Quelques jours plus tard, Pilar laissa Adelaida chez une voisine et prit un autocar pour Torre de Burros. Elle demanda au chauffeur de la laisser au pied de la falaise. Elle remonta le chemin qui menait devant des marches. En levant les yeux, elle eut la surprise de voir qu'on avait retiré la Vierge de la corniche pour la remplacer par un gigantesque crucifix. Néanmoins, elle se laissa tomber à genoux et commença à gravir les marches. Au bout de quelques minutes, la douleur devint insoutenable. Quelqu'un avait parsemé les marches de minuscules gravillons, un désagrément qu'elle jugea néanmoins propice. La Vierge elle-même avait dû disperser les graviers en sachant à quel point

443

Pilar avait besoin d'expier son projet monstrueux. Malgré la douleur, si intense qu'elle se mit à pleurer, elle continua à monter.

— Mes genoux me font mal, Juana, se plaignit Pilar d'une voix rauque. Ils saignent.

— Je vais vous les bander, dit la fille en lui donnant une gorgée d'*aguardiente*.

Trois années s'étaient écoulées depuis qu'elle avait quitté la maison de don Alfonso. Torre de Burros paraissait calme et posé, presque ennuyeux. Des hommes de la Guardia civil patrouillaient sur la place et dans des voitures, mais à part cela plus rien n'évoquait la guerre, les tortures ou les exécutions sommaires. Plus de cadavres alignés, plus de femmes éplorées. Pilar en venait presque à oublier les horreurs qu'elle avait vécues ; c'était si bon d'être de retour dans sa ville natale. Malgré ses genoux à vif, elle se promenait dans les rues. Et par chance, personne ne la saluait ; elle était devenue une étrangère. Elle passa devant la maison. Sur la porte, un panneau indiquait : « À vendre ». Voir la maison ne lui procura aucune émotion. L'homme était mort, et la demeure n'était plus qu'un amas de pierres, de portes et de fenêtres.

— J'y suis retournée, dit Pilar à Juana.
— Où ça ? Retournée où ?
— À Torre de Burros.
— Pour y vivre ?
— Oui, bien sûr.
— C'est bien. C'est une belle ville, dit Juana en lui tapotant le genou.

— Ça va mieux. Ils ne saignent plus.

— Non, ils sont complètement guéris.

La fille ne la traitait-elle pas avec condescendance ? Il y avait des années que ses genoux étaient guéris…

Juana lui fit boire du jus de raisin à l'aide d'une paille.

— Je l'ai vu de mes yeux. La balle lui a déchiré la gorge, mais je ne pense pas qu'il ait été tué sur le coup. Il s'est écroulé dans la tombe qu'il avait lui-même creusée.

— Le pauvre homme, dit tout bas Juana. Qui était-il ?

— Je ne m'en souviens pas… Quelqu'un que j'aimais.

— Vous avez besoin de vous soulager, *señora* ? demanda Juana en sortant le bassin de sous le lit.

— Non. Ce truc est trop froid, se plaignit Pilar.

— Je vais le réchauffer.

— Non. Va te reposer, tu as l'air fatiguée.

Juana obéit et s'allongea sur le matelas près de la fenêtre. En moins d'une minute, elle s'endormit. Pilar l'observa un moment en se demandant pour quelle raison elle avait été à ce point remontée contre cette fille. Bien que ce soit une gitane, elle était loin d'être sale. Et depuis qu'elle était venue vivre à la maison, elle n'avait rien fait d'autre que laver et nettoyer à longueur de journée. Par ailleurs, elle était une aussi bonne infirmière que pouvait espérer en trouver une mourante. Que deviendrait-elle ? Elle finirait à coup sûr entre les griffes de ce fou d'Hector. Pilar ne pouvait qu'espérer que la gamine résisterait à ses manières malfaisantes. Elle

445

n'avait jamais oublié qu'il avait essayé une fois de violer une jeune fille, alors qu'il n'était lui-même qu'un gamin. Ne l'avait-elle pas toujours su ?

Pilar détourna les yeux du corps menu couché en chien de fusil sur le matelas et sombra une fois de plus dans le passé.

Elle négociait avec un gitan l'achat d'une table de cuisine toute vermoulue. Ces gitans étaient tous des voleurs, sa mère le lui avait toujours dit – en tout cas, ils l'étaient à cette époque. Elle avait déjà payé beaucoup trop cher la maison, qui lui avait coûté presque la totalité du sale argent soutiré à don Alfonso. Le Dr Medina lui avait consenti un prêt pour installer la blanchisserie. Bien que peu enclin à la gentillesse, le vieux médecin était favorable à l'ouverture de commerces en ville. Il lui faisait payer de lourds intérêts, mais c'était un homme pieux, en qui elle avait confiance. À qui pouvait-on se fier ? Le monde regorgeait de violeurs, d'assassins et de traîtres...

Lorsque Pilar se réveilla, le médecin était penché sur elle.

— Comment allez-vous, doña Pilar ?

— Je me meurs.

— C'est ce que vous me dites chaque fois que je vous vois, dit le médecin en souriant. Tant que vous serez en colère, vous resterez en vie.

— Eh bien, ce n'est pas grâce à vous ! La gitane veille sur moi jour et nuit.

— Tu as de la chance, *abuela*, dit Hector, dont la longue silhouette se découpait derrière le médecin. Vu la façon dont tu la traites...

— Qu'est-ce que vous voulez, tous les deux ? grommela Pilar.

Elle n'entendit pas la réponse du médecin. Son ouïe semblait baisser. Ils parlaient, mais elle n'entendait qu'une sorte de sifflement et de gargouillement, comme de l'eau qui passe dans des tuyaux défaillants. Quand elle voulut appeler Juana, aucun son ne franchit ses lèvres. « Juana, Juana ! » appela-t-elle, affolée, mais la fille ne venait pas. Au moment où le *maricón* déguisé en médecin l'ausculta avec un instrument dur et froid, elle voulut crier – il n'en était pas moins un homme, et elle ne supportait pas qu'un homme la touche. Personne ne prêtait attention à ses hurlements, aucun son ne s'échappait de sa gorge. Soudain, elle s'éleva en l'air, loin de la chambre, et flotta librement dans un ciel illuminé d'étoiles, mais, à la seconde où elle fut certaine que la mort était venue la prendre, elle se retrouva dans le lit d'Hector. Elle entendait à nouveau, sauf que les voix d'Hector et du médecin venaient maintenant de plus loin, du côté de la cuisine. Un autre homme se tenait près d'elle, le grand beau prêtre auquel elle s'était déjà confessée.

Ils avaient appelé le prêtre. C'était donc fini. Son heure était finalement venue. Elle écouta sa prière et essaya de remuer les lèvres au rythme de sa voix. Il lui donna l'absolution ; un crucifix à la main, il traça le signe de croix sur sa poitrine, puis le posa sur ses lèvres. Après quoi il s'assit sur une chaise au bout de son lit. Elle voulait lui demander quelque chose... quelque chose au sujet d'un petit paquet attaché avec une ficelle. Elle l'avait vu quelque part et voulait qu'il le prenne. Mais, avant qu'elle ait pu formuler sa question, le prêtre se leva et quitta la pièce sans lui accorder un regard. Elle était extrêmement déçue. Les derniers sacrements avaient manqué de tenue et de cérémonie. Avait-elle vraiment été pardonnée ?

— Juana ! appela-t-elle d'une voix faible.

La fille arriva en courant.

— Est-ce que ç'a été bien fait ? murmura Pilar. Tu crois que je suis pardonnée ?

— Oui, doña Pilar, merveilleusement, répondit la fille en lui caressant les cheveux.

Rassemblant le peu de force qu'il lui restait, Pilar serra sa main gercée dans la sienne.

— J'ai peur, Juana. Je m'en vais… Je le sens, mais j'ai peur.

— N'ayez pas peur. Je suis là. Avec vous.

— Tu resteras avec moi jusqu'à la fin ?

— Oui, promit Juana avant de s'asseoir sur le lit, laissant Pilar s'accrocher à sa main.

La respiration de la vieille dame se fit plus lente, mais elle continuait à lutter. Ses bras et ses jambes étaient secoués de soubresauts, comme si elle se débattait contre l'inconnu qui l'attendait. Juana hésita une seconde, puis elle s'allongea sur le lit contre Pilar et la serra dans ses bras. La vieille dame recouvra son calme et se détendit.

C'était la première fois depuis un demi-siècle que quelqu'un la prenait dans ses bras. Une sensation étrange… mais, l'espace d'un instant, Pilar ressentit quelque chose qui ressemblait à de l'amour dans son cœur froid et meurtri. Lorsqu'elle effleura de la main la joue de la fille contre laquelle elle était blottie, elle se moqua soudain pas mal de la bénédiction du prêtre. Elle venait de comprendre ce que signifiait vraiment le pardon. Pleine d'humilité, Pilar sentit sa peur se disperser telle la poussière qu'emporte une rafale de vent. Alors, exhalant un long soupir, elle lâcha prise.

22

Pilar mourut la veille du nouvel an. Juana se chargea de lui faire sa toilette mortuaire et de la préparer avant l'arrivée de l'entrepreneur de pompes funèbres. Alors qu'elle brossait les cheveux de Pilar, Hector entra dans son ancienne chambre pour demander s'il pouvait lui être d'aucune aide, mais elle le renvoya avec fermeté.

— Pilar n'aurait pas voulu que tu t'approches de son corps, dit-elle.

Et, bien sûr, elle avait raison. Hector aurait aimé dire au revoir à sa grand-mère, la rassurer sur le fait qu'il concoctait un plan en vue de rendre la bague à sa propriétaire légitime. Mais elle avait refusé de le voir, et il savait bien qu'il lui avait fait une peur insensée avec ses menaces de mort. En revanche, s'il était triste qu'ils se soient quittés en si mauvais termes, il n'avait plus d'énergie pour se sentir coupable, ou pour se reprocher de lui avoir fait peur. Sa grand-mère avait reçu les derniers sacrements, il s'en était assuré. Et il tiendrait sa promesse. La bague volée, si mystérieusement acquise, retournerait sur le doigt de la Vierge, quitte à ce que ce soit la dernière chose que ferait Hector Martinez.

Ils laissèrent le corps de Pilar dans la chambre pour la nuit, car le *señor* Gonzalez préparait un enterrement plus important et ne pourrait pas venir avant le lendemain matin. Hector alla s'asseoir dans la cuisine et téléphona à sa mère à l'hôtel. Lorsque son père décrocha, il lui annonça la nouvelle. Porfirio, qui éprouvait une profonde hostilité à l'égard de Pilar, ne put se résoudre à dire qu'il était désolé, mais il lui présenta néanmoins ses condoléances. Ç'aurait été bien qu'il lui propose de l'aider, par exemple à organiser l'enterrement, sauf que, évidemment, il ne savait pas que c'était sa propre mère qui venait de mourir. En outre, Adelaida étant malade, Hector supposait qu'elle était sa priorité absolue, et il ne voulait pas les voir renoncer à une seule minute du temps qu'ils passaient ensemble. La renaissance de leur amour les avait rendus égoïstes. Cet amour était-il plus fort et plus profond en raison du lien de sang qui les unissait ? Frère et sœur... Bien qu'ils ignorent la vérité, ce genre de chose devait se ressentir dans les gènes – comme une sorte de miroir de l'âme dans lequel ils se voyaient l'un l'autre. Comment expliquer autrement cet attachement soudain si puissant qui excluait qui que ce soit d'autre ?

Hector était encore abasourdi par ce qu'il avait appris sur sa naissance. En même temps, et bien qu'il y ait réfléchi, il ne ressentait aucune détresse – constat que venait renforcer la mort de Pilar. Aucun mal ne sortirait jamais de ce secret. Le mystère s'était éteint avec elle. Hector était qui il était. Rien n'y changerait. Et d'ailleurs, en dépit de son patrimoine génétique de second ordre, il se sentait plus en accord avec lui-même. Qui plus est, sachant qui il était, sa proximité avec *mama* et Porfirio s'était approfondie, l'amour qu'il éprouvait pour eux s'était renforcé. Adelaida était à la fois sa mère et sa tante, Porfirio était à la fois son père et son oncle, et peut-être était-ce ce qui expliquait que leur lien soit doublement fort. Naturellement, ses parents l'ignoraient, mais on n'apprenait pas tout uniquement par l'intellect.

Il prépara un sandwich pour Juana, un autre pour lui, ainsi qu'un verre de manzanilla, et ils restèrent en silence à la table de la cuisine à réfléchir à leur nouvelle situation. D'une équipe relativement affairée et productive, il ne restait plus qu'eux deux dans la vieille maison, avec sa blanchisserie et ses machines trop silencieuses.

— Si tu t'installais dans la chambre d'Adelaida ? proposa Hector.

— ¡ *Dios mío* ! s'exclama Juana. Quelle idée !

— Il n'y a aucune raison que tu dormes dans cette piaule là-bas dehors. Choisis la chambre qui te plaît. Ou même le salon… Personne n'y met plus les pieds depuis des années, et personne n'y viendra plus.

Cette nuit-là, alors qu'il était tout seul dans son lit, Hector sentit son corps brûler de désir. Il avait envie de Mair de toutes les fibres de sa chair. Lui qui avait toujours été un solitaire, il n'avait jamais ressenti une telle solitude depuis qu'il avait découvert les joies d'être deux. Son désespoir était tel qu'il redoutait, si Juana, qui dormait maintenant dans la chambre voisine de la sienne, venait se glisser dans son lit en pleine nuit, d'oublier qu'elle n'était encore qu'une enfant. Finalement, et non sans honte (une morte reposait un étage au-dessous de lui), il se masturba en imaginant Mair toute nue – ses yeux mi-clos dans cette attitude séductrice, ses petits seins doux comme de la soie dressés d'excitation. Elle lui semblait si réelle qu'il aurait pu tendre la main pour la toucher, la sentir humide de désir et la faire s'allonger sur lui, s'envelopper en elle comme dans une pèlerine qui le protégerait de la vie elle-même.

Lorsque enfin il s'endormit, ce ne fut pas de Mair qu'il rêva, mais d'une longue et lente promenade dans la forêt qu'il connaissait si bien. Il faisait plus froid que d'habitude, les arbres étaient enveloppés dans les brumes de l'aube. Alors qu'il se dirigeait vers sa grotte, il voyait et entendait toutes sortes de signes inquiétants alentour ; les silhouettes grises de la *guestia* dans le lointain, le bruissement de leur respiration laborieuse. Le cortège des morts venait une fois de plus le chercher. Cependant, pour la première fois, il n'avait pas peur des cadavres décomposés transportant leur charge macabre. Se redressant précipitamment, il les regarda approcher entre les arbres. La *guestia*, plus longue que jamais, se composait en réalité de plusieurs colonnes. Les deux premières passèrent devant lui d'un pas vacillant, emportant les images de sa mère et de sa grand-mère vers leurs tombes. Il les suivit des yeux avec un doux chagrin. Il avait pleuré pendant si longtemps qu'il se sentait à présent libéré de les voir partir. Les autres s'avancèrent plus profondément dans les bois et, tandis qu'il les observait, il vit surgir de nouvelles colonnes, titubant sous le poids des hommes et des femmes condamnés. Il se mit en marche vers l'endroit où ils s'étaient rassemblés un peu plus loin.

Dans une clairière, à côté de sa grotte. Par moments, la brume les dissimulait, et il chassait avec ses mains les vapeurs qui s'accrochaient. Il fallait qu'il les voie, qu'il sache qui ils étaient.

Lorsqu'il s'approcha, l'horreur de la scène qui se déroulait devant ses yeux le fit frissonner. La *guestia* faisait basculer les hommes étendus sur les brancards dans des trous béants creusés dans la terre. On percevait des cris apeurés, des hurlements, tandis que les hommes tombaient, précipités dans le gouffre noir de leurs tombes. Certains des mourants se relevaient et creusaient d'autres fosses à l'aide de grandes pelles noires... des fosses assez larges pour engloutir des centaines de cadavres, et d'autres continuaient à arriver. Alors qu'Hector courait les supplier d'interrompre leur tâche cruelle, un homme se tourna vers lui. Il était jeune, mais ses yeux étaient aussi vieux que le ciel, et son visage... son visage était le sien. Hector l'interpella, mais il secoua la tête. Il était fatigué et voulait s'en aller – puis il tomba à travers l'espace...

Hector s'agrippait au vide, mais la sensation de tout ce qui volait devant lui lui donnait le vertige, et quand il finit par atterrir dans son lit, ses yeux s'ouvrirent brusquement, et il se rendit compte que c'était déjà le matin. Juana s'activait en bas dans la cuisine, et l'odeur du gasoil des camions qui montait de la rue lui piquait les narines.

C'était le premier jour de l'année. Le soleil était déjà haut à l'horizon, comme la promesse que le printemps arriverait bientôt. Mais Hector demeura étendu sans bouger, troublé, s'efforçant de sortir de son rêve. Était-il condamné lui aussi ? Était-ce ce que lui avait annoncé ce rêve ?

On frappa un coup à la porte. Juana alla ouvrir, et une voix enjouée et tonitruante lui parvint. Sans doute l'entrepreneur de pompes funèbres et ses employés. Hector avait envie de rester dans son lit, cependant il ne pouvait pas laisser Juana assumer davantage de responsabilités. Il sauta dans ses vêtements et descendit au rez-de-chaussée.

Les trois hommes vêtus de noir apportèrent un cercueil en plastique, pas très différent des coffres que l'on visse sur le toit des voitures. Hector attendit dans la cuisine pendant que Juana les conduisait auprès de la défunte. Un quart d'heure plus tard, deux des hommes emportèrent le cercueil dans une voiture noire, tandis que le troisième, sans doute Gonzalez, exposait à Hector les procédures, ainsi que leurs divers tarifs.

— La vénérable dame devrait avoir un cercueil qui convienne à son âge et à son statut. Vous ne voudriez pas que les gens la voient dans un modèle bon marché.

Le téléphone sonna.

— Excusez-moi, dit Hector en se levant pour répondre.

Il détestait le téléphone, mais il devait décrocher au cas où *mama* voudrait quelque chose ou aurait besoin de lui – qui sait, peut-être son heure était-elle venue à elle aussi. Sans qu'il comprenne bien pourquoi, on lui avait caché la vérité, mais il savait sa mort prochaine. Il l'avait vue dans son rêve.

— *Diga*, dit-il.

Ce n'était ni Porfirio ni Adelaida.

— Je viens d'apprendre pour Pilar, mon cher Hector, prononça vivement Carmen. Toutes mes condoléances… même si je ne peux pas m'empêcher de penser que ce sera un soulagement pour toi.

— Merci, Carmen. Je viendrai travailler un peu plus tard, aujourd'hui.

— ¡ *Por Dios* ! Prends ta journée. De plus, c'est un jour férié.

— Raison de plus pour que tu aies besoin de moi. Je veux rester occupé.

— Bon, si tu en es sûr… Avant de venir, peut-être pourrais-tu me rendre un petit service, si ça ne t'est pas trop pénible. Puisque Mair est partie, pourrais-tu aller chercher le linge que je lui avais prêté, ainsi que les lampes ? Mon petit doigt m'a dit que tout ça était éparpillé au milieu du jardin de la maison qu'elle louait. Dieu seul sait pourquoi !

— Oh, zut ! C'est entièrement ma faute. J'irai les récupérer ce matin même.

— Quand tu voudras, Hector… et n'oublie pas que je suis là pour toi. Tu sais que tu peux habiter chez moi, si tu veux et quand tu veux.

— Merci, mais il y a Juana. Je vais rester ici avec elle.

— Je peux lui trouver du travail, s'il le faut.

— Ma chère Carmen, j'apprécie grandement ta généreuse proposition, néanmoins je suis un adulte et ma place est chez moi.

— C'est vrai, cher Victor, admit-elle, le confondant une fois de plus avec son fils décédé.

Lorsque Hector raccrocha, il avait complètement oublié l'imposant individu en noir assis dans la cuisine.

— Hum, fit l'homme en se raclant la gorge. Puisque vous dites qu'il n'est pas question de laisser le corps ici, dans la maison, nous pouvons vous fournir une petite salle au funérarium où... hum... ses parents et ses amis pourront venir se recueillir.

— Elle n'a ni parents ni amis, dit Hector en se tournant vers lui.

— Ha, ha ! s'esclaffa l'homme, l'air incrédule – mais en voyant l'expression renfrognée d'Hector, son éclat de rire retentissant se transforma en un silence chargé de honte. Eh bien, dans ce cas, il faut décider si vous voulez un enterrement ou une incinération.

Pilar aurait-elle voulu qu'on la brûle ? Elle avait une telle peur de l'enfer qu'Hector en doutait.

— Incinération, dit Juana, qui venait de rentrer de la cour, les bras chargés de vêtements masculins. Elle m'a dit qu'il fallait qu'on purge sa chair une fois pour toutes.

— Eh bien, voilà, dit l'homme, qui se leva et se retourna vers Hector. Peut-être aimeriez-vous réfléchir aux autres possibilités que je vous ai mentionnées et me faire part de votre décision avant que nous fermions ce soir à sept heures...

— Merci, dit Juana en le poussant vers la porte.

Elle alla rejoindre Hector devant la table et posa ses mains autour de son visage.

— Laisse-moi te raser. Ça me plairait ! dit-elle en riant pour la première fois depuis des semaines. Tu as plus l'air d'un gitan que moi !

— D'accord, Juana. Dans une minute.

D'un seul coup, Hector se sentait prêt à prendre la vie de front, à faire le ménage dans son existence et à aller de l'avant. Il était sans conteste l'homme de la maison, et même si tout le monde s'en allait, il continuerait de suivre le chemin libérateur sur lequel l'avait placé sa rencontre avec Mair. Il ne laisserait pas son départ le renvoyer là où il était auparavant. S'il ne pouvait pas avoir cette femme en chair et en os, son esprit têtu continuerait à vivre en lui et lui donnerait de la force. Cette force, il en avait grand besoin. Il y avait beaucoup à faire. Le travail l'occuperait de manière fructueuse, en même temps qu'il empêcherait ses pensées et ses sentiments de prendre le dessus.

Cependant, avant tout, il fallait qu'il explique quelque chose à Juana, une proposition sinistre restée enfouie avait poussé comme une algue derrière ses autres pensées et rêves de la nuit passée. Il avait de la peine à croire qu'il avait mis sur pied un plan aussi tordu, mais il ne pourrait le mener à bien qu'avec l'aide de Juana.

— Je sais que tu as assumé beaucoup de responsabilités, ce dont je suis désolé, commença Hector. Et je te serai éternellement reconnaissant des soins que tu as prodigués à mon *abuela* ces derniers jours. Mais je dois te demander une redoutable faveur, une faveur qui pourrait nous permettre de faire d'une pierre deux coups.

Juana lui prit la main.

— Dis-moi ce que c'est, Hector.

— Vois-tu… Il faut absolument que tu m'écoutes avant d'en tirer des conclusions. Il se trouve que… je suis en possession de la bague qui a été volée à la Vierge. Je l'ai, mais je veux que tu saches que ce n'est pas moi qui l'ai volée, la Vierge m'en est témoin, dit-il en s'appliquant à garder la voix posée, sachant à quel point sa déclaration devait avoir l'air suspecte.

— Je sais, dit Juana en haussant les épaules. C'est ta mère qui l'a volée.

Quelques secondes s'écoulèrent avant qu'il comprenne ce qu'elle venait de dire.

— Ma mère ? répéta Hector d'un air sévère. Ne sois pas sotte. *Mama* ne peut pas avoir volé cette bague. Pourquoi aurait-elle fait une chose pareille ?

— Pourquoi, ça, je n'en sais rien, n'empêche qu'elle l'a fait. Je crois que c'est à cause de la potion que lui donne la sorcière. On dirait que ç'a cet effet sur elle, même si, personnellement, je ne l'en aime que davantage. J'ai su tout le temps où elle avait caché la bague, mais, d'un seul coup, elle a disparu. C'est ma faute, parce que, un jour, par dépit, je l'ai montrée à Pilar. Elle était tellement agitée que je suis sûre qu'elle l'a récupérée et l'a jetée quelque part.

Comme d'habitude, la petite gitane semblait avoir une bonne longueur d'avance sur lui.

— Eh bien, reprit Hector, sérieusement secoué, Pilar me l'a donnée pour que je l'envoie au prêtre. Seulement je n'ai pas réussi à trouver un moyen sûr de le faire. Et maintenant, il faut que j'aille la remettre moi-même sur le doigt de la Vierge. C'est la seule solution.

Cette fois encore, la jeune fille l'étonna.

— Je crois savoir ce que tu as en tête, lui dit-elle. Je t'aiderai. Je sais comment m'y prendre.

— Tu ferais ça ? Je te jure que…

— Ne t'inquiète pas, dit Juana en souriant.

Elle leur prépara un verre de *café con leche*, puis ils se penchèrent l'un près de l'autre sur la table. Le plan fut vite échafaudé. Peut-être étaient-ils fous tous les deux. Bien qu'aucun d'eux ne soit coupable, c'était comme s'ils avaient besoin de se confronter au danger pour se laver de ce délit, même si Hector tenait à ce que Juana ne prît aucun risque. De toutes les choses folles qu'ils envisagèrent, ce fut la seule condition qu'il imposa.

— Ne t'en fais pas, le rassura-t-elle de nouveau. Je ne risque rien.

Hector avait l'impression d'être délesté d'un poids. Ce serait fait. Très bientôt. La semaine prochaine, sans doute, une fois que les derniers pèlerins de Noël seraient repartis dans leurs autocars reprendre le travail. Dès que s'amorcerait la période creuse de janvier, et que l'église serait désertée. Quelqu'un lui avait dit un jour que l'action était la solution à tous les problèmes, venait à bout de toutes les peurs. Peut-être était-ce Mair, une femme qui sans nul doute vivait en appliquant ce principe.

Après que Juana lui eut donné une chemise amoureusement repassée et un mouchoir propre, Hector monta se doucher. Quand il redescendit, elle avait préparé un énorme petit déjeuner : des œufs, des tomates coupées en petits dés et du pain trempé dans de l'huile d'olive. Tous deux mangèrent avec un appétit vorace en se souriant. Hector sentait la nourriture passer directement dans son corps affamé. Il fallait continuer, quelle que fût la dureté des épreuves qu'infligeait la vie.

Une fois rassasié, il téléphona à sa mère.

— Viens à la maison, *mama*, et amène mon père. Le soleil entre à flots par les fenêtres, on mettra la musique à fond, et on boira du Campari et du champagne avec des glaçons ! Juana et moi veillerons à satisfaire tes moindres désirs. Tu me manques, *mama*, j'ai envie d'être avec toi.

Adelaida éclata de rire.

— Hector chéri, si tu veux que je... Je vais demander à Porfirio... Pourquoi pas ?

Hector et Juana retirèrent les draps du lit de Pilar et les brûlèrent dans le poêle. Ils firent la même chose avec le peu de vêtements et de chaussures qu'elle possédait. Enfin, Juana débarrassa tendrement Hector de sa barbe de deux semaines, puis il la laissa repasser les vêtements de leurs nouveaux clients pendant qu'il sortait vaquer à ses tâches de la journée.

Il partit vers la petite maison blanche où il avait connu la plus grande extase de sa vie en même temps que la plus atroce souffrance. Sous le soleil, l'endroit semblait joyeux, mais, dès qu'il passa le portail, il constata à son grand désarroi que les affaires de Carmen avaient disparu. Il arrivait trop tard, quelqu'un s'était servi. Et, comme d'habitude, la faute lui en incombait. Alors qu'il s'apprêtait à repartir, il crut entendre s'ouvrir la porte d'entrée.

— Salut !

Là, sur le seuil, se tenait Mair. *Sa* Mair. Non pas un spectre, mais bien la femme en chair et en os qu'il avait pensé ne plus jamais revoir.

Elle jeta un coup d'œil à sa montre.

— Qu'est-ce qui t'a retenu, *hombre* ? Voilà des heures que je manigance pour t'attirer ici sous de faux prétextes. Je commençais à désespérer… Mais ne reste pas planté là !

Elle ouvrit tout grands les bras et, en trois enjambées, Hector s'y précipita.

Au bout de quelques minutes, Mair se dégagea de son étreinte et leva la tête en le regardant d'un air grave.

— Je suis désolée… pour Pilar. Je ne sais pas ce que tu ressens, maintenant qu'elle n'est plus là… Quoi qu'il en soit, c'est une drôle de façon de démarrer la nouvelle année.

— Je croyais que tu étais partie pour toujours…

— Et où était le portable que je t'avais dit de garder sur toi ? *Dans un cendrier !* Je t'ai laissé je ne sais combien de messages pour te tenir au courant de ce qui se passait.

Hector la saisit par la taille et la souleva en l'air. En la voyant rire, il nota qu'elle avait un air différent. Les angles vifs de sa fière petite personne s'étaient comme adoucis. Ses cheveux, à peine plus longs qu'une brosse en furie, dessinaient de vagues boucles derrière ses oreilles, et elle portait une robe. En la reposant par terre, il la maintint à bout de bras et l'observa avec un sourire béat.

— Que tu es belle…

Ce fut tout ce qu'il parvint à dire avant qu'elle referme la porte d'un coup de pied et l'entraîne à l'étage.

Lorsque Hector fut reparti, Mair resta un long moment devant la fenêtre. Les sommets des Picos étaient blancs de neige. Comme tout paysage de montagne hivernal dans la lumière du soleil déclinant, la vue était d'une beauté saisissante, l'air vif et transparent. Au fond et à droite, elle apercevait la grande croix sur la corniche. Les lumières qui venaient de s'allumer brillaient de mille feux dans la lumière de la fin d'après-midi. Le soleil effleurait les dernières crêtes dans un scintillement de rose, de mauve et de jaune.

Elle était revenue. La ligne à laquelle elle était ferrée avait tenu bon, cette ligne qui l'attirait inexorablement vers sa source. Elle s'était tendue presque au-delà du point de rupture, mais elle n'avait pas cassé. Dans la vie, il n'était pas possible d'aller contre certaines choses – c'était inutile. Pendant toute son existence elle s'était battue pour défendre son propre coin, et tout ce qu'elle possédait, elle ne le devait qu'à elle-même, mais à quoi bon toutes ces choses s'il n'y avait pas d'amour ? Elle en avait fini de se battre.

Mair s'éloigna de la fenêtre et alla dans l'entrée où étaient restés ses bagages. En soulevant la fermeture d'une de ses valises, celle-ci s'ouvrit d'un coup sous le poids de ce qu'elle contenait. Là, au milieu de ses affaires, elle aperçut son carnet. Trouver ce qu'elle cherchait n'avait pas été difficile. Une demi-heure sur Google lui avait suffi. Aldebarra n'était pas un nom très répandu. Et bien que le livre soit épuisé, elle avait réussi à se le procurer. Elle l'avait commandé et le recevrait par la poste d'ici peu. *Fleur de fer – la vie d'Eufemia Aldebarra*, par son fils Geronimo Aldebarra.

Mair décrocha le téléphone et regarda l'appareil fixement. Elle pouvait soit l'appeler maintenant, soit attendre. Il s'était déjà passé tant de choses que sa tête et son cœur étaient au bord de l'explosion – comme ses fichues valises ! Cet homme n'avait que soixante-trois ans, après tout. Il vivrait bien encore un peu, sans compter qu'il n'habitait pas très loin. L'appeler tout de suite n'était pas indispensable. Le frère de son père – son oncle – pouvait attendre.

Le lendemain après-midi, Mair et Hector prirent la voiture et descendirent au pied de la colline en direction du sud-ouest.

— Je n'accepte toujours pas ton excuse au sujet du portable, dit Hector en regardant son profil souriant, ses yeux bleu clair concentrés sur la route. Si tu l'avais voulu, tu aurais pu me joindre, Mair.

— Hé, je t'ai laissé des messages, non ? rétorqua-t-elle, sur la défensive.

Au bout d'une seconde, elle se tourna vers lui.

— Tu as raison, j'aurais dû me rendre compte que tu ne les avais pas reçus. Bête et têtue comme je suis, j'ai essayé de prendre un peu de distance. J'avais besoin de mettre mes sentiments à l'épreuve. Et je ne pouvais le faire qu'en te maintenant à l'écart. Mais, comme tu le vois, ça n'a pas marché du tout ! Je pensais à toi nuit et jour. Tu me semblais tout aussi réel là-bas sous la pluie galloise. Plus réel que n'importe quoi, dit-elle en serrant très fort sa main dans la sienne.

Il s'efforça de ne pas sourire.

— J'étais bouleversé de ne rien savoir…

— Je sais, Hector. J'ai été vache de te faire ça. Je ne le ferai plus.

Elle lui jeta un regard et lui fit son sourire espiègle.

— De toute façon, il fallait que je déguerpisse de Torre de Burros. Les flics étaient à mes trousses. Le maire m'a dit que j'étais sur le point d'être expulsée.

— Ah oui ? fit Hector en dressant un sourcil. Ça ne m'étonne pas trop… vu comme tu as débarqué ici en chamboulant la vie de tout le monde !

Il lui fit signe de tourner sur une petite route en terre battue. En voyant le chemin creusé de nids-de-poule et parsemé de flaques d'eau, ils se garèrent et descendirent de voiture. Leurs chaussures furent très vite couvertes de boue, mais ils marchèrent vers les bois, main dans la main. Mair avait une foule de choses à lui raconter, et Hector prenait plaisir à entendre sa voix. Mais, en réalité, il ne l'écoutait qu'à moitié, lui-même flottant sur un petit nuage.

— Au début, j'étais tout excitée. Je trouvais que Geraint avait fait quelque chose de gonflé et de romantique… tomber amoureux comme ça d'une dirigeante communiste, une femme courageuse et fascinante ! Avoir un enfant avec elle et l'abandonner au nom de la cause… Se battre ensemble, vivre comme des fugitifs et tout ça… Par la suite, quand j'ai mieux compris et que j'ai réfléchi à ce qu'il avait fait, j'ai été prise de colère. Quelle saloperie vis-à-vis de sa femme fidèle restée au pays de Galles et de ses deux enfants innocents ! Comme s'ils ne comptaient pas. Après cette dernière lettre, plus un mot… Il aurait dû être franc avec sa famille. Mais eux, ils en sont restés là. Tu te rends compte… Rien ! Une vie entière de questions et de chagrin jamais apaisé !

— Mair, comment peux-tu être certaine qu'il n'a pas écrit ou envoyé un mot ? demanda Hector en

465

l'obligeant à s'arrêter pour se tourner vers lui. Tu crois vraiment que le courrier marchait normalement pendant la guerre civile ? Déjà qu'il ne marche pas si bien que ça aujourd'hui ! Il a pu écrire plusieurs lettres, sauf que le courrier devait être censuré... et de toute façon, où aurait-il trouvé des timbres au fin fond de la montagne ?

Mair le dévisagea longuement, puis dit :

— Tu as sans doute raison. Je n'avais pas pensé à ça.

Ils se remirent en marche, se frayant un chemin entre les arbres.

— Par ailleurs, reprit Hector, je ne peux pas m'empêcher d'y penser, quelle femme aurait avoué à ses amis et à sa famille que son mari était parti avec une autre, qu'il n'avait pas l'intention de rentrer et qu'il vivait désormais ailleurs... Si elle a reçu une lettre qui disait cela, je parie qu'elle l'a déchirée et jetée, puis qu'elle a oublié l'avoir jamais reçue et finalement décidé qu'elle était veuve.

Mair regardait le sol devant elle en marchant à grands pas, les mains enfoncées dans les poches.

— Que tu es perspicace, Hector... C'est peut-être en effet ce qui s'est passé.

Elle resta silencieuse un long moment. Les arbres, de plus en plus denses, se refermèrent en voûte au-dessus d'eux.

— Ça ne change néanmoins rien au fait que, à mes yeux, Geraint est moins héroïque. Il était humain, comme nous tous.

— Mair, dit Hector en l'arrêtant de nouveau. Peut-être que tu ne sais rien de ce qu'il ressentait.

Ces choses-là arrivent... Tu n'imagines pas renoncer à ta vie passée par... amour ?

Elle le fixa avec de grands yeux, agacée par sa question, puis elle éclata de rire, le regard brillant de malice.

— Je n'aurais jamais cru perdre la tête à ce point, mais maintenant que ça m'est arrivé, j'imagine très bien jusqu'où ça peut mener...

Hector décida, pour l'instant, de se satisfaire de cette réponse encourageante. Il avait l'impression que tout dépendait de lui. Il devrait agir en homme, lui donner envie de rester, et ne plus jamais la laisser le quitter sur un coup de tête. Il ne serait pas une passade, et il veillerait à le lui faire savoir.

— Que vas-tu faire de Geraint... de toutes ces informations ?

— Pour le moment, je vais y réfléchir, répondit Mair en entrelaçant ses doigts avec les siens. Je suis très triste de la manière dont Geraint a perdu la vie, mais, comme tu dis, peut-être qu'il a trouvé le véritable amour et une sorte de bonheur, même si celui-ci n'a pas duré longtemps. Je pense à présent que, bien qu'il ait eu une cause à laquelle il croyait avec passion, Geraint était avant tout un aventurier, un homme sans attaches, que ce soit sur un plan matériel ou spirituel. Ce qui le motivait, c'était l'amour... et ç'a eu un effet sur moi, dit-elle en lui jetant un coup d'œil. J'ai beaucoup réfléchi à ça.

— Il a fait des choix, dit Hector, qui entrevoyait les avantages et les conséquences qui découleraient de ceux qu'il pourrait faire lui aussi.

— Un de ces jours, bientôt, je remonterai la piste Aldebarra. J'aimerais rencontrer cet oncle et, si ça se

467

trouve, j'ai une flopée de cousins et de parents dans le coin... Mais, pour l'instant, dit-elle en le prenant par la taille et en se serrant contre lui, et pour les quelques semaines à venir, j'ai des choses plus importantes sur lesquelles me concentrer.

À mesure que la forêt s'épaississait, Hector se félicita d'avoir un autre être humain à ses côtés. Ce bois n'était pas très grand, et il le connaissait bien, mais la mission qu'ils s'étaient donnée avait quelque chose de troublant. Il leur faudrait trouver l'endroit qu'ils cherchaient en grande partie d'instinct. Le rêve qu'il avait fait la nuit précédente le guidait. Il reconnaîtrait le lieu des mille tombes dès qu'il le verrait, et d'après ce que Pilar avait raconté à Mair, ce devait être là que Geraint et ses camarades avaient été enterrés. Penser à ce sinistre coup du sort lui glaçait le sang.

Ils marchaient depuis plus d'une heure dans le jour déclinant lorsqu'ils finirent par arriver devant la grotte. Hector n'était pas revenu ici depuis des années. L'entrée était entièrement envahie par les ronces.

— Quand j'étais petit, je venais souvent me cacher ici, dit-il à Mair.

— De quoi te cachais-tu ? demanda-t-elle tendrement.

— Il y a une chose qu'il faut que je te dise... à propos de mon sang.

Mais son regard avait été attiré par la lumière d'une clairière située un peu plus loin. Elle le prit par la main et l'entraîna dans cette direction.

Aussitôt, Hector sut qu'il était déjà venu ici. Le sol était lisse, une mousse épaisse d'un vert éclatant recouvrait la terre, mais la sensation sous les pieds avait quelque chose à la fois de sinistre et d'attirant. Ils se tenaient à la lisière de la clairière, Mair le teint pâle et l'air grave tandis qu'elle contemplait le sol et les immenses pins alentour.

— C'est si paisible, murmura-t-elle. J'ai l'impression qu'on a trouvé.

— Oui, c'est bien ici.

Mair prit sa main entre les siennes.

— Hector, je ne crois pas que tu le saches... mais quelqu'un de ta famille a aussi été enterré ici. C'est sous cette terre que repose la dépouille de ton grand-oncle. Ton *abuela* m'a parlé de lui. Elle a pleuré quand elle m'a raconté son histoire. Son frère a été enterré à l'endroit même où il a été fusillé, et elle a assisté à sa mort.

Hector resta un long moment silencieux. L'homme qui était lui... qui lui ressemblait... l'homme qui était tombé...

— Comment s'appelait-il, Mair ? Elle te l'a dit ?

— Carlos, répondit-elle en ouvrant son sac. Il s'appelait Carlos.

Dans son sac se trouvait un petit bouquet de fleurs rouges et jaunes enveloppées dans du papier. Elle le retira de son emballage, le regarda dans sa main une seconde, puis le lança de son bras menu. L'offrande décrivit un arc de cercle en l'air, puis les fleurs retombèrent en pluie sur la mousse, telles de petites taches de couleur vive sur un océan vert sombre.

Épilogue

Au mois de janvier suivant, un article intitulé « La Vierge et l'idiot, un miracle moderne » parut dans *Noticias Asturianas*, avant d'être repris sous diverses formes éditoriales dans d'autres journaux espagnols. L'auteur de l'article était un dénommé Indalecio Arguelles, un ancien ecclésiastique, devenu depuis peu philosophe autoproclamé, dessinateur humoristique à ses heures, et éminent chroniqueur des phénomènes religieux à travers les âges. Ses recherches et ses papiers sur la foi souvent irrévérencieux étaient rarement appréciés de ses anciens collègues, qui dénonçaient ses articles et ses essais (et plus encore ses dessins) en le qualifiant de fanatique et de détracteur. Il n'en était pas moins abondamment lu et apprécié de tous ceux qui s'interrogeaient et remettaient en cause l'existence de Dieu.

Dans cet article, Indalecio Arguelles écrivait : « Un an a passé depuis que s'est produit le dernier "miracle" de Notre-Dame de la Miséricorde, dans la désormais célèbre ville des Asturies, Torre de Burros. Le miracle a donné un coup de fouet sans précédent à l'économie de la région. Le groupe Melia envisage de construire un hôtel cinq étoiles dans la

471

ville, et des négociations sont en cours en vue de convertir le fort médiéval édifié sur une pente raide au sud de la ville en *parador*. Ce fort étant en ruine, le coût phénoménal des travaux sera assumé en partie par l'office de tourisme.

« Venons-en au miracle lui-même. Pour nos très estimés lecteurs qui ne seraient pas familiers du déroulement tortueux de la plus fameuse apparition de la région, le miracle a consisté en la réapparition aussi soudaine que mystérieuse d'une bague qui ornait le doigt de la Vierge, dont on a beaucoup parlé.

« La pierre fabuleuse, don d'une noble famille asturienne, avait été transmise de père en fils sur plusieurs générations. Ce bijou, qui tire son origine d'un mythe – sur lequel nous n'avons pas assez de place ici pour nous étendre –, avait, avant que n'ait lieu le miracle, disparu dans la nature depuis quatre mois.

« Le miracle aura été multiple. Outre la réapparition de la bague, et la frénésie commerciale et religieuse qu'elle a suscitée, il a par ailleurs profondément affecté un habitant de la ville, un excentrique connu pour être atteint de légers troubles sur le plan intellectuel. Cet homme, qui se trouvait à l'intérieur de l'église au moment du miracle, a été "terrassé" par la force du phénomène, au point qu'on l'a découvert inconscient au pied de la statue, haute de quatre mètres, de Notre-Dame de la Miséricorde.

« Lorsqu'il a été examiné par le médecin local, Felipe Medina, celui-ci a diagnostiqué une commotion cérébrale. Toutefois, dès qu'il a pris connaissance des circonstances qui avaient entouré le traumatisme, le médecin a été prompt à reconnaître qu'un choc sévère, ou une épreuve à caractère émotionnel, était plus probablement à l'origine de ce mystérieux étourdissement.

« L'homme en question ne s'est pas seulement remis, il "s'est levé et a marché", au sens biblique de la formule. En d'autres termes, *guéri* de sa faiblesse morale et intellectuelle, il est devenu un membre de la communauté à part entière, un membre fort respecté qui a épousé une femme chirurgien vétérinaire et dirige à présent un hôtel local très couru (Pension Pelayo, tél. : 985 546389).

« Certains cyniques de Torre de Burros prétendent que l'homme n'a en réalité jamais souffert de troubles sur le plan intellectuel (seulement sur celui de la moralité). Ils ont laissé entendre qu'il avait lui-même volé la bague et était simplement en train de la remettre sur le doigt de la Vierge – pris de peur ou de remords après le décès de deux personnes de sa famille. Ces spéculations grossières ont cependant très vite été balayées par l'euphorie religieuse et économique qui s'est ensuivie.

« Le sacristain de l'église, qui fait partie des cyniques susmentionnés et était présent dans la sacristie au moment du miracle, a affirmé qu'aucun des phénomènes que l'on associe en général à un miracle n'avait été constaté : pas de musique céleste ni de lumières, pas le moindre bruit ou tremblement de terre. Le sacristain a par la suite été accusé, et dûment condamné, pour avoir tenté de molester une mineure, une jeune fille de quatorze ans d'origine rom qu'il avait attirée dans la sacristie et que, à l'heure même où a eu lieu le miracle, il avait entrepris de séduire. Il va sans dire que son témoignage a dès lors été jugé dépourvu de toute fiabilité.

« À l'occasion d'une récente visite à Torre de Burros, je suis descendu dans l'hôtel déjà cité, où j'ai eu le privilège de rencontrer l'homme qui a déclenché cette fureur. En dépit d'une apparence remarquable, il s'agit d'un individu parfaitement sain, qui a déclaré avec modestie n'avoir aucune connaissance ni même le souvenir de l'événement qui a transformé le destin de la ville de façon aussi radicale. Tout ce dont il se souvient est d'avoir ressenti un désir irrésistible d'aller rendre visite à la Vierge, conformément à la dernière demande que lui avait faite sa grand-mère bien-aimée. Le prêtre local, un homme éminent nommé à la tête de la paroisse tout récemment (une conséquence directe de la disparition de la bague), a témoigné que la mourante l'avait fait appeler à son chevet afin de s'assurer que son petit-fils "perturbé" irait rendre hommage à la Vierge. À propos de cette demande solennelle, beaucoup a été dit. La femme était la plus âgée des membres de la communauté, une dame très pieuse dont la sagesse et l'abnégation ici-bas étaient connues de tous.

« Lors de sa "résurrection" en entrepreneur talentueux, l'homme en question s'est, en outre, métamorphosé en un génie des mathématiques, doublé d'un prodigieux joueur d'échecs. Malheureusement, une foule de pèlerins atteints de troubles similaires n'a pas été bénie par la main inspirée de Notre-Dame de la Miséricorde – mais ne dit-on pas que ses pouvoirs empruntent des voies mystérieuses ? De toute évidence, elle a cependant le plus grand respect pour les capacités cérébrales, et son message est simple : les humbles hériteront de la terre.

« Tout compte fait, le miracle aura été un énorme succès. La procession de Pâques a vu affluer plus de dix mille pèlerins dans les rues de Torre de Burros. De nouveaux convertis ont rejoint notre troupeau, inversant, ne serait-ce que dans une mesure modeste, la tendance à l'épuisement religieux et à l'abandon de la foi catholique à laquelle nous avons assisté ces dernières décennies.

« La foi est une grande force. Puisse-t-elle nous garder dans l'ignorance et nous inciter à aller de l'avant pour le bien de l'humanité. »

Remerciements

Je remercie Honno, mon éditeur, et Sheila Crowley, mon agent. Je suis plus que jamais reconnaissante à John Sewell pour son soutien inébranlable, à Caroline Oakley et Kay Byrne pour leur foi en ce roman, et enfin et surtout à Linda Shaughnessy et Liz Jensen pour leurs critiques aussi franches qu'acérées.

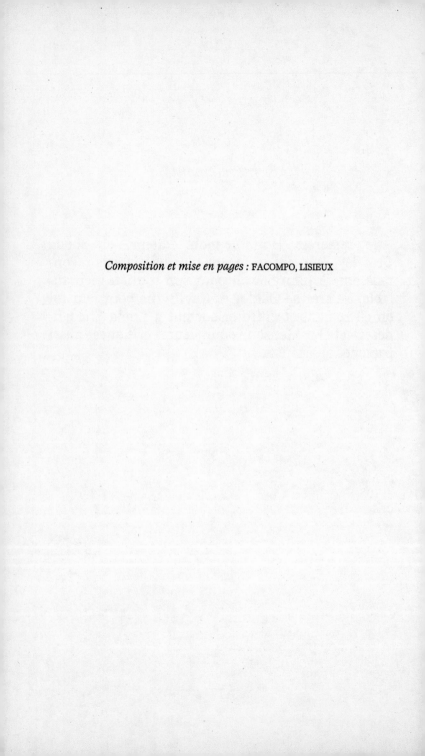

Composition et mise en pages : FACOMPO, LISIEUX

Achevé d'imprimer par N.I.I.A.G.
en septembre 2011
pour le compte de France Loisirs, Paris

N° d'éditeur : 65208
Dépôt légal : septembre 2011
Imprimé en Italie